Rachel Joyce

Die unwahrscheinliche Pilgerreise des Harold Fry

Roman

Aus dem Englischen von
Maria Andreas

Krüger Verlag

4. Auflage: Juli 2012

Erschienen im Krüger Verlag,
einem Unternehmen der S. Fischer Verlag GmbH
Die Originalausgabe erschien 2012 unter dem Titel
›The Unlikely Pilgrimage of Harold Fry‹
im Verlag Doubleday / Transworld Publishers, London
© Rachel Joyce 2012
Für die deutschsprachige Ausgabe:
© S. Fischer Verlag GmbH, Frankfurt am Main 2012
Kartengraphik: John Taylor
Satz: Pinkuin Satz und Datentechnik, Berlin
Druck und Bindung: CPI – Clausen & Bosse, Leck
Printed in Germany
ISBN 978-3-8105-1079-2

Für Paul, der mit mir geht, und für meinen Vater,
Martin Joyce (1936–2005)

Wer wahre Stärke sucht
wird sie hier finden:
Einer trotzt standhaft
dem Wetter, den Winden.
Sein Mut treibt ihn voran,
dass niemals wanken kann,
was einst als Schwur begann:
Pilger zu sein.

John Bunyan, ›Pilgerreise‹

1
Harold und der Brief

Der Brief, der alles verändern sollte, kam an einem Dienstag. An einem ganz gewöhnlichen Vormittag Mitte April, der nach frisch gewaschener Wäsche und Grasschnitt roch. Harold saß glattrasiert und im sauberen Hemd mit Krawatte am Frühstückstisch vor einer Scheibe Toast, die er nicht aß. Er sah aus dem Küchenfenster auf den kurzgeschorenen Rasen hinaus, der an drei Seiten von den blickdichten Bretterzäunen der Nachbarn eingeschlossen war. Mittendrin steckte Maureens Teleskopwäschespinne.

»Harold!«, rief Maureen über den Staubsaugerlärm hinweg. »Post!«

Eigentlich wäre er gern hinausgegangen, aber das Einzige, was es draußen zu tun gab, war Rasenmähen, und das hatte er gestern schon erledigt. Der Staubsauger verstummte, und seine Frau erschien mit dem Brief und einem säuerlichen Gesicht. Sie setzte sich Harold gegenüber.

Maureen war eine zierliche Frau mit silbergrauem Bob und flinken Schritten. Als sie sich kennenlernten, war es Harolds größte Freude, sie zum Lachen zu bringen. Zuzusehen, wie sie ihre straffe Haltung verlor und ausgelassen zu zucken begann. »Für dich«, sagte sie. Er wusste nicht, was sie meinte, bis sie einen Umschlag über den Tisch schob und bei seinem

Ellbogen liegen ließ. Beide betrachteten ihn, als hätten sie noch nie einen Brief gesehen. Er war rosa. »Abgestempelt in Berwick upon Tweed.«

Er kannte niemanden in Berwick. Er kannte nirgendwo viele Leute. »Vielleicht ist er falsch abgestempelt.«

»Ich glaube nicht. Bei so was wie Poststempeln passieren keine Fehler.« Sie nahm sich Toast aus dem Ständer. Sie mochte ihn kalt und knusprig.

Harold studierte den geheimnisvollen Umschlag. Sein Rosa war nicht wie das Rosa im Bad, das sich in den Handtüchern und dem plüschigen Toilettenbezug wiederholte. Das grelle Pink weckte in Harold immer das Gefühl, er gehöre nicht hierher. Das Umschlagrosa dagegen war zart, ein Rosa wie Erdbeermilch. Name und Adresse waren ein einziges Gekrakel, die ungelenken Buchstaben purzelten durcheinander wie von einem Kind hingekritzelt: *Mr. H. Fry, Fossebridge Road 13, Kingsbridge, South Hams*. Die Handschrift sagte ihm nichts.

»Und?«, fragte Maureen. Sie reichte ihm ein Messer. Er setzte es an einer Umschlagecke an und stieß es in den Falz. »Vorsichtig«, mahnte sie.

Unter ihrem bohrenden Blick zog er den Brief heraus und schob seine Lesebrille zurecht. Das Blatt war mit Schreibmaschine getippt, die Absenderadresse kannte er nicht: Bernardino-Hospiz. *Lieber Harold, dieser Brief wird Sie vielleicht überraschen.* Sein Blick sprang nach unten zur Unterschrift.

»Und?«, fragte Maureen wieder.

»Du liebe Güte. Er ist von Queenie Hennessy.«

Maureen spießte ein Stück Butter auf und verstrich es bis in alle Ecken ihres Toasts. »Queenie wer?«

»Sie hat in der Brauerei gearbeitet. Vor Jahren. Erinnerst du dich nicht?«

Maureen zuckte mit den Achseln. »Ich wüsste nicht, wieso. Ich wüsste nicht, warum ich mich an jemanden erinnern sollte, den du vor Jahren mal gekannt hast. Reichst du mir die Erdbeermarmelade, bitte?«

»Sie war in der Buchhaltung. Sehr tüchtig.«

»Das ist die Orangenmarmelade, Harold. Erdbeermarmelade ist rot. Es hilft übrigens, wenn du die Dinge ansiehst, bevor du sie in die Hand nimmst.«

Harold reichte ihr das Gewünschte und wandte sich wieder seinem Brief zu. Perfekt in der Form natürlich, ganz das Gegenteil des Gekrakels auf dem Umschlag. Lächelnd erinnerte er sich, dass Queenie immer so gewesen war: Alles wurde gewissenhaft und tipptopp erledigt. »Sie erinnert sich an dich. Lässt dich grüßen.«

Maureen spitzte die Lippen. »Im Radio hab ich gehört, dass die Franzosen ganz wild auf unser Brot sind. Ihr eigenes lässt sich nicht richtig in Scheiben schneiden. Die kommen rüber und kaufen alles auf. Es hieß, das Brot könnte bis zum Sommer knapp werden.« Sie hielt inne. »Harold? Ist was?«

Er sagte nichts. Er richtete sich auf, ganz blass im Gesicht, öffnete halb den Mund. Als er die Stimme wiederfand, klang sie leise und wie aus weiter Ferne. »Sie hat – sie hat Krebs. Queenie schreibt, um sich zu verabschieden.« Er suchte nach weiteren Worten, fand aber keine. Da zog er ein Taschentuch aus der Hosentasche und schnäuzte sich. »Ich ... ähem. Oje.« Seine Augen drohten überzufließen.

Augenblicke verstrichen, vielleicht Minuten. Maureen schluckte schwer, laut hörbar in der Stille. »Das tut mir leid«, sagte sie.

Er nickte. Er hätte aufblicken sollen, konnte aber nicht.

»Es ist ein schöner Vormittag«, setzte sie wieder an. »Du könntest doch die Terrassenstühle rausholen?« Aber Harold blieb reglos, wortlos sitzen, bis sie die Teller abräumte. Kurz darauf heulte in der Diele der Staubsauger wieder auf.

Harold fühlte sich, als bekäme er keine Luft. Als würde, wenn er auch nur einen Finger, einen Muskel rührte, ein Sturm von Gefühlen losbrechen, die er unbedingt unter Verschluss halten wollte. Warum hatte er zwanzig Jahre verstreichen lassen, ohne nach Queenie Hennessy zu forschen? Vor ihm stieg das Bild der kleinen, dunkelhaarigen Frau auf, mit der er vor langer Zeit zusammengearbeitet hatte; unvorstellbar, dass sie nun – wie alt? – sechzig sein sollte. Und in Berwick an Krebs starb. Warum ausgerechnet Berwick, dachte er; so weit nach Norden war er nie gereist. Er blickte wieder in den Garten hinaus und sah einen Plastikstreifen, der sich in der Lorbeerhecke verfangen hatte, hartnäckig herumflatterte und sich doch nicht löste. Er steckte Queenies Brief in die Tasche, klopfte zur Sicherheit zweimal darauf und stand auf.

Oben schloss Maureen leise die Tür von Davids Zimmer, stand kurz da und atmete Davids Gegenwart ein. Sie zog die blauen Vorhänge auf, die sie jeden Abend schloss, und vergewisserte sich, dass kein Staub am Gardinensaum hing, wo er ans Fensterbrett stieß. Sie polierte den Silberrahmen des Fotos, das ihn als Student in Cambridge zeigte, und das kleine schwarzweiße Babyfoto daneben. Sie hielt den Raum sauber, denn sie wartete darauf, dass David zurückkehrte – wann er kommen würde, wusste sie nicht. Eigentlich war sie ständig am Warten. Männer hatten keine Ahnung, was es bedeutet, Mutter zu sein. Schmerzlich ein Kind zu lieben, auch wenn es sich längst entfernt hat. Sie dachte an Harold unten mit seinem rosaroten Brief und wünschte, sie könnte mit ihrem

Sohn darüber reden. Maureen verließ das Zimmer genauso leise, wie sie es betreten hatte, und ging die Betten abziehen.

Harold Fry nahm mehrere Blatt Briefpapier und einen von Maureens Tintenrollern aus der Schublade. Was sagt man zu einer an Krebs sterbenden Frau? Sie sollte wissen, wie leid es ihm tat, aber *mein Beileid* konnte er schlecht schreiben, das stand auf den Karten, die man fertig kaufen konnte, sozusagen für hinterher, und klang auch formelhaft, als nähme er keinen großen Anteil. Er machte einen Versuch: *Liebe Miss Hennessy, ich hoffe aufrichtig, Ihr Zustand wird sich bessern,* aber als er den Stift hinlegte und den Satz noch einmal überdachte, kam er ihm ebenso steif wie unglaubwürdig vor. Er knüllte das Blatt zusammen und versuchte es noch einmal. Er hatte sich noch nie gut ausdrücken können. Was er empfand, war so übermächtig, dass er es schwer in Worte fassen konnte, und selbst wenn es ihm gelänge, schickte es sich nicht, so an jemanden zu schreiben, mit dem er zwanzig Jahre lang keinen Kontakt gehabt hatte. Wäre die Lage andersherum, wüsste Queenie genau, was zu tun wäre.

»Harold?« Maureens Stimme überraschte ihn. Er dachte, sie sei oben und poliere etwas oder spreche mit David. Sie hatte ihre gelben Gummihandschuhe an.

»Ich schreibe Queenie einen kurzen Brief.«

»Einen Brief?« Sie wiederholte oft, was er sagte.

»Ja. Möchtest du unterschreiben?«

»Ich denke, nein. Es wäre kaum passend, einen Brief an jemanden zu unterschreiben, den ich nicht kenne.«

Er konnte jetzt nicht länger um formvollendeten Ausdruck ringen, sondern musste einfach niederschreiben, was von selbst kam: *Liebe Queenie, danke für Ihren Brief. Es tut mir sehr leid. Alles Gute – Harold (Fry).*

Das war zwar schwach, aber immerhin. Er steckte den Brief in einen Umschlag, klebte ihn rasch zu und schrieb die Hospizadresse darauf. »Ich geh mal schnell zum Briefkasten.«

Es war kurz nach elf. Er nahm seine regendichte Jacke von dem Haken, den Maureen dafür vorgesehen hatte. An der Tür wehte ihm ein Schwall Wärme und Salzgeruch in die Nase, aber bevor er den Fuß über die Schwelle setzen konnte, stand seine Frau schon neben ihm.

»Bist du länger weg?«

»Ich geh nur die Straße runter.«

Sie sah mit ihren moosgrünen Augen zu ihm hoch, hob ihm ihr zierliches Kinn entgegen. Er wünschte, ihm würde etwas einfallen, was er zu ihr sagen könnte, aber ihm fiel nichts ein, was der Rede wert gewesen wäre. Er sehnte sich danach, wie in alten Zeiten den Arm um sie zu legen, den Kopf auf ihre Schulter sinken und dort liegen zu lassen. »Tschüss dann, Maureen.« Er schloss zwischen sich und ihr die Tür, behutsam und leise.

Die Fossebridge Road zog sich an einem Hang oberhalb von Kingsbridge entlang, und so genossen die Anwohner, was Immobilienmakler gern eine unverbaubare Panoramalage nennen, mit einer weiten Aussicht über die Stadt und die Landschaft. Allerdings neigten sich die Vorgärten gewagt steil zum Gehweg hinunter, die Pflanzen klammerten sich an Bambusstäbe, als fürchteten sie um ihr Leben. Harold ging den abschüssigen, betonierten Gartenweg etwas schneller hinunter, als ihm lieb war; dabei stachen ihm fünf neue Löwenzahnpflanzen ins Auge. Vielleicht würde er heute Nachmittag den Unkrautvernichter herausholen. Dann hätte er etwas zu tun.

Harold blieb nicht unentdeckt: Der Nachbar nebenan winkte ihm und steuerte auf den gemeinsamen Zaun zu. Rex war nicht sehr groß, hatte kleine Füße, einen kleinen Kopf und dazwischen einen sehr rundlichen Körper, so dass Harold manchmal befürchtete, falls er stürzte, gäbe es kein Halten mehr: Wie ein Fass würde er den Hügel hinunterkullern. Rex hatte vor sechs Monaten seine Frau verloren, etwa zur gleichen Zeit, als Harold in Pension ging. Seit Elisabeths Tod redete er gern darüber, wie schwer das Leben war. Er redete gern sehr ausführlich darüber. »Zuhören ist das Mindeste, was man tun kann«, sagte Maureen. Harold war nicht sicher, ob das eine allgemeine Bemerkung war oder speziell auf ihn gemünzt.

»Na? Machst du dich zu einem Spaziergang auf?«, fragte Rex.

Harold versuchte es mit einem scherzhaft-munteren Ton, hoffentlich Andeutung genug, dass er sich jetzt nicht aufhalten lassen wollte. »Hast du Post zum Einwerfen, alter Junge?«

»Niemand schreibt mir. Seit Elisabeth nicht mehr ist, krieg ich nur noch Werbung.«

Rex starrte in unbestimmte Fernen, und Harold erkannte sofort die Richtung, die das Gespräch nehmen wollte. Er warf einen Blick nach oben: Wattewölkchen segelten an einem Seidenpapierhimmel. »Richtig schöner Tag.«

»Richtig schön«, bestätigte Rex. Er seufzte in die entstehende Pause hinein. »Elizabeth mochte die Sonne so gern.« Wieder Pause.

»Guter Tag zum Mähen, Rex.«

»Sehr guter Tag dafür, Harold. Kompostierst du deinen Grasschnitt? Oder nimmst du ihn zum Mulchen?«

»Ich finde, das Mulchen mit Grasschnitt macht eine ziemliche Sauerei, ständig klebt was an den Füßen. Maureen mag es nicht, wenn ich das Zeug ins Haus schleppe.« Harold blickte flüchtig zu seinen Segelschuhen hinunter und fragte sich, warum so viele Leute Segelschuhe tragen, wenn sie mit Segeln nichts im Sinn haben. »Ich muss jetzt los, damit ich die Mittagsleerung noch erwische.« Er wedelte mit seinem Brief und ging weiter, zum Gehweg hinunter.

Zum ersten Mal in seinem Leben war Harold enttäuscht, dass der Briefkasten so schnell erreicht war. Am liebsten hätte er die Straße überquert und sich daran vorbeimogelt, aber der Kasten stand nun einmal da, am Ende der Fossebridge Road, und wartete auf ihn. Harold hob den Brief an Queenie zum Schlitz und stockte. Er blickte auf die kurze Strecke zurück, die er gelaufen war.

Die freistehenden Häuser waren mit Stuck verziert und in unterschiedlichen Gelb-, Lachs- und Blautönen gestrichen. Manche hatten noch ihre spitzen Dächer aus den Fünfziger-jahren und wie Strahlen im Halbkreis angeordnete Zierbalken; bei anderen war das Dachgeschoss ausgebaut und mit Schieferplatten verkleidet. Ein Haus war ganz im Stil eines Schweizer Chalets umgebaut worden. Harold und Maureen waren vor fünfundvierzig Jahren hergezogen, gleich nachdem sie geheiratet hatten. Die Finanzierung hatte Harolds ganze Ersparnisse aufgezehrt; es gab kein Geld mehr für Vorhänge oder Möbel. Sie hielten Distanz zu den Nachbarn, und mit der Zeit zogen die alten Nachbarn weg und neue kamen, nur Harold und Maureen blieben. Sie hatten einmal Gemüsebeete gehabt und einen Zierteich. Maureen hatte jeden Sommer Chutneys gekocht, und David hatte Goldfische gehalten. Hinter dem Haus hatte ein Gartenschuppen gestanden, in dem es nach Dünger roch; an hohen Haken hingen Werkzeuge, aufgerollte Schnur und Seile. Aber das war alles längst verschwunden. Sogar die Schule ihres Sohnes, die einmal einen Steinwurf von seinem Fenster entfernt gestanden hatte, war abgerissen und durch fünfzig erschwingliche Häuschen in hellen Primärfarben ersetzt worden, mit einer Straßenbeleuchtung im Stil alter Gaslaternen.

Harold dachte an die paar Worte, die er Queenie geschrieben hatte, und schämte sich für ihre Dürftigkeit. Er stellte sich vor, wie er nach Hause zurückkehrte, wie Maureen David anrief, wie das Leben genauso weiterging wie bisher, außer dass Queenie in Berwick im Sterben lag. Das setzte ihm schwer zu. Er ließ den Brief auf dem Rand des dunklen Briefkastenschlunds ruhen. Er schaffte es nicht, ihn hineinzuschubsen.

»Eigentlich ist es ein schöner Tag«, sagte er laut, obwohl niemand da war. Er hatte ja sonst nichts zu tun, da konnte er genauso gut zum nächsten Briefkasten laufen. Bevor er es sich anders überlegen konnte, bog er um die Ecke.

Spontane Entschlüsse waren Harolds Sache nicht. Das war ihm durchaus bewusst. Seit seiner Pensionierung vergingen die Tage in immer gleicher Einförmigkeit, außer dass sein Bauch dicker und sein Haar dünner wurde. Nachts schlief er schlecht oder manchmal überhaupt nicht. Schneller als gedacht gelangte er zum nächsten Briefkasten, und wieder hielt er inne. Er hatte etwas begonnen, was er selbst nicht durchschaute, war aber nicht bereit, mittendrin aufzuhören. Schweißperlen standen ihm auf der Stirn, sein Blut pochte ahnungsvoll. Wenn er seinen Brief zur Post in der Fore Street brächte, dann käme er garantiert morgen an.

Als er durch die Straßen des Neubaugebiets abwärts schlenderte, schien ihm die Sonne drückend auf den Hinterkopf und die Schultern. Verstohlen sah er in die Fenster; meist waren sie leer, manchmal erwiderte jemand seinen Blick, und Harold fühlte sich genötigt, hastig weiterzugehen. Aber manchmal entdeckte er unverhofft einen Gegenstand, eine Porzellanfigur, eine Vase, einmal sogar eine Tuba. Ausdruck der Persönlichkeit ihrer Besitzer und dazu geeignet, sich gegen die Außenwelt abzugrenzen. Harold stellte sich vor, was ein Passant aus den Fenstern der Fossebridge Road 13 über ihn und Maureen ablesen konnte – nicht sehr viel, der Gardinen wegen. Er schlug die Richtung zum Hafen ein, in seinen Oberschenkeln zuckten schon die Muskeln.

Es war Ebbe, und die Jollen, die alle einen Anstrich brauchten, lagen schief in einer Mondlandschaft aus schwarzem Schlamm. Harald hinkte zu einer freien Bank und faltete den Brief auseinander, den Queenie ihm geschrieben hatte.

Sie erinnerte sich. Nach all den Jahren. Und er hatte ganz normal weitergelebt, als ginge ihn, was sie getan hatte, überhaupt nichts an. Er hatte nicht versucht, sie aufzuhalten. Er war ihr nicht gefolgt. Er hatte sich nicht einmal verabschiedet. Neue Tränen traten ihm in die Augen, und der Himmel und der Gehweg verschwammen in eins. Dann schoben sich die wässrigen Umrisse einer Mutter mit einem Kind davor. Beide hielten Eiswaffeln in den Händen, die sie wie Fackeln vor sich hertrugen. Die Frau hob den Jungen hoch und setzte ihn auf das andere Ende der Bank.

»Schöner Tag«, sagte Harold. Er wollte nicht wie ein alter Mann erscheinen, der vor sich hin weinte. Die Frau blickte weder auf, noch stimmte sie ihm zu. Sie beugte sich über die Faust ihres Kindes und leckte seine Eiskugel glatt, damit sie nicht tropfte. Der Junge sah zu und hielt ganz still, das Gesichtchen so dicht an dem seiner Mutter, dass es fast damit verschmolz.

Harold fragte sich, ob er je mit David am Kai gesessen und Eis gegessen hatte. Hatte er bestimmt, auch wenn die Erinnerung verschüttet blieb. Er musste weiter. Er musste seinen Brief aufgeben.

Vor dem Old Creek Inn lachten Büroangestellte bei ihrem

Mittagsbier, aber Harold bemerkte sie kaum. Als er die steile Fore Street hinaufzusteigen begann, dachte er an die Mutter, die so mit ihrem Sohn beschäftigt war, dass sie niemand anderen sah. Ihm fiel auf, dass immer nur Maureen mit David redete, ihm berichtete, was es Neues gab. Maureen hatte alle Briefe und Postkarten an David für Harold mit unterschrieben (*Dad*). Sogar das Pflegeheim für seinen Vater hatte Maureen gefunden. Harold drückte auf den Knopf der Fußgängerampel. Wenn Maureen seine Stelle einnahm, stellte sich doch die Frage: »Wer bin dann eigentlich ich?«

Er ging an der Post vorbei, ohne haltzumachen.

2
Harold, das Mädchen von der Tankstelle
und eine Frage des Glaubens

Harold Fry war nun fast am oberen Ende der Fore Street angelangt. Er war an dem wegen Geschäftsaufgabe geschlossenen Woolworth vorbeigegangen, am bösen Metzger (»Der schlägt seine Frau«, sagte Maureen), am guten Metzger (»Seine Frau hat ihn verlassen«), am Uhrturm, an den Shambles-Arkaden und am Sitz der *South Hams Gazette*, und erreichte nun den letzten Laden.

Bei jedem Schritt spürte er ein Ziehen in den Wadenmuskeln. Die tiefeingeschnittene Meeresbucht hinter ihm glänzte in der Sonne wie eine Blechplatte; die Segelboote waren nur noch winzige weiße Flecke. Harold blieb beim Reisebüro stehen, und weil er sich ausruhen wollte, ohne dass es jemand bemerkte, tat er, als läse er die Schnäppchen-Angebote. Bali, Neapel, Istanbul, Dubai. Seine Mutter hatte früher so verträumt erzählt, sie würde am liebsten in Länder mit tropischen Bäumen und Frauen mit Blumen im Haar entfliehen, dass er als Junge dieser unbekannten Welt instinktiv misstraute. Das änderte sich auch nicht, als er Maureen heiratete und David geboren wurde. Sie verbrachten jedes Jahr zwei Wochen in derselben Ferienanlage in Eastbourne. Harold holte ein paarmal tief Luft, bis sich sein Atem beruhigte, und ging weiter in Richtung Norden.

Die Läden wichen Wohnhäusern, manche aus dem unverputzten rosagrauen Stein, der hier in Devon vorkam, andere farbig gestrichen, wieder andere mit Schieferplatten verkleidet; dann folgten die Stichstraßen zu Neubausiedlungen. Magnolien begannen zu blühen, üppige weiße Sterne auf Ästen, die so kahl waren, dass sie aussahen wie nackt. Es war schon ein Uhr; Harold hatte die Mittagsleerung verpasst. Er würde sich eine Kleinigkeit zu essen kaufen, die ihm über den Hunger hinweghalf, und dann den nächsten Briefkasten suchen. Harold wartete eine Lücke im Verkehr ab und überquerte die Straße zu einer Tankstelle, an der die Häuser aufhörten und die Felder anfingen.

Ein junges Mädchen gähnte an der Kasse. Über T-Shirt und Hose trug sie eine Weste mit einem Button, auf dem zu lesen war: *Was kann ich für Sie tun?* Zwischen ihren fettigen Haarsträhnen standen ihre Ohren hervor, ihre aknenarbige Haut war blass, als wäre sie lange nicht an die frische Luft gekommen. Sie wusste nicht, wovon Harold redete, als er nach einem »kleinen Imbiss« fragte. Sie machte den Mund auf und schloss ihn nicht wieder, als klemmte er, dass Harold fürchtete, Stunden später würde sie immer noch so dastehen. »Einen Snack?«, verdeutlichte er. »Eine kleine Stärkung?«

Schließlich flatterten ihre Augenlider. »Ach, Sie meinen einen Burger«, sagte sie, trottete zur Kühlung und zeigte ihm, wie er sich in der Mikrowelle einen BBQ-Riesen-Cheesie mit Pommes warmmachen konnte.

»Du meine Güte!«, sagte Harold, als sie zusahen, wie sich der Burger in seiner Schachtel hinter der Glasscheibe drehte. »Ich hatte keine Ahnung, dass man an der Tankstelle eine richtige Mahlzeit bekommt.«

Das Mädchen nahm den Burger aus der Mikrowelle und

stellte Harold eine Schale mit Ketchup- und Grillsauce-Tütchen hin. »Haben Sie auch getankt?«, fragte sie und wischte sich langsam die Hände ab. Sie waren klein wie Kinderhände.

»Nein, nein, ich bin nur so vorbeigekommen. Zu Fuß übrigens.«

»Ach ja?«, sagte sie.

»Ich möchte einen Brief an eine Frau einwerfen, die ich mal gut kannte. Leider hat sie Krebs.« Zu seinem Entsetzen bemerkte er, dass er, bevor er das bewusste Wort aussprach, eine Pause machte und die Stimme dämpfte. Er ertappte sich auch dabei, dass er mit den Fingern eine kleine Nuss formte.

Das Mädchen nickte. »Meine Tante hatte auch Krebs«, sagte sie. »Der ist wirklich überall.« Sie ließ den Blick die Regale hinauf- und hinunterwandern, als verberge sich der Krebs womöglich sogar hinter den Straßenkarten und der Autopolitur. »Aber man muss trotzdem positiv denken.«

Harold hörte auf zu kauen und tupfte den Mund mit einer Papierserviette ab. »Positiv?«

»Man muss glauben. Meine ich jedenfalls. Es geht gar nicht um Medizin und das ganze Zeug. Man muss daran glauben, dass ein Mensch wieder gesund werden kann. Unser Geist ist viel größer, als wir begreifen. Wenn wir fest an etwas glauben, können wir alles schaffen.«

Harold sah die junge Frau ehrfürchtig an. Er wusste nicht, wie es dazu gekommen war, aber auf einmal schien sie von Licht übergossen, als wäre die Sonne gewandert; ihre Haare und ihre Haut hatten etwas Schimmerndes, Transparentes. Vielleicht starrte er sie zu aufdringlich an, denn sie zuckte mit den Schultern und sog an ihrer Unterlippe. »Rede ich Mist?«

»Aber nein! Gar nicht! Das ist sehr interessant. Ich fürchte, ich habe zur Religion nie den rechten Draht gefunden.«

»Ich meine das auch nicht, äh, religiös. Ich meine, wir müssen dem Unbekannten vertrauen, müssen sogar darauf setzen. Daran glauben, dass wir etwas bewegen können.« Sie zwirbelte eine Haarsträhne um den Finger.

Harold war noch nie einer so schlichten Sicherheit begegnet, schon gar nicht bei einem so jungen Menschen. Wie sie es sagte, klang es völlig einleuchtend. »Und sie ist gesund geworden, ja? Ihre Tante? Weil Sie daran geglaubt haben?«

Der Finger war so fest mit der Strähne umwickelt, dass Harold befürchtete, er würde sich nie wieder daraus lösen lassen. »Sie hat gesagt, es lässt sie hoffen, nachdem alles andere weggebrochen ist …«

»Arbeitet hier jemand?«, rief ein Mann im Nadelstreifenanzug von der Theke. Er klopfte mit den Autoschlüsseln auf der harten Platte herum, machte die Zeit, die er hier verschwendete, als Getrommel hörbar.

Das Mädchen schlängelte sich durch die Regale zur Kasse zurück, wo der Nadelgestreifte demonstrativ auf seine Armbanduhr schaute. Er hielt das Handgelenk hoch und deutete auf das Zifferblatt. »Ich muss in dreißig Minuten in Exeter sein.«

»Benzin?«, fragte das Mädchen und nahm wieder ihren üblichen Platz vor Zigaretten und Lotterielosen ein. Harold versuchte, ihren Blick auf sich zu ziehen, aber sie reagierte nicht. Sie war in die träge, geistlose Person von vorhin zurückgeschlüpft, als hätte das Gespräch über ihre Tante nie stattgefunden.

Harold ließ das Geld für den Burger auf der Theke liegen und ging zur Tür. Glaube? Hatte sie nicht dieses Wort be-

24

nutzt? Es begegnete ihm nicht oft und berührte ihn seltsam. Auch wenn er nicht sicher war, was sie mit Glauben meinte oder woran er selbst noch glaubte, hallte das Wort verblüffend hartnäckig in ihm nach. Mit fünfundsechzig hatte er sich auf Schwierigkeiten eingerichtet. Die Gelenke wurden steif, ein dumpfer Dauerton summte in seinen Ohren, seine Augen tränten beim leisesten Windzug, ein spitzer Brustschmerz kündigte Unheilvolles an. Aber was stieg da für ein Gefühl in ihm hoch, dass sein Körper brummte vor Energie? Er lief in Richtung A381 los und nahm sich wieder fest vor, beim nächsten Briefkasten stehen zu bleiben.

So verließ er Kingsbridge. Die Straße wurde erst einspurig, dann verschwanden auch die Gehwege. Die Bäume über ihm schlossen ihre Äste zu einem Tunneldach zusammen, in dem sich Blütenwolken und spitze Blattknospen nur so verhedderten. Mehr als einmal musste er sich in einen Weißdornstrauch drücken, um dem Verkehr auszuweichen. Viele Fahrer saßen allein im Auto, vermutlich Büroangestellte, weil ihre Gesichter so starr wirkten, als wäre alle Freude herausgepresst. Es gab einige Frauen, die Kinder herumkutschierten, und auch sie sahen müde aus. Sogar die älteren Paare wie er selbst und Maureen hatten etwas Steifes. Harold spürte den Drang zu winken, verzichtete aber lieber darauf. Er atmete schwer, weil ihn das Gehen anstrengte, und wollte niemanden beunruhigen.

Das Meer lag hinter ihm; vor ihm dehnte sich eine bewegte Hügellandschaft aus, an ihrem Ende die blauen Umrisse des Granitmassivs von Dartmoor. Und dahinter? Die Blackdown Hills, die Mendips, die Malverns, die Pennines, die Yorkshire Dales, die Cheviot Hills und Berwick upon Tweed.

Aber gleich hier, auf der anderen Straßenseite, standen ein

Briefkasten und ein Stück weiter eine Telefonzelle. Harolds Weg war zu Ende.

Sein Gang wurde schleppend. Er war an so vielen Briefkästen vorbeigelaufen, dass er gar nicht mehr mitgezählt hatte, außerdem hatten ihn zwei Postautos und ein Motorradkurier überholt. Wieder dachte er an alles, was er hatte davonziehen lassen. Lächelnde Gesichter. Angebote, zusammen ein Bier trinken zu gehen. Menschen auf dem Parkplatz der Brauerei, an denen er immer wieder vorbeigegangen war, ohne den Kopf zu heben. Nachbarn, deren Nachsendeadressen er nie aufgehoben hatte. Schlimmer noch: seinen Sohn, der nicht mit ihm redete, und seine Frau, die er im Stich gelassen hatte. Er erinnerte sich an seinen Vater im Pflegeheim und an den Koffer seiner Mutter neben der Tür. Und jetzt hatte sich diese Frau gemeldet, die ihm vor zwanzig Jahren ihre Freundschaft bewiesen hatte. War das der Lauf der Dinge? Dass er immer, wenn er etwas tun wollte, genau einen Augenblick zu spät kam? Alle Bruchstücke eines Lebens letztlich loslassen musste, als ergäben sie keinen Sinn? Das Bewusstsein seiner Hilflosigkeit drückte Harold so nieder, dass ihm ganz schwach wurde. Ein Brief genügte nicht. Es musste doch eine Möglichkeit geben, etwas zu bewirken. Er tastete in der Jackentasche nach seinem Handy, um festzustellen, dass er es zu Hause hatte liegen lassen. In seinem tiefen Kummer wankte er auf die Straße hinaus.

Ein Lieferwagen bremste quietschend und streifte ihn fast im Vorbeifahren. »Pass doch auf, du Idiot!«, schrie der Fahrer.

Harold hörte es kaum. Auch den Briefkasten nahm er kaum wahr. Noch bevor sich die Tür der Telefonzelle hinter ihm schloss, hielt er den Brief, den Queenie ihm geschrieben hatte, in der Hand.

Er fand die Absenderadresse und Telefonnummer, aber seine Finger zitterten so sehr, dass er die Tasten kaum drücken konnte. In der reglosen, drückenden Luft wartete er auf den Klingelton. Er spürte, wie ihm zwischen den Schulterblättern der Schweiß herunterrann.

Nach zehnmal Klingeln klickte es endlich, und eine Stimme meldete sich in breitem schottischen Dialekt: »Bernardino-Hospiz. Guten Tag.«

»Ich würde gern mit einer Patientin sprechen, bitte. Ihr Name ist Queenie Hennessy.«

Aus dem Hörer kam Schweigen.

Er fügte hinzu: »Es ist sehr dringend. Ich muss wissen, wie es ihr geht.«

Es hörte sich an, als atmete die Frau mit einem langen Seufzer aus. Eine Gänsehaut lief Harold über den Rücken. Queenie war tot; er kam zu spät. Wieder einmal. Er presste die Fingerknöchel auf den Mund.

Die Stimme sagte: »Ich fürchte, Miss Hennessy schläft gerade. Kann ich etwas ausrichten?«

Kleine Wolken jagten ihre Schatten über das Land. Das Licht über den fernen Hügeln war rauchgrau, nicht, weil es schon dämmerte, sondern weil so riesige Landmassen davorlagen. Er hatte das Bild vor Augen, wie Queenie am einen Ende Englands schlummerte und er selbst am anderen Ende in der Telefonzelle stand, dazwischen zahllose unbekannte Dinge, die er sich nur vorstellen konnte: Straßen, Felder, Flüsse, Wälder, Moor und Heide, Berge und Täler, und Menschen über Menschen. Ihnen allen würde er begegnen und weiterziehen. Es brauchte kein Überlegen, kein Abwägen. Die Entscheidung kam zugleich mit der Idee. Er lachte, wie einfach es war.

»Sagen Sie ihr, Harold Fry ist auf dem Weg. Sie braucht

nur durchzuhalten. Denn ich werde sie retten, wissen Sie. Ich werde laufen, und sie muss weiterleben. Werden Sie ihr das sagen?«

Die Stimme versicherte es ihm. Ob es sonst noch etwas gebe? Kannte er zum Beispiel die Besuchszeiten? Die Parkbeschränkungen?

Er wiederholte: »Ich komme nicht mit dem Auto. Ich will, dass sie lebt.«

»Entschuldigung. Haben Sie etwas von Ihrem Auto gesagt?«

»Ich bin zu Fuß unterwegs, von Südengland aus. Von Devon den ganzen Weg bis nach Berwick upon Tweed.«

Die Stimme seufzte verärgert. »Die Verbindung ist furchtbar. *Was* machen Sie?«

»Ich komme zu Fuß«, rief er.

»Ach so«, sagte die Stimme langsam, als hätte die Frau zu einem Stift gegriffen und würde seine Nachricht mitnotieren. »Sie kommen zu Fuß. Das werde ich ihr sagen. Soll ich ihr sonst noch etwas ausrichten?«

»Ich breche jetzt auf. Solange ich gehe, muss sie leben. Bitte sagen Sie ihr, dass ich sie dieses Mal nicht im Stich lassen werde.«

Als Harold auflegte und aus der Telefonzelle trat, klopfte sein Herz so schnell, dass er das Gefühl hatte, es wäre für seine Brust zu groß und würde sie sprengen. Mit zitternden Fingern zog er die Umschlagklappe seines eigenen Briefs vorsichtig wieder auf und nahm seine Antwort heraus. Er drückte das Blatt gegen die Glasscheibe und kritzelte ein PS dazu: *Warten Sie auf mich. H.* Dann warf er den Brief ein und spürte es kaum, dass er ihn nun nicht mehr hatte.

Harold starrte auf das Band der Straße, das vor ihm lag, auf die finstere Mauer des Dartmoor-Massivs und auf die Segelschuhe an seinen Füßen. Er fragte sich, worauf er sich um Himmels willen gerade eingelassen hatte.

Über ihm flog mit knatternden Schwingen eine Möwe und lachte.

3
Maureen und der Anruf

Das Nützliche an einem Sonnentag war, dass man den Staub gut sah und die Wäsche fast schneller trocknete als im Trockner. Maureen hatte sämtliche lebenden Organismen auf den Arbeitsflächen bespritzt, mit Bleichmittel vergiftet, weggeschrubbt, vernichtet. Sie hatte die Decken gelüftet, die Bettwäsche gewaschen und gemangelt und die Betten für sich und Harold frisch bezogen. Dabei empfand sie es fraglos als Entlastung, dass er aus dem Weg war; in den sechs Monaten seit seiner Pensionierung war er kaum einen Schritt aus dem Haus gegangen. Aber jetzt, als nichts mehr zu tun blieb, machte sie sich plötzlich Sorgen um ihn und wurde ungeduldig. Sie rief ihn auf dem Handy an, worauf oben im Haus eine Marimbamelodie losdudelte. Maureen hörte seine stockende Nachricht: »Sie haben das Mobiltelefon von Harold Fry erreicht. Es tut mir sehr leid, aber – er ist nicht da.« Bei der langen Pause in der Mitte drängte sich der Eindruck auf, dass er sich tatsächlich umsah, wo er wohl abgeblieben war.

Es war schon fünf Uhr vorbei. Harolds Verhalten fiel sonst nie aus dem Rahmen. Die üblichen Geräusche, das Ticken der Dielenuhr, das Brummen des Kühlschranks, waren lauter, als sie sein sollten. Wo steckte er bloß?

Maureen wollte sich mit dem Kreuzworträtsel im *Telegraph*

31

ablenken, musste aber feststellen, dass Harold bereits alle leichten Felder ausgefüllt hatte. Ein schrecklicher Gedanke schoss ihr durch den Kopf. Sie sah ihn mit offenem Mund auf der Straße liegen. So etwas kam vor. Leute hatten einen Infarkt und wurden tagelang nicht gefunden. Oder wurden ihre geheimen Ängste wahr? Endete er vielleicht mit Alzheimer wie sein Vater? Der Mann war keine sechzig gewesen, als er starb. Maureen lief die Autoschlüssel und die bequemen Schuhe holen, mit denen sie immer fuhr.

Dann fiel ihr ein, dass er wahrscheinlich bei Rex drüben war. Wahrscheinlich redeten sie übers Rasenmähen und das Wetter. Lächerlich, der Mann. Sie stellte ihre Schuhe wieder neben die Haustür und hängte die Autoschlüssel an ihren Haken.

Maureen schlich ins Wohnzimmer, das sie schon seit Jahren insgeheim das »Schonzimmer« nannte. Immer wenn sie es betrat, hatte sie das Bedürfnis, eine Strickjacke überzuziehen. Früher hatte hier ein Mahagoni-Esstisch mit vier Polsterstühlen gestanden; sie hatten jeden Abend hier gegessen und ein Glas Wein getrunken. Aber das war zwanzig Jahre her. Jetzt war der Tisch fort, und in den Bücherregalen standen Fotoalben, die nie jemand aufschlug.

»Wo bist du?«, fragte sie. Zwischen ihr und der Außenwelt hingen Gardinen, die alle Farben und Feinheiten verschluckten; Maureen war froh darüber. Die Sonne begann schon zu sinken. Bald würden die Straßenlampen angehen.

Als das Telefon klingelte, rannte Maureen in die Diele und riss den Hörer hoch. »Harold?«

Nach einer bedeutungsschweren Stille hörte sie: »Ich bin's, Maureen. Rex von nebenan.«

Sie sah sich hilflos um. Bei ihrem Galopp zum Telefon hatte sie sich den Fuß an etwas Kantigem angestoßen, das Harold auf dem Boden hatte liegen lassen. »Alles in Ordnung, Rex? Ist dir wieder die Milch ausgegangen?«

»Ist Harold zu Hause?«

»Harold?« Maureens Stimme schraubte sich höher. Wenn er nicht bei Rex war, wo denn dann? »Ja. Selbstverständlich ist er zu Hause.« Sie hatte einen völlig unnatürlichen Ton angenommen, halb hoheitsvoll, halb abgekämpft. Sie klang genau wie ihre Mutter.

»Ich hab mir nur Sorgen gemacht, dass etwas passiert ist. Hab ihn nicht von seinem Spaziergang zurückkommen sehen. Er wollte einen Brief einwerfen.«

Schon schossen ihr entsetzliche Bilder durch den Kopf, Bilder von Rettungswagen und Polizisten und wie sie Harolds reglose Hand hielt. Vielleicht war es furchtbar albern von ihr, aber sie spielte innerlich schon einmal die schlimmsten Möglichkeiten durch, wie um sich gegen den Schock zu wappnen. Sie wiederholte, dass Harold zu Hause sei, und bevor Rex weiter nachfragen konnte, legte sie auf. Sofort fühlte sie sich wie ein Scheusal. Rex war vierundsiebzig und einsam. Er wollte ja nur helfen. Sie war drauf und dran, ihn zurückzurufen, als er ihr zuvorkam; das Telefon klingelte in ihren Händen. Maureen rappelte sich zusammen. »Guten Abend, Rex«, sagte sie gelassen in den Hörer.

»Ich bin's.«

Da schoss Maureens gelassene Stimme wie eine Rakete in die Höhe. »Harold? Wo bist du denn?«

»Auf der B3196. Draußen vor dem Pub in Loddiswell.« Er klang recht vergnügt.

Zwischen der Haustür und Loddiswell lagen fast acht Kilometer. Er hatte also keinen Infarkt erlitten. Er war nicht auf die Straße gestürzt und hatte nicht vergessen, wer er war. Mehr noch als erleichtert war Maureen entrüstet. Dann beschlich sie ein neuer, fürchterlicher Gedanke: »Du hast doch nicht etwa getrunken?«

»Ich habe eine Limonade getrunken, fühle mich aber zum Bäume Ausreißen. Besser als seit Jahren. Ich habe einen netten Mann kennengelernt, der Satellitenschüsseln verkauft.« Er machte eine Pause, als nähme er Anlauf, ihr gleich etwas Ungeheuerliches zu verkünden. »Ich habe ein Versprechen abgelegt, Maureen. Ich werde laufen. Den ganzen Weg nach Berwick.«

Sie dachte, sie hätte sich verhört. »Laufen? Zu Fuß? Nach Berwick upon Tweed? Du?«

Das schien er sehr komisch zu finden. »Ja! Genau!«, prustete er.

Maureen schluckte. Sie spürte, wie ihre Beine schwach wurden und ihre Stimme sie verlassen wollte. »Verstehe ich richtig: Du gehst zu Queenie Hennessy?«

»Ich werde dorthin laufen, und sie wird leben. Ich werde sie retten.«

Ihre Knie gaben nach. Sie streckte die Hand rasch zur Wand aus, um sich abzustützen. »Das glaube ich nicht. Du kannst niemanden vor Krebs retten, Harold. Außer, du wärst Chirurg. Dabei kannst du nicht einmal eine Scheibe Weißbrot abschneiden, ohne ein Gemetzel daraus zu machen. Das ist doch lächerlich.«

Wieder lachte Harold, als unterhielten sie sich über einen Fremden und nicht über ihn. »Ich habe mich mit dem Mädchen von der Tankstelle unterhalten, und sie hat mich auf die Idee gebracht. Sie hat ihre Tante vor Krebs gerettet, weil sie daran glaubte. Sie hat mir auch gezeigt, wie man einen Burger warmmacht. Da waren sogar saure Gurken drauf.«

Er hörte sich so selbstsicher an. Das warf sie völlig aus der Bahn. Maureen spürte einen Funken in sich aufglimmen.

»Harold, du bist fünfundsechzig. Du bist nie weiter gelaufen als bis zum Auto. Und falls du es nicht bemerkt hast: Du hast dein Handy liegen lassen.« Er setzte zu einer Entgegnung an, aber sie walzte über ihn hinweg. »Und wo, glaubst du, wirst du heute Nacht schlafen?«

»Ich weiß nicht.« Sein Lachen war verstummt, seine Stimme klang ernüchtert. »Aber ein Brief reicht nicht. Bitte. Ich muss das machen, Maureen.«

Wie er sie so eindringlich bat und zum Schluss ihren Namen hinzusetzte, als wäre er ein Kind und die Entscheidung läge bei ihr, wo er doch eindeutig schon entschieden hatte, brachte den Funken zum Explodieren. Sie sagte: »Na, dann mach dich eben auf den Weg nach Berwick, Harold. Wenn du unbedingt willst. Ich bin gespannt, ob du weiter kommst als Dartmoor …« Ein Stakkato von Pieptönen störte die Verbindung. Sie schloss die Finger fester um den Hörer, als wäre er ein Stück von Harold, an das sie sich klammern könnte. »Harold? Bist du noch im Pub?«

»Nein, in einer Telefonzelle davor. Hier stinkt es ziemlich. Ich glaube, jemand hat reinge…« Seine Stimme brach ab. Er war weg.

Maureen schleppte sich zu dem Stuhl in der Diele. Die Stille war nun lauter, als hätte er gar nicht angerufen, schluckte alles andere, das Ticken der Dielenuhr, das Brummen des Kühlschranks, das Vogelgezwitscher im Garten. Die Worte *Harold, Burger, laufen* dröhnten Maureen im Kopf, und zwischendurch immer wieder zwei andere: *Queenie Hennessy*. Nach all den Jahren. Tief in ihr rumorte die Erinnerung an etwas längst Begrabenes.

Maureen saß einsam da, während es dunkel wurde, während auf den Hügeln die Neonlampen angingen und die Nacht mit bernsteinfarbenen Lichtklecksen sprenkelten.

4
Harold und die Hotelgäste

Harold Fry war ein Mensch von großer Statur, der ein wenig gebückt durchs Leben ging, als erwarte er, dass er jederzeit gegen einen niedrigen Balken prallen oder von einem zusammengeknüllten Papiergeschoss bombardiert werden könnte. Als er geboren wurde, sah seine Mutter entsetzt auf das Bündel in ihren Armen. Sie war jung, hatte einen Mund wie eine Pfingstrosenknospe und einen Mann, der vor dem Krieg ganz brauchbar schien, dann aber nicht mehr. Ein Kind war das Letzte, was sie wollte oder brauchen konnte. Der Junge lernte rasch, dass er am besten durchs Leben kam, wenn er möglichst unsichtbar im Hintergrund blieb. Er spielte mit den Nachbarskindern oder beobachtete sie zumindest vom Rand aus. In der Schule tat er sich so wenig hervor, dass er als beschränkt galt. Mit sechzehn verließ er sein Elternhaus und schlug sich allein durch, bis ihn eines Abends quer über die Tanzfläche Maureens Blick traf und er sich Hals über Kopf in sie verliebte. Nach Kingsbridge kam das jung verheiratete Paar der Brauerei wegen.

Harold war dort fünfundvierzig Jahre als Handelsvertreter beschäftigt. Er hielt sich stets abseits und arbeitete ebenso bescheiden wie tüchtig, ohne sich um Beachtung oder Beförderung zu bemühen. Andere reisten weit herum und stiegen in Führungspositionen auf, aber Harold wollte keines von beiden. Er schloss weder Freundschaften, noch machte er sich Feinde. Auf seine Bitte hin gab es bei seiner Pensionierung keine Abschiedsfeier. Eine der Sekretärinnen in der Verwaltung hatte noch schnell für ihn gesammelt, doch im Vertriebsteam wusste man wenig über ihn. Jemand glaubte gehört zu haben, dass Harold sein Päckchen zu tragen hatte, wusste aber auch nichts Genaueres. Harold hörte an einem Freitag auf, und als er nach Hause zurückkehrte, hatte er als Anerkennung für seine Lebensleistung nicht mehr vorzuweisen als einen durchgehend illustrierten Auto-Atlas Großbritannien und einen Gutschein für einen Einkauf in einem Spirituosengeschäft. Das Buch kam ins Wohnzimmer, zu allen anderen Dingen, die niemand ansah. Der Gutschein blieb in seinem Umschlag. Harold war Abstinenzler.

Nagender Hunger ließ Harold morgens aus dem Schlaf hochfahren. Die Matratze war über Nacht sowohl härter geworden als auch gewandert; auf den Teppich fiel ein unvertrauter Lichtstreifen. Was hatte Maureen mit dem Schlafzimmer angestellt, dass das Fenster auf der falschen Seite war? Was hatte sie mit den Wänden gemacht – seit wann hatte die Tapete Streublümchen? Da erinnerte er sich; er befand sich in einem kleinen Hotel ein wenig außerhalb von Loddiswell, auf dem Weg nach Norden. Er ging zu Fuß nach Berwick, weil Queenie Hennessy nicht sterben durfte.

Harold würde als Erster zugeben, dass einige Punkte seiner Reiseplanung nicht ganz ausgefeilt waren. Er hatte keine Wanderschuhe, keinen Kompass, von einer Landkarte oder Kleidung zum Wechseln ganz zu schweigen. Der am wenigsten ausgefeilte Teil der Planung war jedoch die Reise selbst. Er hatte erst gewusst, dass er nach Berwick laufen würde, nachdem er bereits aufgebrochen war. Von wegen ausgefeilte Planung – es gab überhaupt keinen Plan. Nun ja, er kannte die Straßen in Devon gut genug; danach würde er sich einfach nach Norden halten.

Harold schüttelte seine beiden Kissen zu einem Rückenpolster auf und setzte sich langsam auf. Seine linke Schulter schmerzte, sonst fühlte er sich erfrischt. Er hatte so gut geschlafen wie seit vielen Jahren nicht mehr, ohne die Bilder, die ihn regelmäßig im Dunkeln heimsuchten. Der Bettbezug passte zu dem Blumenstoff der Vorhänge, und seine Segelschuhe standen unter einem abgeschliffenen alten Holzschrank. In der Ecke gab es ein kleines Waschbecken mit einem Spiegel. Hemd, Krawatte und Hose lagen auf einem Sessel mit verblichenem blauen Samtbezug, klein zusammengefaltet, als wolle Harold sich für sie entschuldigen.

Ein Bild stieg in Harold auf: die Kleider seiner Mutter, die im Haus seiner Kindheit überall verstreut lagen. Er wusste nicht, woher das Bild kam. Um es wegzuwischen, sah er zum Fenster hinüber und versuchte, an etwas anderes zu denken. Er fragte sich, ob Queenie wusste, dass er zu Fuß zu ihr unterwegs war. Vielleicht dachte sie sogar in diesem Moment an ihn.

Nach dem Anruf im Hospiz war er auf der B3196 weitergelaufen, die anstieg und einen Bogen machte. Die Richtung war ihm klar; er hatte Felder, Häuser, Bäume, die Brücke über den Fluss Avon hinter sich gelassen, und zahllose Autos hatten ihn überholt. Nichts davon machte auf Harold großen Eindruck; es bedeutete für ihn lediglich, dass es nicht mehr zwischen ihm und Berwick lag. Er hatte regelmäßige Verschnaufpausen gemacht. Mehrmals musste er sich die Segelschuhe neu binden und die Stirn abwischen. In Loddiswell kehrte er in das Gasthaus ein, um seinen Durst zu stillen; dort unterhielt er sich auch mit dem Satellitenschüsselvertreter. Harold vertraute ihm seine Absicht an, und der Mann war so platt, dass er Harold auf den Rücken klopfte und alle im Raum aufforderte, gut zuzuhören. Als Harold sein Vorhaben kurz und knapp bekanntgab (»ich laufe durch England bis nach Berwick«), dröhnte der Vertreter: »Bravo!« Mit diesem Wort im Kopf war Harold hinausgestürzt, um seine Frau anzurufen.

Er wünschte, sie hätte dasselbe gesagt.

»Das glaube ich nicht.« Damit fuhr sie ihm manchmal über den Mund, bevor er ihn überhaupt aufmachen konnte.

Nach dem Gespräch mit Maureen waren seine Schritte schwerer geworden. Er konnte ihr ihre Meinung über ihn als Ehemann nicht verübeln, und doch wünschte er, sie dächte anders. Er war zu einem kleinen Hotel gelangt, vor dem schiefe Palmen wuchsen, als duckten sie sich vor dem Küstenwind, und hatte sich nach einem Zimmer erkundigt. Er war es natürlich gewöhnt, allein zu schlafen, aber in einem Hotel zu übernachten war neu für ihn; als er für die Brauerei arbeitete, war er immer vor Anbruch der Nacht zu Hause gewesen. Sobald er sich hingelegt und die Augen geschlossen hatte, war er fast augenblicklich in einen bewusstlosen Schlaf gefallen.

Harold lehnte sich an das weichgepolsterte Brett am Kopfende, stellte das linke Bein auf, umfasste den Knöchel und zog ihn so nahe zu sich heran, wie er konnte, ohne das Gleichgewicht zu verlieren und umzukippen. Zur näheren Inspektion setzte er die Lesebrille auf. Die Zehen waren weich und blass, etwas empfindlich an den Nägeln und am knotigen Mittelgelenk; oben an der Ferse bildete sich möglicherweise eine Blase. Aber wenn er sein Alter und seine mangelnde Kondition berücksichtigte, empfand Harold einen stillen Stolz.

Den rechten Fuß unterzog er derselben langsamen und gründlichen Inspektion.

»Nicht schlecht«, sagte er.

Ein paar Pflaster. Ein gutes Frühstück. Dann wäre er bereit. Er stellte sich vor, wie die Krankenschwester Queenie über seinen Fußmarsch informierte, und dass sie nichts weiter zu tun bräuchte, als weiterzuleben. Er konnte ihre Gesichtszüge sehen, als säße sie vor ihm, ihre dunklen Augen, den kleinen Mund, die dichten schwarzen Locken. Das Bild war so lebhaft, dass er nicht verstehen konnte, warum er überhaupt noch im Bett war. Er musste nach Berwick. Er schob die Beine zum Matratzenrand und streckte die Fersen zum Boden.

Da kam der Krampf. Der Schmerz schoss ihm in die rechte Wade, als wäre er auf ein Stromkabel getreten. Er versuchte das Bein unter die Decke zurückzuschieben, aber davon wurde es noch schlimmer. Was machte man da am besten? Die Zehen wegstrecken? Oder anziehen? Er humpelte aus dem Bett und hüpfte, gekrümmt und jaulend vor Schmerz, den Teppich entlang. Maureen hatte schon recht; er könnte von Glück reden, wenn er bis Dartmoor käme.

Harold Fry klammerte sich an das Fensterbrett und spähte auf die Straße hinunter. Es war schon Stoßzeit, der Verkehr rauschte in Richtung Kingsbridge. Er dachte an seine Frau, die jetzt in der Fossebridge Road Nummer 13 Frühstück machte, und fragte sich, ob er nicht zurückkehren sollte. Er könnte sein Handy holen und ein paar Sachen einpacken. Er könnte sich die Straßenkarte im Internet ansehen und das Wichtigste an Wanderausrüstung bestellen. Vielleicht hätte der Auto-Atlas, den er zur Pensionierung bekommen und nie aufgeschlagen hatte, ein paar nützliche Tipps? Doch um seine Route so vorzubereiten, wären sowohl ernsthafte Überlegungen als auch tagelanges Warten erforderlich, und für beides hatte er keine Zeit. Außerdem würde Maureen mit der Wahrheit nicht hinter dem Berg halten, dass er sein Bestes tat, um sich zu drücken. Die Tage, als er von ihr Hilfe, Ermutigung oder sonstige Unterstützung erwarten konnte, waren längst vorbei. Der Himmel hinter dem Fenster war von einem zarten, fast zerbrechlichen, mit Wolkenfetzen getupften Blau, die Baumwipfel badeten in einem warmen, goldenen Licht. Die Äste schwankten im Wind und winkten ihn weiter.

Wenn er jetzt nach Hause ginge oder sich auch nur eine Landkarte ansähe, dann würde er nie nach Berwick laufen. Das wusste er. Er wusch sich, zog sich an und band die Krawatte um, dann folgte er dem Duft von gebratenem Speck.

Harold zögerte vor dem Frühstücksraum und hoffte, er wäre leer. Er und Maureen konnten Stunden verbringen, ohne ein Wort zu reden, aber Maureens Gegenwart war wie eine Wand, mit deren Vorhandensein man rechnete, auch wenn man nicht oft hinsah. Harold nahm die Klinke in die Hand. Er schämte sich, dass er nach all den Jahren in der Brauerei immer noch Schüchternheit empfand, wenn er einen Raum voller Fremder betreten sollte.

Er drückte die Tür auf, und so viele Köpfe drehten sich und richteten ihren Blick auf ihn, dass seine Hand auf der Klinke kleben blieb. Da waren eine junge Familie in Urlaubskleidung, zwei ältere Damen in Grau und ein Geschäftsmann mit Zeitung. Von den zwei verbleibenden freien Tischen stand der eine in der Mitte des Raums, der andere in der hinteren Ecke, neben einem Zimmerfarn auf einem Blumenständer. Harold hüstelte.

»Grüß Gott zum wunderschönen Morgen, allerseits«, sagte

er. Warum, wusste er nicht; schließlich floss in seinen Adern kein einziger Tropfen irisches Blut. So hätte sein alter Chef, Mr Napier, daherschwätzen können. Auch in dessen Adern floss kein Tropfen irischen Bluts, aber er machte sich gerne über andere Leute lustig.

Die Hotelgäste stimmten ihm zu, es sei in der Tat ein sehr schöner Morgen, und widmeten sich dann wieder ihrem Frühstück. Wie Harold so dastand, fühlte er sich wie auf dem Präsentierteller, hielt es aber für unhöflich, sich ungefragt zu setzen.

Eine Frau in schwarzem Rock und schwarzer Bluse eilte aus einer Schwingtür hervor, über der ein laminiertes Schild hing: *KÜCHE. KEIN ZUTRITT.* Sie hatte ihr rötlichbraunes Haar irgendwie aufgeplustert, wie Frauen das so können. Maureen hatte sich die Haare nie zurechtgefönt. »Keine Zeit zum Hübschmachen«, knurrte sie ab und zu vor sich hin. Die Frau servierte den beiden dünnen Damen pochierte Eier und fragte dann: »Frühstück mit allem, Mr Fry?«

Harold schämte sich schrecklich, als er sich erinnerte. Das war dieselbe Frau, die ihm gestern Abend sein Zimmer gezeigt hatte. Die Frau, der er in einem Anfall euphorischer Erschöpfung erzählt hatte, dass er zu Fuß nach Berwick ging. Hoffentlich hatte sie es vergessen. »Ja, bitte«, versuchte er zu sagen, brachte es aber nicht fertig, sie dabei anzusehen, und die Worte kamen eher zittrig heraus.

Sie deutete auf den Tisch in der Mitte des Raums, genau auf den Tisch, den er gern gemieden hätte, und als er sich in Bewegung setzte, merkte er, dass der strenge Geruch, der ihn die ganze Treppe hinunter verfolgt hatte, von ihm selbst ausging. Er wäre am liebsten in sein Zimmer hochgerannt, um sich noch einmal gründlich zu waschen, aber das wäre unhöflich gewesen, zumal die Bedienung ihn schon aufgefordert hatte, sich zu setzen, und er ihrer Aufforderung gefolgt war. »Tee? Kaffee?«, fragte sie.

»Ja, bitte.«

»Beides?« Die Bedienung sah ihn geduldig an. Jetzt quälten ihn schon drei Dinge: Selbst wenn sie seinen Geruch nicht bemerkte, selbst wenn sie vergessen hatte, dass er zu Fuß unterwegs war, könnte sie ihn immer noch für senil halten.

»Tee wäre schön«, sagte Harold.

Zu seiner Erleichterung nickte die Bedienung nur und verschwand durch ihre Schwingtür, und es herrschte kurz Ruhe im Raum. Harold rückte seine Krawatte zurecht und legte die Hände in den Schoß. Wenn er ganz still dasaß, würde sich vielleicht alles von selbst geben.

Die beiden grauhaarigen Damen begannen, über das Wetter zu reden, aber Harold wusste nicht, ob sie sich nur untereinander unterhielten oder an die Allgemeinheit wandten. Er wollte nicht unhöflich erscheinen, aber auch nicht den Eindruck erwecken, dass er lauschte, deshalb tat er beschäftigt. Er studierte das Schild auf seinem Tisch, *Bitte nicht rauchen*, dann las er das Schild am Fenster: *Wir bitten unsere Gäste, im Frühstücksraum von der Benutzung ihrer Handys abzusehen.* Er fragte sich, was in der Vergangenheit wohl alles passiert war, dass sich die Hotelbesitzer zu so vielen Verboten genötigt sahen.

Die Bedienung erschien mit einem Teekännchen und Milch. Er ließ sich von ihr einschenken.

»Wenigstens haben Sie einen guten Tag dafür erwischt«, sagte sie.

Sie hatte es also nicht vergessen. Er trank einen Schluck Tee und verbrühte sich den Mund. Die Bedienung stand immer noch neben ihm.

»Machen Sie so was öfter?«, erkundigte sie sich.

Ihm wurde das angespannte Schweigen im Raum bewusst, das gewissermaßen einen Verstärkereffekt hatte. Er ließ einen kurzen Blick über die anderen Gäste schweifen; keiner regte sich. Sogar der Zimmerfarn schien den Atem anzuhalten. Harold schüttelte kaum merklich den Kopf. Er wünschte, die Bedienung würde sich einem anderen Gast zuwenden, aber niemand wollte etwas von ihr, alle wollten nur Harold anstarren. Als kleiner Junge hatte er so viel Angst davor gehabt, Aufmerksamkeit zu erregen, dass er sich bewegte wie ein Schatten. Er verstand sich darauf, seine Mutter beim Schminken oder beim Lesen ihrer Reisezeitschriften zu beobachten, ohne dass sie seine Anwesenheit bemerkte.

Die Bedienung sagte: »Wenn wir nicht ab und zu was Verrücktes tun, können wir uns gleich begraben lassen.« Sie klopfte ihm kurz auf die Schulter und kehrte endlich durch die verbotene Schwingtür in ihr Reich zurück.

Harold spürte, dass er in den Brennpunkt der Aufmerksamkeit gerückt war, obwohl ihn niemand direkt ansprechen wollte. Wie von außen sah er sich seine Tasse absetzen und schrak zusammen, als sie auf dem Unterteller klirrte. Der Geruch wurde immer schlimmer. Harold haderte mit sich, weil er seine Socken am Abend nicht unter dem Wasserhahn ausgespült hatte. Maureen hätte das getan.

»Ich hoffe, Sie finden es nicht aufdringlich, wenn ich frage«, meldete sich eine der alten Damen zu Wort. Sie drehte sich zu ihm und suchte seinen Blick. »Meine Freundin und ich, wir haben uns gefragt, was Sie wohl Spannendes vorhaben.«

Die große, elegante Dame, die älter war als er, trug eine weichfallende Bluse und hatte ihr weißes, aus dem Gesicht frisiertes Haar am Hinterkopf zu einer Rolle festgesteckt. Harold fragte sich, ob auch Queenies Haar seine Farbe verloren hatte. Ob sie es lang trug wie diese Frau, oder kurz

45

geschnitten wie Maureen. »Bin ich furchtbar unhöflich?«, fragte sie.

Harold beteuerte, das sei sie keineswegs, aber zu seinem Schrecken war der Raum wieder verstummt.

Die Freundin war molliger und trug um den Hals eine Perlenkette. »Wir haben die schreckliche Angewohnheit, die Gespräche anderer Leute mitzuhören«, sagte sie und lachte.

»Das ist wirklich ungehörig«, sagten beide zur Allgemeinheit. Sie sprachen laut und mit derselben Upperclass-Schärfe wie Maureens Mutter. Harold ertappte sich dabei, dass er die Augen zukniff, um alles richtig zu verstehen.

»Ich tippe auf einen Flug mit dem Heißluftballon«, sagte die eine.

»Ich glaube eher, dass Sie einen Schwimmrekord aufstellen wollen«, sagte die andere.

Alle sahen Harold erwartungsvoll an. Er holte tief Luft. Wenn er die Worte oft genug aus seinem eigenen Mund hörte, würde er sich vielleicht imstande fühlen, aufzustehen und sie in die Tat umzusetzen.

»Ich bin zu Fuß unterwegs«, sagte Harold. »Ich laufe nach Berwick.«

»Berwick *upon Tweed*?«, fragte die hochgewachsene Dame.

»Das müssen an die achthundert Kilometer sein«, sagte ihre Begleiterin.

Harold hatte keine Ahnung. Er hatte noch nicht den Mut gehabt, sich damit auseinanderzusetzen. »Ja«, stimmte er zu, »wahrscheinlich sogar mehr, wenn man der Autobahn ausweichen will.« Er griff nach seiner Teetasse, griff ins Leere.

Der Familienvater in der Ecke warf dem Geschäftsmann einen kurzen Blick zu und zog die Lippen zu einem Grinsen auseinander. Harold wünschte, er hätte es nicht gesehen. Aber natürlich hatten sie recht. Sein Plan war lächerlich. Alte

Leute sollten sich nicht so aufspielen, sondern brav zu Hause bleiben.

»Haben Sie lange trainiert?«, fragte die Hochgewachsene.

Der Geschäftsmann faltete seine Zeitung zusammen, beugte sich vor und wartete auf eine Antwort. Harold überlegte, ob er wohl lügen könnte, fühlte sich dem aber tief im Innersten nicht gewachsen. Er spürte, dass ihn die alten Damen mit ihrer Freundlichkeit nicht unterstützten, sondern nur noch mehr bloßstellten. Scham stieg in ihm hoch.

»Ich habe nicht trainiert. Es war mehr eine Bauchentscheidung. Ich mache das für eine alte Freundin. Sie hat Krebs.«

Die jüngeren Pensionsgäste starrten ihn an, als hätte er in eine Fremdsprache gewechselt.

»Sie meinen etwas Religiöses? Eine Wallfahrt?«, fragte die Rundliche wohlmeinend. »Sie sind ein Pilger?«

Die andere Dame begann leise zu singen: »*Wer wahre Stärke sucht* …« Ihre Stimme erhob sich rein und selbstsicher, ihr schmales Gesicht rötete sich. Wieder wusste Harold nicht recht, ob sie für den ganzen Raum oder nur für ihre Freundin sang; sie zu unterbrechen schien jedenfalls unhöflich. Schließlich verstummte sie und lächelte. Auch Harold lächelte, aber nur, weil er keine Ahnung hatte, was er nun sagen sollte.

»Dann weiß sie also, dass Sie zu ihr laufen?«, fragte der Familienvater in der Ecke. Er trug ein kurzärmliges Hawaiihemd; auf seinen Armen und seiner Brust kräuselten sich dunkle Locken. Er lehnte sich weit zurück und schaukelte auf den hinteren Stuhlbeinen, wofür Maureen David immer getadelt hatte. Seine Skepsis war quer durch das ganze Frühstückszimmer zu spüren.

»Ich habe es ihr telefonisch ausrichten lassen. Und einen Brief geschrieben.«

47

»Sonst nichts?«

»Für alles andere blieb keine Zeit.«

Der Geschäftsmann heftete seinen zynischen Blick auf Harold. Es war klar, dass auch er ihn durchschaute.

»In Indien haben sich einmal zwei junge Buddhisten auf den Weg gemacht«, erzählte die Mollige. »Zu einem Friedensmarsch; das war 1968. Sie sind zu allen Atommächten der Welt gewandert. Sie hatten Tee im Gepäck und forderten die Staatsoberhäupter auf, wenn sie jemals im Begriff wären, auf den roten Knopf zu drücken, sollten sie sich erst eine Kanne Tee aufbrühen und noch einmal gründlich nachdenken.« Ihre Freundin nickte heftig dazu.

Der Raum kam Harold eng und stickig vor; er sehnte sich nach frischer Luft. Er strich über seine Krawatte, wie um sich seiner selbst zu vergewissern, fühlte sich aber irgendwie unförmig. »Er ist schrecklich groß«, hatte Tante May einmal von ihm gesagt, als wäre das ein Mangel, der sich beheben ließe, etwas wie ein tropfender Wasserhahn. Harold wünschte, er hätte den anderen Hotelgästen nichts von seinem Fußmarsch erzählt. Er wünschte, das Wort Religion wäre nicht gefallen. Er hatte nichts dagegen, wenn andere an Gott glaubten, aber für ihn war das wie ein Ort, wo alle die Regeln kannten, nur er nicht. Er hatte es ein einziges Mal mit Gott probiert, vergeblich. Und jetzt redeten die beiden netten grauhaarigen Damen von Buddhisten und Weltfrieden, dabei hatte er gar nichts damit zu tun. Er war einfach ein Rentner, der mit einem Brief losgezogen war.

Er sagte: »Vor langer Zeit haben die Freundin und ich in derselben Brauerei gearbeitet. Ich musste die Pubs kontrollieren. Sie war in der Buchhaltung. Manchmal besuchten wir die Pubs gemeinsam; dann habe ich sie im Auto mitgenommen.« Sein Herz klopfte so schnell, dass ihm schlecht wurde.

»Sie hat mir einmal sehr geholfen, und jetzt liegt sie im Sterben. Ich möchte nicht, dass sie stirbt. Ich möchte, dass sie am Leben bleibt.«

Die Nacktheit seiner Worte überraschte Harold, ihm war, als hätte er selbst nichts an. Er blickte in seinen Schoß hinunter, und wieder einmal legte sich Schweigen über den Raum. Nachdem er Queenie heraufbeschworen hatte, hätte er gern länger bei ihrem Bild verweilt, aber er spürte zu deutlich, wie ihn alle musterten und an dem, was sie sahen, ihre Zweifel hatten, und so entglitt ihm die Erinnerung an Queenie wieder, genau wie die wirkliche Frau vor so vielen Jahren. Er erinnerte sich kurz an den leeren Stuhl vor ihrem Schreibtisch, und wie er wartend daneben gestanden hatte – er wollte nicht glauben, dass sie fort war und nicht wiederkommen würde. Er hatte keinen Hunger mehr. Er wollte schon hinausgehen, als die Bedienung aus der Küche hervorstürzte, mit einem üppigen Frühstück auf dem Tablett. Harold aß, was er konnte, aber viel war es nicht. Er schnitt den Speckstreifen und das Würstchen in kleine Stücke, schob sie zu einer ordentlichen Reihe zusammen und versteckte sie unter Messer und Gabel, wie es David immer getan hatte; dann zog er sich zurück.

In seinem Zimmer versuchte Harold, die Leintücher und die geblümte Bettdecke so glatt zu ziehen, wie Maureen es getan hätte. Mit dem Aufräumen wollte er sich selbst beseitigen. Am Waschbecken feuchtete er sich die Haare an und drückte sie auf einer Seite fest. Mit dem Zeigefinger kratzte er sich die Essensreste aus den Zähnen. In seinem Spiegelbild erkannte er Spuren seines Vaters. Nicht nur das Blau seiner Augen, sondern auch den Schnitt seines Munds, der sich leicht vorwölbte, als hamstere er ständig etwas hinter der Unterlippe, und die hohe Stirn, in die ihm einst die Haare gefallen waren. Er sah genauer hin und hätte sich gern eingeredet, dass er auch seine Mutter entdecken konnte, aber außer ihrer Größe hatte sie ihm nichts hinterlassen.

Harold war ein alter Mann. Kein sportlicher Wanderer, und ein Pilger schon gar nicht. Wen wollte er denn täuschen? Er hatte sein ganzes Leben damit verbracht, in geschlossenen Räumen herumzusitzen. Seine Haut legte sich in unzähligen Fältchen wie ein Mosaik über Sehnen und Knochen. Er dachte an die vielen Meilen zwischen sich und Queenie, und an Maureen, die ihn daran erinnert hatte, dass er nie weiter gelaufen war als bis zum Auto. Er dachte auch an das Gelächter des Manns im Hawaiihemd und an die Skepsis des Geschäftsmanns. Sie hatten recht. Er hatte keine Ahnung von körperlicher Anstrengung, von Landkarten, von freiem Gelände. Er sollte seine Rechnung bezahlen und mit dem nächsten Bus nach Hause fahren. Er schloss geräuschlos seine Zimmertür; es war wie ein Abschied von etwas, was noch gar nicht begonnen hatte. Als Harold zur Rezeption hinunterschlich, machten seine Schuhe auf dem Teppich nicht das leiseste Geräusch.

Er schob seine Brieftasche in die Gesäßtasche zurück, da flog die Tür des Frühstücksraums auf. Die Bedienung erschien, gefolgt von den beiden grauhaarigen, rosawangigen Damen und dem Geschäftsmann.

»Wir hatten Angst, dass Sie schon weg sind«, sagte die Bedienung leicht außer Atem und strich sich die rotbraunen Haare glatt.

»Wir wollten Ihnen *Bon Voyage* wünschen«, warf die Mollige ein.

»Ich hoffe sehr, es wird Ihnen gelingen«, sagte ihre hochgewachsene Freundin.

Der Geschäftsmann drückte Harold seine Visitenkarte in die Hand. »Wenn Sie es bis Hexham schaffen, schauen Sie doch bei mir vorbei.«

Sie glaubten an ihn. Sie hatten ihn in seinen Segelschuhen angesehen, hatten zugehört, was er sagte, und hatten mit Herz und Verstand beschlossen, das Offensichtliche zu ignorieren und an etwas Größeres und unendlich Schöneres als das real Sichtbare zu glauben. Harold dachte an seine eigenen Zweifel und kam sich kleinmütig vor. »Sehr freundlich von Ihnen«, sagte er leise. Er schüttelte ihnen die Hände und dankte ihnen. Die Bedienung streckte ihm ihr Gesicht entgegen und gab ihm über dem Ohr ein Luftküsschen.

Möglich, dass der Geschäftsmann schnaubte oder sogar das Gesicht verzog, als Harold sich zum Gehen wandte, auch möglich, dass aus dem Frühstücksraum Gelächter und ein unterdrücktes Kichern drangen. Aber Harold hielt sich nicht damit auf; seine Dankbarkeit war so groß, dass er einfach mitlachte. »Ich werde Sie in Hexham besuchen«, versprach er und winkte ausladend mit beiden Armen, als er zur Straße ging.

Hinter ihm lag zinnfarbenes Meer, vor ihm die ungeheure Landfläche, die nach Berwick führte, wo er wieder ans Meer gelangen würde. Harold hatte einen Anfang gemacht, und damit kam schon das Ende in Sicht.

5
Harold, der Wirt und die Frau mit den Apfelschnitzen

Es war ein wunderschöner Frühlingstag. Die Luft war mild und sanft, der tiefblaue Himmel grenzenlos. Als Harold das letzte Mal in der Fossebridge Road durch die Gardinen gespäht hatte, ragten Bäume und Hecken noch als dunkle, spindelige Gerippe in den Horizont; jetzt aber, wo er draußen und auf den Beinen war, explodierte, wohin er auch blickte, in Feldern, Gärten und Hecken das Grün. Die Zweige über ihm stützten einen Baldachin aus klebrigen jungen Blättern. Forsythienwolken leuchteten gelb, Blaukissen breitete seine Schleppen aus, eine junge Weide schüttelte ihre silbrigen Blattfontänen. Die ersten Kartoffelpflänzchen streckten ihre Finger durch die Erde, und an Stachelbeer- und Johannisbeersträuchern hingen schon winzige Knospen, den Ohrringen gleich, die Maureen früher oft getragen hatte. Die Fülle neuen Lebens machte Harold schwindlig.

Das Hotel lag hinter ihm, auf der Straße fuhren nur wenige Autos; da fiel Harold auf, wie schutzlos er als einsamer Wanderer ohne sein Handy war. Wenn er stürzte oder wenn jemand aus dem Gebüsch hervorsprang, wer würde ihn schreien hören? Als plötzlich Zweige knackten, hastete er davon. Dann drehte er sich mit wildklopfendem Herzen um und entdeckte in einem Baum eine Taube, die flatternd um ihr Gleichgewicht rang. Mit der Zeit fand er seinen Rhythmus und mit ihm mehr Sicherheit. England öffnete sich unter seinen Füßen, und beim Vorstoßen ins Unbekannte empfand er ein so beglückendes Freiheitsgefühl, dass sich auf seinem Gesicht ein Lächeln breitmachte. Er war ganz allein auf dieser Welt; nichts konnte ihn aufhalten oder gar auffordern, den Rasen zu mähen.

Hinter den Hecken am Straßenrand fiel das Land zu seiner Rechten und zu seiner Linken ab. Der Wind hatte einer Baumgruppe eine Art schiefe Haartolle geföhnt. Sie erinnerte Harold daran, wie er als Teenager sein eigenes dichtes Haar täglich mit Gel zu einem Wellenkamm nach oben gebürstet hatte.

Er würde nach Norden laufen, nach South Brent, wo er sich nach einer bescheidenen Unterkunft für die Nacht umsehen würde. Von dort würde er der A38 bis Exeter folgen. Er konnte sich nicht genau erinnern, wie weit es bis dorthin war, aber früher hatte er immer großzügig mit einer Fahrt von einer Stunde zwanzig Minuten gerechnet. Er lief die schmalen Landsträßchen entlang, und die Heckenwälle waren so hoch und dicht, dass er das Gefühl hatte, in einem Graben zu gehen. Es überraschte ihn, wie schnell und aggressiv ihm die Autos vorkamen, wenn er nicht selbst in einem saß. Er zog seine regendichte Jacke aus und hängte sie über den Arm.

Er und Queenie mussten diese Sträßchen unzählige Male entlanggefahren sein, und doch hatte er keine Erinnerung an die Landschaft. Sein Arbeitspensum und der Zwang, überall pünktlich anzukommen, hatten ihn so unter Druck gesetzt, dass das Land jenseits der Autofenster nicht mehr war als immer dasselbe verwischte Grün mit hügeligem Hintergrund. Das Leben war ganz anders, wenn man sich zu Fuß darin bewegte. Zwischen den Lücken in der Böschung wogten die Hü-

54

gel auf und ab, vom Relief der Hecken und Baumreihen unterteilt in ein Schachbrett von Feldern. Harold musste stehen bleiben und schauen. Es gab so viele Grüntöne, dass ihn Demut ergriff. Grün, fast so dunkel wie samtiges Schwarz, oder so hell, dass es schon ins Gelb spielte. Weit weg spiegelte sich die Sonne in einem fahrenden Auto, in einer Fensterscheibe vielleicht, und das Licht zitterte über die Hügel wie ein herabgefallener Stern. Wie war es möglich, dass Harold das alles nie wahrgenommen hatte? Blasse Blümchen, deren Namen er nicht kannte, zogen sich am Fuß der Hecken entlang, durchsetzt von Schlüsselblumen und Veilchen. Harold fragte sich, ob Queenie damals auf ihrem Beifahrersitz aus dem Fenster geblickt und diese Dinge gesehen hatte.

»Das Auto riecht süßlich«, hatte Maureen einmal schnuppernd gesagt, »nach Veilchenpastillen.« Von da an hatte er immer darauf geachtet, abends mit offenen Fenstern nach Hause zu fahren.

Er nahm sich vor, bei seiner Ankunft in Berwick einen Blumenstrauß zu kaufen. Er sah schon das Bild vor sich, wie er ins Hospiz ging und Queenie in einem behaglichen Sessel an einem sonnigen Fenster auf seine Ankunft wartete. Das Pflegepersonal würde seine Arbeit unterbrechen und ihm nachsehen, von den Patienten würde er mit großem Hallo begrüßt, vielleicht sogar mit Beifallklatschen, weil er einen so langen Weg gelaufen war, und Queenie würde, wenn sie den Blumenstrauß entgegennahm, leise lachen, wie es ihre Art war.

Maureen hatte früher, in der Anfangszeit ihrer Ehe, oft eine Blüte oder ein Herbstblatt durchs Knopfloch gefädelt. Wenn es kein Knopfloch gab, schob sie den Stängel manchmal hinters Ohr, dass ihr die Blüten ins Haar fielen. Das sah beinahe lustig aus. Er hatte schon jahrelang nicht mehr daran gedacht.

Ein Auto bremste ab und hielt so dicht neben ihm, dass

Harold sich in die Brennnesseln drücken musste. Die Fensterscheiben wurden heruntergelassen. Aus dem Inneren kam laute Musik, aber die Gesichter konnte er nicht sehen. »Na, Opa? Gehst du deine Freundin besuchen?« Harold streckte den Daumen hoch und wartete, bis der Fremde weitergefahren war. Seine Haut brannte, wo ihn die Nesseln erwischt hatten.

Und er ging weiter, setzte einen Fuß vor den anderen. Nachdem er einmal seine Langsamkeit akzeptiert hatte, freute er sich an der Wegstrecke, die er schaffte. Der Horizont in der Ferne war nicht mehr als ein bläulicher, wasserheller Pinselstrich, weder von Häusern noch von Bäumen durchbrochen, aber manchmal verwischte er, als flössen Landschaft und Himmel ineinander, zwei Hälften ein und desselben Ganzen. Er ging an zwei Lieferwagen vorbei, die Nase an Nase voreinander standen; die Fahrer stritten, wer zur Ausweichstelle zurücksetzen sollte. Harolds Körper verlangte heftig nach Nahrung.

Er dachte an das Frühstück, das er nicht gegessen hatte, und sein Magen zog sich zusammen.

An einer größeren Straßenkreuzung mit Pub machte Harold halt, kehrte zu einem frühen Mittagessen ein und nahm sich aus einem Korb zwei Käsesandwiches. Drei über und über mit Gips eingestaubte, Gespenstern gleichende Männer unterhielten sich über das Haus, das sie renovierten. Ein paar andere Gäste sahen von ihrem Bier hoch, aber in dieser Gegend war Harold nie herumgekommen und kannte zum Glück niemanden. Er trug sein Essen und die Limonade zur Tür, wo er in der plötzlichen Helligkeit erst einmal die Augen zukneifen musste, und ging in den Biergarten. Schon während er das Glas an den Mund hob, lief ihm das Wasser im Mund zusammen, und als er die Zähne in sein Sandwich

56

grub, erregten das nussige Käsearoma und die milde Süße des Brots seine Geschmacksknospen so stark, als hätte er noch nie zuvor gegessen.

Als Junge hatte er versucht, geräuschlos zu essen. Seinen Vater störte es, wenn er Harold kauen hörte. Manchmal sagte er nichts, sondern hielt sich nur die Ohren zu und schloss die Augen, als bereite ihm der Junge Kopfschmerzen; manchmal nannte er Harold ein Ferkel. »Der Apfel fällt nicht weit vom Stamm«, sagte seine Mutter dann und drückte ihre Zigarette aus. Das seien die Nerven, hörte Harold einmal einen Nachbarn sagen. Durch den Krieg seien die Leute komisch geworden. Als Junge hätte Harold seinen Vater manchmal gern berührt, hätte gern dicht neben ihm gestanden und den Arm des Erwachsenen um seine Schulter gespürt. Hätte ihn gern gefragt, was vor seiner Geburt passiert war, und warum die Hände seines Vaters zitterten, wenn er sie nach dem Glas ausstreckte.

»Der Junge starrt mich an«, sagte sein Vater manchmal. Dann gab ihm seine Mutter einen Klaps auf die Finger, nicht fest, nur so, als scheuche sie eine Fliege weg, und sagte: »Lass das, Kleiner. Geh raus, spielen.«

Es überraschte Harold, dass er sich an das alles erinnerte. Vielleicht lag es am Gehen. Vielleicht sah man mehr als die Landschaft, wenn man aus dem Auto stieg und seine Füße benutzte.

Die Sonne floss wie warmes Öl auf Harolds Kopf und Hände. Er zog unter dem Tisch die Schuhe und Socken aus, wo niemand seine Füße sehen oder riechen konnte, und untersuchte sie. Die Zehen waren feucht und zornesrot. Wo die Ferse am Schuh rieb, war die Haut entzündet; die Blase fühlte sich an wie eine pralle Schote. Er badete seine Fußsohlen im weichen Gras und schloss müde die Augen, wusste aber, dass er nicht einschlafen durfte. Wenn er zu lange rastete, fiele das Weitergehen schwer.

»Solche Momente muss man genießen.«

Harold drehte sich um; er befürchtete schon, einen Bekannten zu sehen. Aber es war nur der Wirt, der ihm halb in der Sonne stand. Er war so groß wie Harold, aber breiter gebaut; er trug ein Rugby-Hemd, lange Shorts und die Art von Sandalen, die Maureen spöttisch als Teigtaschen bezeichnete. Harold schob seine Füße rasch wieder in die Segelschuhe.

»Lassen Sie sich von mir nicht stören«, sagte der Wirt ziemlich laut, ohne sich vom Fleck zu rühren. Harolds Erfahrung nach fühlten sich Wirte oft dazu verpflichtet, so zu tun, als wäre ein wahnsinnig unterhaltsames Gespräch im Gang, selbst wenn niemand ein Wort sagte. »Bei dem schönen Wetter entwickeln die Leute einen irren Tatendrang. Meine Frau zum Beispiel. Kaum scheint die Sonne, putzt sie die Küchenschränke aus.«

Maureen schien das ganze Jahr zu putzen. Häuser putzen sich nicht von selbst, knurrte sie oft. Manchmal putzte sie etwas von neuem, was sie gerade geputzt hatte. Sie schien im Haus nicht zu leben, sondern sich immer nur über irgendwelche Flächen zu beugen. Das sagte er allerdings nicht, sondern behielt den Gedanken lieber für sich.

»Ich habe Sie hier noch nie gesehen«, sagte der Wirt. »Sind Sie zu Besuch?«

Harold erklärte, er sei auf der Durchreise. Er sei vor sechs Monaten in Rente gegangen, habe in der Brauerei gearbeitet. Er gehöre noch den altmodischen Zeiten an, als die Vertreter jeden Morgen ausschwärmten und es noch nicht so viel Technologie gab.

»Dann müssen Sie Napier gekannt haben?«

Die Frage überrumpelte Harold. Er räusperte sich und

sagte, ja, Napier sei sein Chef gewesen, bis er vor fünf Jahren bei einem Autounfall ums Leben kam.

»Von den Toten soll man nicht schlecht reden«, sagte der Wirt, »aber das war vielleicht ein bösartiger Kerl. Ich war einmal dabei, als er einen Mann halb totgeschlagen hat. Wir mussten ihn wegzerren.«

Harold wollte lieber nicht über Napier reden. Stattdessen erklärte er, wie er seinen Brief an Queenie hatte einwerfen wollen und gemerkt habe, dass das nicht reichte. Bevor der Wirt selbst darauf zu sprechen kommen konnte, räumte Harold ein, dass er weder ein Handy noch Wanderschuhe, noch eine Landkarte besaß und das Ganze wohl ziemlich lächerlich erschien.

»Queenie. Hört man nicht oft, den Namen«, sagte der Wirt. »Klingt altmodisch.«

Harold stimmte ihm zu, so sei sie auch gewesen – altmodisch. In sich gekehrt und immer im braunen Wollkostüm, sogar in den Sommermonaten.

Der Wirt verschränkte die Arme, stützte sie bequem auf seinen weichen Wanst und stellte sich etwas breitbeiniger hin, als könne, was er jetzt erzählen wollte, eine Weile dauern. Harold hoffte, es hätte nichts mit der Entfernung zwischen Devon und Berwick upon Tweed zu tun. »Ich kannte mal eine junge Frau. Tolles Mädchen. Kam aus Tunbridge Wells. Sie war die Erste, die ich geküsst habe, und sie ließ mich auch noch ein paar andere Sachen machen, wenn Sie verstehen, was ich meine. Sie hätte alles für mich getan. Ich hab's nur nicht kapiert. War zu sehr damit beschäftigt, in der Welt voranzukommen. Erst Jahre später, als ich zur Hochzeit eingeladen war, habe ich gesehen, was für ein Glück der Kerl hatte, der sie heiratete.«

Harold fühlte sich zu der Erklärung gedrängt, dass er nie in

Queenie verliebt gewesen war, nicht auf diese Art jedenfalls, aber es kam ihm unhöflich vor, den Wirt zu unterbrechen.

»Da bin ich abgestürzt. Habe angefangen zu saufen. Bin so richtig in der Scheiße gelandet, wenn Sie wissen, was ich meine.«

Harold nickte.

»Hab dann sechs Jahre im Knast gesessen. Meine Frau lacht mich aus, aber heute setz ich mich hin und bastle. Tischdeko. Ich bestell mir die Körbchen und die Weihnachtskugeln im Internet. Eins sag ich Ihnen ...« – er steckte einen Finger ins Ohr und ruckelte darin herum –, »... wir haben alle eine Vergangenheit. Wünschen uns, wir hätten so manches getan oder gelassen. Viel Glück jedenfalls. Ich hoffe, Sie finden die Dame.« Der Wirt zog den Finger aus dem Ohr und untersuchte ihn stirnrunzelnd. »Mit etwas Glück sollten Sie heute Nachmittag ankommen.«

Harold fand es nicht der Mühe wert, den Irrtum aufzuklären. Man konnte nicht erwarten, dass die Leute den Hintergrund seines Fußmarschs begriffen oder wussten, wo Berwick upon Tweed genau lag. Er dankte dem Wirt und machte sich wieder auf den Weg. Er erinnerte sich, dass Queenie in ihrer Handtasche ein Notizbuch hatte, in dem sie immer den korrekten Tachostand eintrug. Zu lügen, zumindest bewusst zu lügen, war ihr nicht gegeben. Da meldete sich sein schlechtes Gewissen wieder und trieb ihn voran.

Im Lauf des Nachmittags begann die Blase an seiner Ferse stärker zu schmerzen. Da kam er auf den Trick, die Zehen weiter nach vorn in die Schuhspitze zu schieben, damit das Leder nicht an der Ferse rieb. Er dachte weder an Queenie noch an Maureen. Er sah auch die Hecken nicht mehr, den Horizont oder die vorbeifahrenden Autos. Er bestand nur noch aus den Worten *Du wirst nicht sterben*; auch seine Füße hatten sich in diese Worte verwandelt. Nur marschierten die Worte manchmal von allein in einer anderen Reihenfolge, und erschrocken merkte Harold, dass er in einem innerlichen Singsang skandierte: *Sterben wirst du nicht*, oder *Nicht sterben wirst du*, oder sogar einfach *Nicht, nicht, nicht*. Über ihm hing derselbe Himmel wie über Queenie Hennessy, und seine Überzeugung, dass sie von seinem Plan erfahren hatte und auf ihn wartete, wurde immer stärker. Er wusste, dass er Berwick erreichen würde, dass er dazu nur einen Fuß vor den anderen zu setzen brauchte. Diese schlichte Wahrheit erfüllte ihn mit Freude. Natürlich würde er ankommen, wenn er immer weiterging.

Die Stille der Landschaft wurde nur von den vorbeizischenden Autos unterbrochen, den im Fahrtwind raschelnden Blättern. Das Geräusch weckte in ihm fast die Illusion, wieder am Meer zu sein. Und gleich steckte er wieder mitten in einer Erinnerung, die er nicht bewusst heraufbeschworen hatte.

Als David sechs war, hatten sie einen Ausflug zum Strand von Bantham gemacht, und David war immer weiter hinausgeschwommen. Maureen hatte geschrien: »David! Komm zurück! Komm sofort zurück!« Aber je eindringlicher ihre Schreie, desto kleiner wurde der Kopf des Jungen. Harold war ihr bis zum Wassersaum gefolgt und dann stehen geblieben, um seine Schnürsenkel aufzubinden. Er wollte die Schuhe gerade abstreifen, als ein Rettungsschwimmer an ihm vorbeisprintete und sich, als wäre es ihm erst nachträglich eingefallen, das T-Shirt herunterriss und nach hinten schleuderte. Der junge Mann stürmte voran, bis er hüfttief im Wasser war, warf sich dann in die Wellen und pflügte hindurch, bis er das Kind erreichte. Er trug David in seinen Armen ans Ufer. Die Rippen des Jungen standen wie Finger hervor, seine Lippen waren blau. »Glück gehabt«, sagte der Rettungsschwimmer. Zu Maureen, nicht zu ihrem Mann; Harold hatte sich ein, zwei Schritte hinter sie zurückgezogen. »Da draußen gibt es eine starke Strömung.« Seine triefenden weißen Stoffschuhe leuchteten in der Sonne.

Maureen hatte es nie ausgesprochen, aber Harold wusste, was sie dachte, weil er dasselbe dachte: Warum hatte er sich so lange mit seinen Schnürsenkel aufgehalten, wenn sein Sohn in Gefahr war, zu ertrinken?

Jahre später hatte er David gefragt: »Warum bist du einfach weitergeschwommen? Damals am Strand? Hast du uns nicht schreien gehört?«

David musste dreizehn, vierzehn gewesen sein. Halb Junge, halb Mann, hatte er Harolds Blick mit seinen schönen braunen Augen erwidert und mit den Achseln gezuckt. »Keine Ahnung. Ich war schon damals in der Scheiße. Mir kam's einfacher vor, drinnen zu bleiben, als wieder rauszukommen.« Harold hatte dazu gesagt, er solle nicht fluchen, vor allem nicht in Hörweite seiner Mutter, und David hatte etwas geantwortet wie »Ach, hau doch ab«.

Harold fragte sich, warum er sich an das alles erinnerte. Sein einziges Kind trat die Flucht ins Meer an und forderte ihn Jahre später auf, sich zu verzeihen. Beide Bilder stiegen in ihm auf, als gehörten sie zum selben Moment; Lichtpunkte tropften wie Regen ins Meer, während der Sohn den Vater mit einer Intensität ansah, die ihn mattsetzte. Die Wahrheit war, dass Harold Angst gehabt hatte. Er hatte an seinen Schnürsenkeln herumgenestelt, weil ihm davor graute, dass er, wenn es keine Ausflüchte mehr gab, nicht in der Lage war, seinen Sohn zu retten. Mehr noch – alle wussten es: Harold, Maureen, der Rettungsschwimmer, sogar David. Harold zwang seine Füße, weiterzulaufen.

Ihm graute davor, dass noch mehr kommen könnte. Bilder und Gedanken, von denen nachts sein Kopf fast platzte, Bilder, die ihn wach hielten. Jahre später hatte Maureen ihn beschuldigt, er hätte ihren Sohn beinahe ertrinken lassen. Harold konzentrierte seine Aufmerksamkeit auf die Außenwelt.

Die Straße verlief wie ein Korridor zwischen dichten Heckenmauern, durch deren Risse und Sprünge Licht sickerte. Frische Schösslinge trieben aus den Böschungen. In der Ferne schlug ein Kirchturm drei Uhr. Die Zeit verging. Harold trieb seine Füße zu mehr Eile an.

Er merkte, dass sich sein Mund sehr trocken anfühlte. Er versuchte, nicht an ein Glas Wasser zu denken. Aber da sein Kopf das Bild nun einmal produziert hatte, beschwor es auch das Gefühl und den Geschmack der kalten Flüssigkeit in seinem Mund herauf, und sein Körper wurde schwach vor Verlangen. Er ging sehr vorsichtig und versuchte den Boden, der unter seinen Füßen kippelte, immer wieder in die Waagrechte zu zwingen. Mehrere Autofahrer bremsten ab, aber er winkte sie weiter, wollte ihre Aufmerksamkeit nicht. Sein Atem schien zu eckig, um durch die Höhlungen seiner Brust zu schlüpfen. Es blieb ihm nichts anderes übrig, als beim ersten Haus, das er erreichte, anzuklopfen. Er hakte das Eisentor hinter sich zu und hoffte, dass es keine Hunde gab.

Die Ziegel des Hauses waren neu und grau, die immergrüne Hecke scharfkantig zurückgestutzt wie eine Mauer. In unkrautfreien Beeten wuchsen schnurgerade Tulpenreihen. Auf der Seite hing eine Wäscheleine mit mehreren großen Hemden, Hosen, Röcken und einem BH. Er wandte den Blick ab, wollte nicht sehen, was nicht für seine Augen bestimmt war. Als Teenager hatte er oft die zum Trocknen aufgehängten Korsetts, Büstenhalter, Miederhöschen und Strümpfe seiner

Tanten betrachtet. Da war ihm zum ersten Mal aufgegangen, dass die weibliche Welt Geheimnisse barg, die er sich zu entschlüsseln vornahm. Er klingelte an der Haustür und lehnte sich an die Mauer.

Eine Frau öffnete und erschrak sofort, als sie ihn sah. Er hätte sie gern beruhigt, sie solle sich keine Sorgen machen, fühlte sich aber, als hätte man ihm sämtliche inneren Organe entnommen. Er konnte kaum die Zunge bewegen. Die Frau stürzte davon, ihm etwas zu trinken holen, und mit zitternden Händen nahm er das Glas in Empfang. Das eiskalte Wasser brach sich an seinen Zähnen, seinem Zahnfleisch, seinem Gaumen und rauschte die Kehle hinunter. Er hätte weinen mögen, denn es war genau, wonach sein Körper verlangte.

»Sind Sie sicher, dass Ihnen sonst nichts fehlt?«, fragte sie, nachdem er das zweite Glas, das sie gleich holen ging, ebenfalls hinuntergestürzt hatte. Sie war breit gebaut und trug ein zerknittertes Kleid. Gebärfreudiges Becken, hätte Maureen gesagt. Ihr Gesicht war so verwittert, dass die Haut aussah wie ausgewrungen. »Sollten Sie sich nicht ausruhen?«

Harold versicherte nachdrücklich, dass es ihm schon viel besser ging. Er wollte weiterlaufen, statt fremde Leute zu belästigen. Außerdem war ihm bewusst, dass er mit seiner Bitte um Hilfe bereits eine unausgesprochene englische Grundregel gebrochen hatte. Noch weiter zu gehen hieße, sich auf etwas Ungreifbares, Unbekanntes einzulassen. Zwischen den Worten schnappte er rasselnd nach Luft. Er erklärte, er hätte einen langen Marsch vor, aber den Dreh wahrscheinlich noch nicht ganz raus. Er hoffte, ihr damit ein Lächeln zu entlocken, aber die Komik blieb ihr wohl verborgen. Es war schon lange her, dass er eine Frau zum Lachen gebracht hatte.

»Warten Sie«, forderte sie ihn auf. Wieder verschwand sie in der Stille des Hauses und kehrte mit zwei Klappstühlen zurück. Harold half sie aufklappen und wiederholte, dass er eigentlich wieder in die Gänge kommen sollte, aber sie ließ sich nieder, als hätte auch sie einen langen Weg hinter sich, und drängte ihn, sich zu ihr zu setzen. »Nur eine kleine Weile«, sagte sie. »Das wird uns beiden guttun.«

Harold ließ sich langsam auf den Klappstuhl neben dem ihren nieder. Ihn überkam eine Schwere, dass er sich nicht mehr rühren konnte, und nach kurzem Widerstand ließ er die Lider sinken. Das Licht dahinter glühte rot; Vogelgezwitscher und vorbeifahrende Autos verschmolzen zu einem einzigen Rauschen, das sowohl in ihm als auch in weiter Ferne war.

Als er aufwachte, stand auf einem Tischchen neben seinen Knien ein Teller mit Butterbroten und Apfelschnitzen. Die Frau deutete mit der offenen Hand auf den Teller, als wiese sie ihm den Weg. »Bitte. Greifen Sie zu!«

Auch wenn ihm sein Hunger nicht bewusst gewesen war, fühlte sich sein Magen jetzt, als er den Apfel sah, richtig hohl an. Außerdem wäre es unhöflich gewesen, nichts zu nehmen, nachdem sie sich die Mühe gemacht hatte. Er aß gierig, entschuldigte sich dafür, konnte sich aber nicht bremsen. Die Frau sah lächelnd zu und spielte die ganze Zeit mit einem Apfelschnitz, drehte ihn zwischen den Fingern, als wäre er ein seltsamer Gegenstand, den sie vom Boden aufgelesen hatte. »Man würde meinen, dass Gehen doch ganz einfach ist«, sagte sie schließlich. »Man braucht ja nur einen Fuß vor den anderen zu setzen. Aber ich staune immer wieder, wie schwierig manches ist, was eigentlich von selbst ablaufen sollte, von unseren Instinkten gesteuert.«

Sie leckte sich über die Unterlippe und wartete auf weitere Worte. »Essen«, sagte sie dann. »Noch so etwas. Manche Leute haben echte Probleme damit. Oder mit dem Sprechen.

Sogar mit dem Lieben. Das kann alles schwierig sein.« Sie sah in den Garten, nicht zu Harold.

»Schlafen«, sagte er.

Sie drehte sich zu ihm. »Können Sie nicht schlafen?«

»Nicht immer.« Er nahm noch einen Apfelschnitz.

Nach einer weiteren Pause sagte sie: »Kinder.«

»Wie bitte?«

»Das ist auch so etwas.«

Er blickte wieder zu ihrer Wäscheleine hinüber, zum perfekten Blumenaufmarsch. Laut hallte darin die Abwesenheit jungen Lebens wider.

»Haben Sie selbst welche?«, fragte sie.

»Nur eins.«

Harold dachte an David, aber alle Erklärungen gingen über seine Kräfte. Er sah den Jungen als Kleinkind, sah sein Gesichtchen in der Sonne braun werden wie eine reife Nuss. Er hätte gern die weichen Grübchen an seinen Knien beschrieben und wie er in seinem ersten Paar Schuhe tapste, nach unten starrend, als könne er nicht glauben, dass sie immer noch an seinen Füßen steckten. Er dachte daran, wie David in seinem Bettchen lag, die Finger auf der Wolldecke so erschreckend klein und vollkommen. Wenn man sie ansah, bekam man Angst, sie könnten sich bei Berührung auflösen.

Maureen war in die Mutterrolle geschlüpft, als wäre sie ihre zweite Natur. Als hätte in ihr die ganze Zeit eine andere Frau gewartet, bereit, jederzeit hervorzukommen. Maureen wusste, wie sie sich hin und her wiegen musste, damit das Baby einschlief, wie sie es anstellen musste, dass ihre Stimme weich wurde, wie sie die Hand wölben musste, um sein Köpfchen zu stützen. Sie wusste, wie warm das Badewasser sein musste, wann David Schlaf brauchte und wie blaue Wollsöckchen für ihn zu stricken waren. Harold hatte keine Ahnung gehabt, dass sie das alles wusste, und sah ihr wie aus einem dunklen Zuschauerraum ehrfürchtig zu. Es vertiefte seine Liebe zu Maureen, rückte sie aber auch ein Stück von ihm weg, so dass ihre Ehe genau in dem Moment, als er dachte, sie würde inniger werden, eher an Richtung verlor oder ihnen zumindest getrennte Plätze zuwies. Er sah sein Söhnchen an, das aus feierlichen Augen blickte, und verzehrte sich vor Angst. Was tun, wenn der Kleine hungrig war? Wenn er unglücklich war? Wenn andere Jungen ihn in der Schule verprügelten? Es gab so vieles, wovor Harold ihn beschützen musste, dass er sich überfordert fühlte. Er fragte sich, ob die neue Verantwortung der Vaterrolle anderen Männern genauso viel Angst einjagte, oder ob nur er sich so unzulänglich fühlte. Heute war es anders. Heute sah man Männer ganz sorglos Buggys schieben und Babys füttern.

»Ich habe doch hoffentlich nichts Unangenehmes gesagt?«, fragte die Frau neben ihm.

»Aber nein.« Er stand auf und drückte ihr die Hand.

»Ich bin froh, dass Sie vorbeigekommen sind«, sagte sie.

»Ich bin froh, dass Sie um Wasser gebeten haben.« Er kehrte zur Straße zurück, bevor sie sehen konnte, dass er weinte.

Zu seiner Linken erhoben sich die niedrigeren Falten des Dartmoor-Massivs. Was ihm zuvor als verschwommene blaue Masse am Horizont erschienen war, gliederte sich nun in eine Reihe felderloser, violetter, grüner und gelber Kuppen auf, die ganz oben felsig waren. Ein Raubvogel, vielleicht ein Bussard, kreiste in weiten Bögen über das Land, gleitend, schwebend.

Harold fragte sich, ob er Maureen vor Jahren nicht zu einem zweiten Kind hätte drängen sollen. »David genügt«, hatte sie gesagt. »Mehr als ihn brauchen wir nicht.« Aber manchmal fürchtete Harold, dass der eine Sohn mehr war, als er ertragen konnte. Vielleicht verdünnte sich der Schmerz des Liebens ja, je mehr Kinder man hatte. Denn das Aufwachsen eines Kindes bestand darin, dass es seine Eltern fortwährend von sich wegstieß. Als ihr Sohn ihnen schließlich endgültig den Rücken gekehrt hatte, ging jeder von ihnen anders damit um. Eine Weile lang herrschte Groll, dann etwas anderes, das der Stille glich, aber eine eigene Energie und Gewalt besaß. Harold legte sich mit einer Grippe ins Bett, und Maureen zog ins Gästezimmer um. Keiner von ihnen sprach diesen Umzug direkt an, aber sie kehrte nie wieder ins Schlafzimmer zurück.

Harold spürte ein Stechen in der Ferse, sein Rücken tat weh, und jetzt begannen seine Fußsohlen zu brennen. Das kleinste Steinchen verursachte ihm Schmerzen; er musste immer wieder stehen bleiben, den Schuh ausziehen und leerschütteln. Von Zeit zu Zeit knickten aus unerfindlichen Gründen seine Beine ein, als wären sie aus Gelee, und er stolperte. Seine Finger pochten, vielleicht, weil sie es nicht gewohnt waren, nach unten hängend hin und her zu pendeln. Und doch fühlte er sich ungeheuer lebendig. Ein Rasenmäher fing in der Ferne an zu brummen, und Harold lachte laut auf.

Er bog in die A3121 nach Exeter ein, doch der Verkehr, der von hinten anbrandete, war so stark, dass er nach einer Meile in die B3372 abschwenkte und dort auf dem Grünstreifen weiterging. Als ihn eine Gruppe professionell aussehender Wanderer einholte, trat er zur Seite und winkte sie vorbei. Sie tauschten Höflichkeiten über das gute Wetter und die Landschaft aus, aber er verriet nicht, dass er nach Berwick ging. Das behielt er lieber für sich, genauso im Verborgenen wie in seiner Tasche Queenies Brief. Als die Gruppe weiterging, stellte er mit Interesse fest, dass alle Rucksäcke hatten, dass manche locker sitzende Trainingsanzüge trugen und andere mit Sonnenblenden, Ferngläsern und Teleskopwanderstöcken ausgerüstet waren. Keiner von ihnen trug Segelschuhe.

Einige winkten, ein oder zwei lachten. Harold wusste nicht, ob sie lachten, weil sie ihn für einen hoffnungslosen Fall hielten, oder weil sie ihn bewunderten, aber eigentlich war es ihm egal. Er war bereits ein anderer Mann als der, der von Kingsbridge oder auch von dem kleinen Hotel aufgebrochen war. Er war nicht mehr jemand, der mal schnell zum Briefkasten wollte. Er war unterwegs zu Queenie Hennessy. Er fing noch einmal von vorne an.

Überrascht hatte er von der Neuen gehört, die in der Brauerei eingestellt worden war. »Anscheinend fängt in der Buchhaltung jetzt eine Frau an«, erzählte er Maureen und David. Sie aßen im Wohnzimmer, Maureen kochte damals noch leidenschaftlich gern, und die Familie nahm dort ihre gemeinsamen Mahlzeiten ein. Als er jetzt diese Szene, dieses Gespräch erneut durchlebte, sah er, dass es Weihnachten war, denn sie hatten festliche Papierkronen auf – da hatte sein Gedächtnis ein neues Detail hergegeben.

»Glaubst du vielleicht, das interessiert jemanden?«, hatte David gefragt. Er musste im letzten Jahr am Gymnasium gewesen sein, trug von Kopf bis Fuß Schwarz und die Haare fast bis zur Schulter. Er hatte keine Papierkrone auf. Die hatte er auf seine Gabel gespießt.

Maureen lächelte. Harold erwartete von ihr nicht, dass sie Partei für ihn ergriff, denn sie liebte ihren Sohn, und das war natürlich in Ordnung so. Er wünschte nur, er müsste sich manchmal nicht so ausgeschlossen fühlen; was die beiden verband, schien vor allem ihre Abgrenzung gegen ihn zu sein.

David sagte: »Eine Frau wird sich in der Brauerei nicht lange halten.«

69

»Anscheinend ist sie sehr qualifiziert.«

»Jeder kennt Napier. Der ist doch ein Gangster. Ein Kapitalist mit sadomasochistischen Tendenzen.«

»So schlimm ist Mr Napier auch wieder nicht.«

David lachte auf. »Vater …« Wie er dieses Wort aussprach, legte nahe, dass er die Beziehung zwischen ihnen als ironische Laune der Natur empfand und keineswegs als tiefe Blutsbande. »Er hat einem Mann die Kniescheiben zertrümmert. Das weiß doch jeder.«

»Das hat er sicher nicht.«

»Weil dieser Mann Geld aus der Portokasse geklaut hat.«

Harold sagte nichts; er wischte mit einem Rosenkohlröschen in der Bratensauce herum. Auch er kannte die Gerüchte, dachte aber nicht gern darüber nach.

»Na, hoffen wir, die Neue ist keine Feministin«, fuhr David fort. »Oder lesbisch. Oder Sozialistin. Was, Vater?« Er hatte Mr Napier offenbar abgehakt und ritt seine Attacken nun gegen das unmittelbare häusliche Umfeld.

Harold begegnete kurz dem herausfordernden Blick seines Sohns. In jenen Tagen hatte dieser Blick immer noch seine Schärfe; ihn länger auf sich zu spüren war unangenehm. »Ich habe nichts dagegen, wenn Leute anders sind«, verteidigte er sich, doch David grub nur die Zähne in die Lippe und sah seine Mutter an. »Aber du liest den *Daily Telegraph*.« Sagte es, schob seinen Teller von sich weg und stand auf. Er war so bleich und ausgemergelt, dass Harold kaum hinsehen konnte.

»Iss doch, Schatz«, forderte Maureen ihn auf. Aber David schüttelte den Kopf und schlurfte hinaus, als genügte die Gegenwart seines Vaters, um einem den Appetit auf das Weihnachtsessen zu verderben.

Harold hatte Maureen angesehen, aber sie war schon auf den Füßen und räumte die Teller ab.

»Er ist eben intelligent, wie du siehst«, sagte sie.

In dieser Bemerkung schwang die Überzeugung mit, dass hohe Intelligenz erstens alles entschuldigte und zweitens den Eltern selbst verwehrt war. »Ich weiß nicht, wie es dir geht, aber ich bin zu voll für den Sherry-Trifle.« Sie beugte den Kopf und streifte die Papierkrone ab wie etwas, aus dem sie herausgewachsen war. Dann ging sie abspülen.

Am späten Nachmittag erreichte Harold South Brent. Er ging wieder auf Gehwegplatten und staunte, wie klein und regelmäßig sie waren. Beim Anblick der sahnefarbenen Häuser, Vorgärten und Garagen mit zentralen Schließanlagen überkam ihn ein Triumphgefühl, wie es nur einer empfinden kann, der nach langer Reise in die Zivilisation zurückkehrt.

In einem kleinen Laden kaufte Harold Pflaster, Wasser, ein Deospray, einen Kamm, eine Zahnbürste, mehrere Einmalrasierer, Rasierschaum, Waschpulver und zwei Päckchen gefüllte Kekse. Er nahm sich ein Zimmer mit Einzelbett und gerahmten Drucken von ausgestorbenen Papageien an der Wand. Dort untersuchte er vorsichtig seine Füße, bevor er Pflaster auf die aufgegangene Blase an seiner Ferse und die Schwellungen an seinen Zehen klebte. Sein Körper pochte vor Schmerzen, die ihm tief in den Knochen saßen. Er war erschöpft. Noch nie in seinem Leben war er an einem Tag so weit gelaufen. Aber heute hatte er fast vierzehn Kilometer zurückgelegt und dürstete nach mehr. Er würde essen, Maureen von einer Telefonzelle aus anrufen, und danach würde er schlafen gehen.

Die Sonne rutschte hinter den Kamm des Dartmoor-Massivs und füllte den Himmel mit rostroten Wolken. Die Hügel waren dunkelblau verschattet, und die Kühe, die darauf grasten, schimmerten zartrosa im letzten Licht. Harold wünschte sich insgeheim, dass David von seinem Fußmarsch wüsste. Er fragte sich, ob Maureen ihm wohl davon erzählen würde, und mit welchen Worten. Die Sterne stanzten nach und nach Löcher in den Nachthimmel, eines nach dem anderen, Harold konnte richtig zusehen, wie es immer mehr wurden und die zunehmende Dunkelheit zu flimmern begann.

Schon die zweite Nacht hintereinander schlief er tief und traumlos.

6
Maureen und die Lüge

Erst war Maureen überzeugt, dass Harold zurückkehren würde. Er würde anrufen, frierend und müde, und sie würde ihn holen müssen, mitten in der Nacht natürlich, müsste zum Autofahren den Mantel über ihr Nachthemd ziehen und ihre bequemen Schuhe hervorholen, und alles bloß wegen Harold. Sie hatte unruhig geschlafen, die Lampe angelassen und das Telefon neben das Bett gestellt, aber er hatte weder angerufen, noch war er heimgekommen.

Sie ging alle Ereignisse immer wieder durch. Das Frühstück, den rosa Brief, Harold, der kein Wort sagte, sondern nur stumm weinte. Das kleinste Detail lauerte in ihrem Kopf. Wie er seine Antwort zweimal gefaltet und in den Umschlag geschoben hatte, bevor sie einen Blick darauf werfen konnte. Auch wenn sie an etwas anderes oder an gar nichts zu denken versuchte, konnte sie sich nicht gegen das beharrlich herantreibende Bild wehren, wie Harold auf Queenies Brief starrte, als ginge tief in seinem Inneren ein Knoten auf. Sie hätte so gern mit David darüber gesprochen, wusste aber nicht, wie sie es in Worte fassen sollte. Dass Harold vorhatte, quer durch England zu laufen, verwirrte und demütigte sie immer noch zu sehr, und sie befürchtete, wenn sie mit David darüber redete, würde sie Harold vermissen, und das wäre unerträglich schmerzhaft.

Als Harold sagte, er ginge nach Berwick, hieß das, dass er nach seiner Ankunft dort bleiben würde?

Nun, sollte er doch, wenn er wollte. Sie hätte es eigentlich kommen sehen sollen. Wie die Mutter, so der Sohn, obwohl sie Joan nie kennengelernt und Harold nie von ihr gesprochen hatte. Welche Frau packt ihren Koffer und geht, ohne wenigstens einen Zettel zu hinterlassen? Ja, sollte er doch gehen. Es hatte Zeiten gegeben, als sie selbst in Versuchung gewesen war, Schluss zu machen. Nur David hatte sie hier gehalten, nicht die Liebe zu ihrem Mann. Sie konnte sich nicht mehr im Einzelnen erinnern, wie sie Harold zum ersten Mal begegnet war und was sie in ihm gesehen hatte, wusste nur noch, dass er sie bei einer öffentlichen Tanzveranstaltung aufgegabelt hatte und dass ihre Mutter ihn gewöhnlich fand, als sie ihn nach Hause brachte.

»Dein Vater und ich hatten uns etwas Besseres vorgestellt«, hatte sie auf ihre knappe, gepresste Art gesagt.

In jenen Tagen hatte Maureen nicht auf andere gehört. Harold hatte keine Bildung. Na und? Keine Klasse. Na und? Wohnte in einem Souterrainzimmer und hatte so viele Jobs, dass er kaum zum Schlafen kam. Na und? Sie sah ihn an, und ihr Herz machte Sprünge. Sie wollte ihm die Liebe sein, die er nie gehabt hatte. Frau, Mutter, Freundin – sie wollte alles für ihn sein.

Manchmal blickte sie in die Vergangenheit zurück und fragte sich, wohin die abenteuerlustige junge Frau, die sie einmal gewesen war, verschwunden war.

Maureen suchte Harolds Papiere durch, aber nichts erklärte, warum er nun zu Queenie lief. Es gab keine Briefe. Keine Fotos. Keine hingekritzelten Richtungshinweise. In seiner Nachttischschublade entdeckte sie lediglich ein Foto von sich selbst kurz nach der Hochzeit und ein zerknittertes Schwarzweißfoto von David, das Harold hier versteckt haben musste, weil sie sich genau daran erinnerte, dass sie es ins Album geklebt hatte. Die Stille im Haus erinnerte sie an die Monate, nachdem David gegangen war, als das Haus selbst den Atem anzuhalten schien. Sie drehte im Wohnzimmer den Fernseher auf und in der Küche das Radio, aber das Haus war immer noch zu leer und zu ruhig.

Hatte er zwanzig Jahre lang auf Queenie gewartet? Hatte Queenie Hennessy auf ihn gewartet?

Morgen kam die Müllabfuhr. Für den Müll war Harold zuständig. Maureen ging an den Computer und bestellte von mehreren Reiseunternehmen Prospekte für Sommerkreuzfahrten.

Als es dunkel wurde, begriff Maureen, dass sie keine andere Wahl hatte, als den Müll selbst hinauszutragen. Sie schleppte den Sack den Weg hinunter und warf ihn gegen das Gartentor, als wäre der Müll, bei dem Harold seine Pflichten vernachlässigte, auch an seinem Verschwinden schuld. Rex musste Maureen von einem der oberen Fenster aus gesehen haben, weil er schon am Zaun stand, als sie zurückkam.

»Alles in Ordnung, Maureen?«

»Ja«, antwortete sie rasch. Natürlich.

»Warum bringt Harold denn heute den Müll nicht runter?«

Maureen blickte zum Schlafzimmerfenster hoch. Seine Leere wurde ihr plötzlich so qualvoll bewusst, dass ein unerwarteter Schmerz an ihren Gesichtsmuskeln zerrte, ihr die Kehle zuschnürte. »Harold ist im Bett.« Sie zwang sich ein Lächeln ab.

»Im Bett?« Rex sackte das Kinn herunter. »Warum? Geht's ihm nicht gut?«

Der Mann machte sich immer zu viel Sorgen. Vor Jahren hatte Elizabeth ihr über die Wäscheleine hinweg anvertraut, dass seine Mutter mit ihrem ständigen Tamtam einen fürchterlichen Hypochonder aus ihm gemacht hatte. Sie erwiderte: »Es ist nichts Schlimmes. Er ist nur umgeknickt. Hat sich den Knöchel verstaucht.«

Rex riss die Augen knopfrund auf. »Ist das gestern bei seinem Spaziergang passiert?«

»Es war nur ein lockerer Pflasterstein. Das vergeht schon wieder, Rex. Er muss den Fuß nur schonen.«

»Das ist ja erschütternd, Maureen! Ein lockerer Pflasterstein? Ach herrje!«

Er schüttelte tragisch den Kopf. Im Haus begann das Telefon zu klingeln; Maureens Herz machte einen Satz. Das war Harold. Er kam nach Hause. Als sie zur Tür rannte, stand Rex immer noch am Zaun und sagte: »Du solltest dich wegen des Pflastersteins bei der Stadtverwaltung beschweren.«

»Keine Angst«, rief sie über die Schulter, »das mach ich schon.« Ihr Herz raste so, dass sie nicht wusste, ob sie lachen oder weinen sollte. Sie stürzte zum Telefon und hob ab, doch da schaltete sich schon der Anrufbeantworter ein, und es wurde aufgelegt. Sie wählte die Servicenummer 1471, um sich die Nummer des letzten Anrufers anzeigen zu lassen, aber sie war nicht vorhanden. Maureen blieb neben dem Telefon sitzen und bewachte es, wartete, dass Harold noch einmal anrief oder nach Hause kam, aber er tat weder das eine noch das andere.

Diese Nacht war für Maureen die Schlimmste überhaupt; sie begriff nicht, wie bei dem Krach jemand ein Auge zutun konnte. Sie nahm die Batterien aus dem Nachttischwecker, aber gegen die bellenden Hunde kam sie nicht an, genauso wenig gegen die Autos, die um drei Uhr früh mit quietschenden Reifen zur neuen Siedlung hochbretterten, oder gegen das Gekreisch der Möwen, das beim ersten Lichtschein losging. Reglos lag sie da und wartete darauf, endlich weg-zudämmern, und manchmal stahl sich tatsächlich ein Moment der Bewusstlosigkeit heran, aber dann wurde sie gleich wieder wach und erinnerte sich. Harold ging zu Fuß zu Queenie Hennessy. Sich diese Tatsache erneut bewusst zu machen, nachdem sie im Schlaf vergessen worden war, schmerzte noch mehr als der erste Anruf. Eine ständige Selbsttäuschung und Selbstenttäuschung, die aber sein musste; diese Erfahrung hatte Maureen schon gemacht. Man musste immer wieder ungläubig nach oben klettern, um wieder hinuntergestoßen zu werden, bis die Wahrheit endlich in ihrer ganzen Scheuß-lichkeit bei einem ankam.

Sie zog Harolds Nachttischschublade auf und starrte wieder auf die beiden Fotos, die er dort versteckt hatte. David in seinem ersten Paar Schuhe, wie er, an ihre Hand geklammert, auf einem Bein balancierte und den anderen Fuß hob, als untersuchte er ihn. Und auf dem zweiten Foto sie selbst, so ausgelassen lachend, dass ihr das dunkle Haar in breiten Strähnen übers Gesicht fiel. Im Arm hielt sie eine Zucchini, die so groß wie ein Baby geworden war. Das Foto musste kurz nach ihrem Umzug nach Kingsbridge aufgenommen worden sein.

Als mit der Post drei große Umschläge von den Kreuz-fahrtunternehmen eintrafen, warf Maureen sie ungeöffnet ins Altpapier.

7

Harold, der Wanderer und die Frau, die Jane Austen liebte

Es war Harolds Aufmerksamkeit nicht entgangen, dass mehrere Männer aus der Brauerei, darunter auch Mr Napier, einen eigentümlichen Gang erfunden hatten, der sie zum Wiehern brachte, als wäre er unbezwingbar lustig. »Schaut mal«, hörte er sie immer wieder großmäulig im Hof herumbrüllen. Und dann klappte einer der Männer den Ellbogen wie einen Hühnerflügel aus, senkte den Rumpf ab, wie um sein Untergestell zu verbreitern, und watschelte los.

»Genau! Scheiße! Ganz genau!«, kreischten die anderen. Manchmal spuckte die ganze Bande ihre Zigaretten aus und legte los.

Nachdem Harold die Sache mehrere Tage lang aus dem Fenster beobachtet hatte, dämmerte ihm, dass sie die neue Frau aus der Buchhaltung nachäfften. Sie spielten Queenie Hennessy mit ihrer Handtasche.

Mit dieser Erinnerung und gleichzeitig mit dem dringenden Bedürfnis, wieder draußen zu sein, wachte Harold auf. Helles Tageslicht kräuselte die Vorhänge, als bahne es sich angestrengt einen Weg zu ihm. Zu seiner Erleichterung konnte er seinen Körper, obwohl er steif war, und seine Füße, obwohl sie empfindlich waren, gut bewegen, und die Blase an seiner Ferse schien weniger gereizt. Sein Hemd, seine Socken und seine Unterhose hingen aneinandergereiht auf dem Heizkörper; er hatte sie gestern Abend mit Waschpulver und heißem Wasser ausgewaschen. Sie waren hart geworden und nicht ganz trocken, aber doch brauchbar. Er verklebte beide Füße mit einer akkuraten Pflasterparade und packte sorgfältig seine Plastiktüte neu.

Harold war der einzige Gast im Frühstücksraum, eigentlich nur ein kleines, nach vorn hinausgehendes Zimmer mit einer dreiteiligen, dicht an die Wand geschobenen Sitzgruppe und einem kleinen Tisch für zwei Personen in der Mitte. Es wurde von einer Lampe mit orangefarbenem Schirm beleuchtet und roch feucht. Eine Vitrine beherbergte eine Sammlung spanischer Zierpuppen und toter blauer Schmeißfliegen, die so trocken waren wie zusammengeknüllte Seidenpapierkügelchen. Die Besitzerin des Bed & Breakfast erklärte, das Mädchen, das sonst bediene, habe frei. Sie sprach dieses Wort aus, als hätte die Abwesenheit des Mädchens etwas Unappetitliches wie ein verdorbenes Lebensmittel, das entsorgt werden musste. Die Besitzerin stellte Harold das Frühstück auf den Tisch, lehnte sich dann in den Türrahmen und beobachtete ihn von dort aus mit verschränkten Armen. Harold war froh, dass er nichts erklären musste. Er aß gierig und ungeduldig, starrte durch das Fenster auf die Straße und überlegte, wie lange ein untrainierter Mann für die zehn Kilometer bis zur Buckfast Abbey brauchen würde, von den restlichen siebenhundertsiebzig und ein paar Zerquetschten nach Berwick upon Tweed ganz zu schweigen.

Er las Queenies Brief, obwohl er die Worte inzwischen in- und auswendig kannte. »Lieber Harold, dieser Brief wird Sie *vielleicht überraschen. Ich weiß, dass es lange her ist, seit wir uns zuletzt gesehen haben, aber in letzter Zeit habe ich viel über die Vergangenheit nachgedacht. Dieses Jahr hatte ich eine Operation ...«*

»Ich hasse South Brent«, sagte eine Stimme.

Harold blickte überrascht hoch. Niemand außer ihm und der Besitzerin war hier, und dass sie gesprochen hatte, erschien ihm unwahrscheinlich. Sie lehnte immer noch mit verschränkten Armen im Türrahmen und wippte mit dem Bein, dass ihr der Schuh vom Fuß schlappte und jeden Moment abzurutschen drohte. Harold widmete sich wieder seinem Brief und seinem Kaffee, als die Stimme von neuem ertönte: »Bei uns in South Brent regnet es mehr als überall sonst in Devon.«

Es war tatsächlich die Frau, auch wenn sie ihn nicht ansah. Ihr Gesicht blieb auf den Teppich gerichtet, ihre Lippen formten ein leeres O, als redete ihr Mund unabhängig von ihr. Harold wünschte, er könnte etwas Hilfreiches sagen, aber ihm fiel nichts ein. Vielleicht genügte es schon, dass er schwieg oder einfach zuhörte, denn sie fuhr fort: »Und wenn mal die Sonne scheint, kann ich sie nicht genießen. Ich denke, o ja, jetzt ist es schön, aber das wird nicht lange dauern. Entweder sehe ich dem Regen zu oder warte auf ihn.«

Harold faltete Queenies Brief wieder zusammen und steckte ihn ein. Irgendetwas störte ihn an dem Umschlag, aber er kam nicht dahinter, was genau; außerdem schien es unhöflich, der Frau nicht seine volle Aufmerksamkeit zu widmen, da sie ihre Worte offensichtlich an ihn richtete.

Sie sagte: »Einmal hab ich eine Reise nach Benidorm gewonnen. Ich hätte nur den Koffer zu packen brauchen. Aber ich konnte nicht. Die haben mir die Tickets mit der Post geschickt, und ich hab nicht mal den Umschlag aufgemacht. Warum, frag ich mich. Als ich mal die Chance hatte, hier rauszukommen, warum konnte ich sie dann nicht nutzen?«

Harold runzelte die Stirn. Er dachte an all die Jahre, in denen er keinen Kontakt zu Queenie gehabt hatte. »Vielleicht hatten Sie Angst«, sagte er. »Ich hatte einmal eine Freundin, habe aber lange gebraucht, um zu begreifen, dass sie eine war. Eigentlich war es ziemlich komisch: Wir haben uns in einer Büromaterialkammer kennengelernt.« Er lachte, als er sich an die Szene erinnerte, aber die Frau lachte nicht mit. Wahrscheinlich konnte sie sich die Situation schwer vorstellen.

Sie hielt ihren pendelnden Fuß an und betrachtete ihren Schuh, als hätte sie ihn noch nie bemerkt. »Eines Tages gehe ich«, sagte sie. Sie sah durch den trostlosen Raum, suchte Harolds Blick und lächelte endlich.

Entgegen Davids Voraussagen hatte sich Queenie Hennessy weder als Sozialistin oder Feministin noch als lesbisch entpuppt. Sie war eine stämmige, eher unscheinbare Frau ohne Taille, die immer eine Handtasche über dem Unterarm trug. Es war sattsam bekannt, dass Frauen für Mr Napier kaum mehr waren als tickende Hormonbomben. Er beschäftigte sie als Kellnerinnen und Sekretärinnen und erwartete als Gegenleistung die eine oder andere Gefälligkeit auf dem Rücksitz seines Jaguars. Mit Queenie brach in der Brauerei also eine neue Ära an, was Mr Napier gern vermieden hätte, wenn sich außer ihr noch ein anderer für den Job beworben hätte.

Sie hatte eine ruhige, unaufdringliche Art. Harold hörte einmal einen jungen Mann sagen: »Man vergisst ganz, dass sie eine Frau ist.« Nach wenigen Tagen wurde berichtet, dass sie in der Buchhaltung eine nie dagewesene Ordnung eingeführt hatte. Aber das schien den Ulk und das Gelächter in den Fluren nicht zu beenden. Harold hoffte, dass sie nichts davon mitbekam. Er beobachtete sie manchmal in der Kantine, wo sie ihre mitgebrachten Sandwiches aus dem Butterbrotpapier auswickelte. Sie saß bei den jungen Sekretärinnen und hörte zu, als wären die anderen oder auch sie selbst in Wirklichkeit gar nicht da.

Als er einmal seine Aktentasche nahm und sich auf den Heimweg machte, hörte er hinter einer Tür ein Schniefen. Er wollte schon vorbeischleichen, aber das Schniefen wollte nicht verstummen. Da kehrte er um.

Ganz langsam und vorsichtig öffnete er die Tür und fand zu seiner Erleichterung erst einmal nichts außer Kartons voller Papier. Aber dann setzte das Geräusch wieder ein, mehr wie ein Schluchzen, und er entdeckte eine Gestalt, die mit dem Rücken zu ihm an der Wand kauerte. Ihre Jacke spannte an der Rückennaht.

»Ich bitte um Entschuldigung«, hatte er gesagt. Er wollte die Tür schon wieder schließen und sich schleunigst davonmachen, als sie unter Tränen hervorpresste: »Es tut mir leid. Verzeihen Sie.«

»Ich bin derjenige, der sich entschuldigen sollte.« Jetzt stand er halb in der Kammer, halb draußen, und eine Frau, die er nicht kannte, heulte auf braune Briefumschläge.

»Ich mache meine Arbeit gut«, sagte sie.

»Selbstverständlich.« Er warf einen Blick den Flur entlang in der Hoffnung, einer der jüngeren Männer würde auftauchen und mit ihr reden. Harold war noch nie gut mit Gefühlen fertig geworden. »Selbstverständlich«, sagte er wieder, als ob es genügte, dieses eine Wort zu wiederholen.

»Ich habe einen Abschluss. Ich bin nicht dumm.«

»Ich weiß«, sagte er, obwohl das natürlich nicht ganz stimmte; er wusste sehr wenig über sie.

»Warum schaut mir Mr Napier dann ständig auf die Finger? Als ob er darauf wartet, dass ich einen Fehler mache? Warum lachen alle über mich?«

Ihr beider Chef war für Harold undurchschaubar. Er wusste nicht, ob die Gerüchte, dass er einem Mann die Knie kaputtgetreten hatte, wahr waren, aber er hatte mit angesehen, wie die hartgesottensten Wirte vor Napier zitterten wie Wackelpudding. Erst letzte Woche hatte er eine Sekretärin gefeuert, weil sie seinen Schreibtisch berührt hatte. Harold sagte: »Ich bin sicher, dass er Sie als Buchhalterin sehr schätzt.« Er wollte einfach, dass sie zu weinen aufhörte.

»Ich brauche diesen Job. Die Miete zahlt sich ja nicht von allein. Aber ich werde kündigen. Manchmal will ich gar nicht aufstehen. Mein Vater hat immer gesagt, ich wäre zu empfindlich.« Das waren mehr Informationen, als Harold verkraften konnte.

Queenie ließ den Kopf so tief hängen, dass er den weichen, dunklen Flaum in ihrem Nacken sehen konnte. Der erinnerte ihn an David, und er bekam Mitleid mit ihr.

»Kündigen Sie nicht«, sagte er mit einer weicheren Stimme und beugte sich ein wenig vor. Seine Worte kamen ihm aus dem Herzen. »Ich habe es anfangs auch schwer gefunden. Ich fühlte mich fehl am Platz. Aber es wird besser.« Sie sagte nichts, und einen Moment lang fragte er sich, ob sie ihn überhaupt gehört hatte. »Möchten Sie jetzt vielleicht aus der Kammer herauskommen?«

Zu seiner Überraschung hielt er ihr die Hand hin, und zu seiner abermaligen Überraschung nahm sie sie. Ihre Hand lag weich und warm in der seinen.

Draußen zog sie die Hand rasch wieder zurück. Dann strich sie sich den Rock glatt, als wäre Harold eine Falte und sie wolle ihn wegwischen.

»Danke«, sagte sie ein wenig kühl, wenn auch mit stark geröteter Nase.

Mit geradem Rücken und hochgerecktem Hals stolzierte

84

sie davon und ließ ihn vor der Kammer stehen, dass Harold das Gefühl hatte, er wäre derjenige, der sich unpassend benommen hatte. Danach dachte Queenie vermutlich nicht mehr an eine Kündigung. Harold hielt täglich nach ihr Ausschau, und sie war immer an ihrem Schreibtisch, arbeitete allein und ohne Aufhebens. Sie wechselten selten ein Wort. Ihm fiel sogar auf, dass sie, wenn er die Kantine betrat, ihre Brote wieder einzupacken und zu gehen schien.

Die Morgensonne goss Gold über die höchsten Gipfel des Dartmoor-Massivs, aber im Schatten war der Boden immer noch mit dünnem Frost überzuckert. Lichtstrahlen tasteten das Land ab wie riesige Taschenlampen und zeichneten ihm den Weg vor. Es würde wieder ein schöner Tag werden.

Als Harold South Brent verließ, begegnete er einem Mann im Morgenmantel, der auf einem Unterteller Fressen für die Igel hinausstellte. Er überquerte die Straße, um Hunden auszuweichen, und ein Stück weiter überholte er eine junge Frau voller Tattoos, die zu einem Fenster im Obergeschoss hinaufbrüllte: »Ich weiß, dass du da bist! Ich weiß, dass du mich hörst!« Von Wut geschüttelt, lief sie auf und ab und trat gegen Gartenmauern, und jedes Mal, wenn sie nahe am Resignieren schien, kehrte sie zu dem Haus zurück und schrie wieder: »Arran, du Scheißkerl! Ich weiß, dass du da bist!« Des weiteren ging Harold an einer herrenlosen Matratze vorbei, den Innereien eines verwüsteten Kühlschranks, mehreren Einzelschuhen, vielen Plastiktüten und einer Radkappe, bis wieder einmal die Gehwege aufhörten und die Straße sich zu einem Sträßchen verengte. Es überraschte ihn, wie erleichtert er sich fühlte, als er wieder unter freiem Himmel war, behütet von Bäumen und Böschungen, auf denen Farn und Brombeeren wucherten.

Harbourneford. Higher Dean. Lower Dean.

Er öffnete die zweite Packung Kekse, tauchte mit der Hand beim Gehen in die Plastiktüte und fischte sie heraus, obwohl manche leider etwas körnig waren und den leicht schwefligen Beigeschmack von Waschpulver hatten.

War Harold schnell genug? War Queenie noch am Leben? Er durfte keine Pausen machen, um zu essen oder zu schlafen. Er musste weiterlaufen.

Am Nachmittag schoss Harold immer wieder ein stechender Schmerz an der rechten Wade hoch, und wenn er bergab ging, blockierten seine Hüftgelenke. Auch bergauf ging er langsam und stützte sich dabei beide Hände ins Kreuz, nicht so sehr, weil es ihm weh tat, sondern weil er das Gefühl hatte, er könnte eine helfende Hand gebrauchen. Er blieb stehen, um die Pflaster an seinen Füßen zu kontrollieren, und ersetzte die Pflaster an der Ferse, wo die Blase geblutet hatte.

Die Straße machte einen Bogen, stieg an und fiel wieder ab. Manchmal hatte Harold eine weite Aussicht über Hügel und Felder, manchmal sah er nichts. Er verlor jedes Gefühl für seine Umgebung, wenn er sich an Queenie erinnerte und sich vorstellte, wie ihr Leben in den letzten zwanzig Jahren ausgesehen haben mochte. Er fragte sich, ob sie geheiratet hatte. Ob sie Kinder hatte. Doch aus ihrem Brief ging klar hervor, dass sie ihren Mädchennamen behalten hatte.

»Ich kann *God Save The Queen* rückwärts singen«, hatte sie einmal gesagt. Und das tat sie dann auch, während sie ein Pfefferminz lutschte. »*You Don't Bring Me Flowers* kann ich auch, und mit *Jerusalem* bin ich fast so weit.«

Harold lächelte. Er fragte sich, ob er damals auch gelächelt hatte. Eine Herde grasender Kühe sah kurz zu ihm auf; die Mäuler hörten auf zu malmen. Ein, zwei Tiere kamen auf ihn zu, erst langsam, dann fielen sie in Trab. Ihre Leiber schienen zu riesig, um jemals wieder zum Stehen zu kommen. Harold war froh, dass er auf der Straße ging, auch wenn der Asphalt hart für die Füße war. Die Plastiktüte mit seinen Einkäufen schlug ihm gegen die Oberschenkel und schnitt ins Handgelenk. Er versuchte, sie über die Schulter zu streifen, aber sie rutschte immer wieder zu seinem Ellbogen herunter.

Vielleicht, weil Harold etwas zu Schweres trug, sah er plötzlich seinen kleinen Sohn vor sich, wie er sich an die Dielentäfelung lehnte; der neue Schulranzen zog ihm die Schultern nach unten. Er trug seine graue Schuluniform; es musste sein erster Schultag an der Grundschule gewesen sein. Wie früher sein Vater überragte David seine Altersgenossen um eine Handbreit, so dass man ihn für älter hielt oder zumindest für zu groß. David hatte von seinem Platz an der Wand zu Harold hochgesehen und gesagt: »Ich will da nicht hin.« Tränen gab es nicht. Er klammerte sich auch nicht an Harold fest oder wollte nicht loslassen. Davids Aussage verriet Selbsterkenntnis und war entwaffnend schlicht. Was hatte Harold geantwortet? Was hatte er gesagt? Er hatte auf seinen Sohn heruntergeblickt, für den er sich alles Glück auf Erden wünschte, und es hatte ihm die Sprache verschlagen.

Ja, das Leben ist schrecklich, hätte er sagen können. Oder: Ja, aber es wird besser. Oder sogar: Ja, aber manchmal ist es gut und nur manchmal schlimm. Noch besser wäre es gewesen, wenn ihm schon die Worte fehlten, David einfach in die Arme zu nehmen. Aber das hatte er nicht getan. Nichts davon. Er hatte die Angst des Jungen so schmerzhaft gespürt und keinen Ausweg gesehen. An dem Vormittag, als sein Sohn zu seinem Vater hochgeblickt und um Hilfe gebeten hatte, war von Harold nichts gekommen. Er war zu seinem Auto geflohen und zur Arbeit gefahren.

Warum musste er sich daran erinnern?

Er zog die Schultern hoch und trieb seine Füße an, als laufe er nicht so sehr zu Queenie, sondern vor sich selbst davon.

Harold erreichte die Buckfast Abbey, bevor der Klosterladen schloss. Der gedrungene Baukörper der Kalksteinkirche hob sich grau von den weichen Kuppen im Hintergrund ab. Harold merkte, dass er schon einmal hier gewesen war, vor vielen Jahren, ein Überraschungsausflug zu Maureens Geburtstag. David hatte sich geweigert, aus dem Auto zu steigen, und Maureen hatte darauf beharrt, bei ihm sitzen zu bleiben, und da waren sie umgekehrt und nach Hause gefahren, ohne etwas anderes gesehen zu haben als den Parkplatz.

Im Klosterladen suchte Harold Postkarten und einen Souvenir-Kugelschreiber aus. Er erwog kurz, ein Glas Klosterhonig zu kaufen, aber der Weg nach Berwick upon Tweed war noch weit, das Glas passte vielleicht nicht mehr in die Plastiktüte und würde den Marsch womöglich nicht überstehen, ohne vom Waschpulver ruiniert zu werden. Er kaufte den Honig trotzdem und ließ ihn extra in Noppenfolie einwickeln. Mönche liefen keine herum, nur Touristengruppen. Und in dem frisch renovierten Scheunenrestaurant standen mehr Leute Schlange als zur Besichtigung der Abtei. Er fragte sich, ob das den Mönchen auffiel, und wenn, ob es ihnen etwas ausmachte.

Harold entschied sich für eine große Portion Hähnchencurry und trug sein Tablett zu einem Fenster an der Terrasse, die auf den Lavendelgarten hinausging. Er war so hungrig, dass er das Essen gar nicht schnell genug in den Mund schaufeln konnte. Am Nebentisch saß ein Paar Ende fünfzig, das sich zu streiten schien, vielleicht über eine Route. Beide trugen khakifarbene Shorts und Sweatshirts, braune Strümpfe und richtige Wanderstiefel. Wie sie sich so am Tisch gegenübersaßen, sahen sie aus wie die männliche und weibliche Ausgabe derselben Person. Sie aßen sogar die gleichen Sandwiches und tranken das gleiche Fruchtgetränk. Harold versuchte, sich Maureen im Partnerlook mit ihm vorzustellen, aber es gelang ihm nicht. Er begann, seine Postkarten zu schreiben:

Liebe Queenie,
bin ungefähr 35 Kilometer weit gekommen. Sie müssen auf mich warten. Harold (Fry)

Liebe Maureen,
habe Buckfast Abbey erreicht. Wetter gut. Die Schuhe halten durch, Füße und Beine auch. H.

Liebes Mädchen von der Tankstelle (Was kann ich für Sie tun?),
vielen Dank sagt der Mann, der zu Fuß unterwegs war.

»Dürfte ich mir kurz Ihren Kuli ausleihen?«, fragte der Wanderer. Harold reichte ihn hinüber, und der Mann kreiste mehrmals einen Punkt auf seiner Karte ein. Seine Frau sagte nichts dazu. Vielleicht runzelte sie sogar die Stirn. Harold sah lieber nicht genauer hin.

»Laufen Sie den Dartmoor-Trail?«, erkundigte sich der Mann, als er den Kugelschreiber zurückgab.

Harold verneinte. Er reise zu Fuß zu einer Freundin, zu einem ganz bestimmten Zweck. Er schob seine Postkarten zu einem ordentlichen Stapel zusammen.

»Meine Frau und ich sind natürlich Wandernarren. Wir kommen jedes Jahr hierher. Wir sind sogar einmal hergekommen, als sie sich das Bein gebrochen hatte. So sehr lieben wir diese Gegend.«

Harold erwiderte, dass er und seine Frau früher ebenfalls jedes Jahr am selben Ort Urlaub gemacht hätten, in einer Ferienanlage in Eastbourne. Jeden Abend habe es ein Unterhaltungsprogramm gegeben und Wettbewerbe unter den Gästen. »In einem Jahr hat mein Sohn den Twisttanz-Preis der *Daily Mail* gewonnen«, erzählte er.

Der Mann nickte ungeduldig, als könne er es kaum abwarten, bis Harold ausgeredet hatte. »Was zählt, ist natürlich, was man an den Füßen hat. Was tragen Sie denn für Wanderschuhe?«

»Segelschuhe.« Harold lächelte, der Mann nicht.

»Sie sollten Scarpa-Schuhe tragen. Scarpa tragen die Profis. Wir schwören auf Scarpa.«

Seine Frau blickte auf. »*Du* schwörst auf Scarpa«, korrigierte sie ihn. Sie hatte runde Augen, als trüge sie Kontaktlinsen, die vielleicht rieben. Einen verwirrenden Moment lang war Harold in der Erinnerung an ein Spiel gefangen, das David gern spielte: Er stoppte die Zeit, wie lange er es ohne Blinzeln aushielt. Die Tränen liefen ihm nur so herunter, aber er schloss die Augen nicht. Das war nicht die Art Wettbewerb, wie sie in der Ferienanlage in Eastbourne veranstaltet wurde. Hier war das Zusehen qualvoll.

Der Wanderer fragte: »Und was für Socken tragen Sie?«

Harold blickte zu seinen Füßen hinunter. »Normale«, wollte er sagen, aber der Mann wartete seine Antwort gar nicht ab.

»Sie brauchen Spezialsocken«, sagte er. »Alles andere können Sie vergessen.« Er hielt inne. »Was für Socken tragen wir?« Harold hatte keine Ahnung. Erst, als die Frau des Mannes antwortete, wurde Harold klar, dass der Mann sie angesprochen hatte und nicht ihn.

»Thorlo«, sagte sie.

»Goretexjacke?«

Harold öffnete den Mund und schloss ihn wieder.

»Wandern hält unsere Ehe zusammen. Welche Route nehmen Sie denn?«

Harold erklärte, dass sich das beim Gehen ergab, dass er aber prinzipiell nach Norden ging. Er erwähnte Exeter, Bath und möglicherweise Stroud. »Ich halte mich an die Straßen, weil ich mein ganzes Berufsleben im Auto verbracht habe. Mit Straßen kenne ich mich aus.«

Der Wanderer redete weiter. Harold hatte den Verdacht, er gehöre zu jenen Leuten, die für ein Gespräch gar kein Gegenüber brauchen. Seine Frau betrachtete ihre Finger. »Der Cotswold-Weg wird natürlich überschätzt. Aber den Dartmoor-Trail würde ich jederzeit machen.«

»Mir sind die Cotswolds lieber«, sagte die Frau. »Da ist es zwar flacher, zugegeben, aber sehr romantisch.« Sie drehte so heftig an ihrem Ehering herum, dass man Angst bekam, sie könnte womöglich den Finger mit abschrauben.

»Sie liebt Jane Austen.« Der Wanderer lachte. »Sie hat alle ihre Filme gesehen. Ich bin eher für Männersachen, wenn Sie wissen, was ich meine.«

Harold nickte unwillkürlich, obwohl er keine Ahnung hatte, was der Mann meinte. Er selbst war nie gewesen, was Maureen zum Typ Macho rechnete. Er hatte die großen Saufereien mit Napier und den anderen in der Brauerei immer gemieden. Manchmal kam es ihm seltsam vor, so viele Berufsjahre lang mit Alkohol zu tun gehabt zu haben, wo Alkohol eine so schreckliche Rolle in seinem Leben gespielt hatte. Vielleicht zog es die Menschen zu dem, was sie fürchteten.

»Uns gefällt es am besten in Dartmoor«, sagte der Wanderer.

»*Dir* gefällt es am besten in Dartmoor«, korrigierte ihn seine Frau.

Sie sahen einander an wie Fremde. In der Pause, die dabei entstand, wandte sich Harold wieder seinen Postkarten zu. Er hoffte, die beiden würden nicht anfangen zu streiten. Er hoffte, sie gehörten nicht zu den Paaren, die in der Öffentlichkeit die gefährlichen Dinge sagen, die sie zu Hause nicht ansprechen können.

Er dachte wieder an die Urlaube in Eastbourne. Maureen packte Sandwiches für die Fahrt ein, und sie kamen so früh an, dass die Tore noch geschlossen waren. Harold hatte immer voller Wärme an diese Sommer gedacht, bis Maureen ihm vor kurzem erzählte, dass David von den Tiefs in seinem Leben zu sagen pflegte, ihm sei dann so öde wie im beschissenen Eastbourne. Jetzt verreisten Harold und Maureen natürlich nicht mehr, aber Maureen hatte sich sicher geirrt, wie David die Ferien einschätzte. Sie hatten viel gelacht. David hatte ein paar Spielkameraden gefunden. Und dann war da der Abend, als er den Tanzwettbewerb gewonnen hatte. Da war er glücklich gewesen.

»Öde wie im *beschissenen* Eastbourne.« Maureen schmetterte ihm das Wort mit einer solchen Härte entgegen, dass es wie ein feindlicher Überfall klang.

Das Paar am Nebentisch riss ihn aus seinen Erinnerungen. Sie waren jetzt lauter geworden. Harold hätte sich gern entfernt, aber es schien kein entspannter Moment des Schweigens in Sicht, in dem er hätte aufstehen und sich entschuldigen können.

Die Frau, die Jane Austen liebte, sagte: »Glaubst du, es war lustig, hier mit einem gebrochenen Bein herumzuhocken?« Ihr Mann sah weiter auf die Karte, als hätte sie nichts gesagt, und sie redete weiter, als hörte er aufmerksam zu, statt sie zu ignorieren. »Ich will nie wieder hierher.«

Harold wünschte, die Frau würde aufhören zu reden. Er

wünschte, der Mann würde lächeln oder ihre Hand nehmen. Er dachte an sich selbst und Maureen und die Jahre des Schweigens in der Fossebridge Road. Ob Maureen auch schon diesen Drang gehabt hatte, solche Wahrheiten über ihre Ehe herauszuposaunen, wo alle mithören konnten? Dieser Gedanke war ihm noch nie gekommen und beunruhigte ihn so sehr, dass er aufstand und auf die Tür zusteuerte. Das Paar schien gar nicht zu bemerken, dass Harold fort war.

Harold quartierte sich in einer bescheidenen Pension ein, in der es nach Zentralheizung, gekochtem Hühnerklein und Raumspray roch. Er war vor Müdigkeit ganz zerschlagen, aber als er seine paar Habseligkeiten ausgepackt und seine Füße begutachtet hatte, setzte er sich auf die Bettkante und fragte sich, was er jetzt tun sollte. Er war zu unruhig, um zu schlafen. Von unten tönten die Frühabendnachrichten herauf. Maureen würde sie ebenfalls ansehen und dabei bügeln. Eine Weile blieb er stehen und hörte zu, ohne wirklich etwas aufzunehmen, aber von dem Wissen getröstet, dass sie zumindest auf diese Weise vereint waren. Er dachte wieder an das Paar im Restaurant und vermisste seine Frau so sehr, dass er an nichts anderes denken konnte. Hätte er etwas ausgerichtet, wenn er es anders angepackt hätte? Wenn er die Tür zum Gästezimmer aufgestoßen hätte? Oder einen Urlaub gebucht und mit ihr eine Auslandsreise gemacht hätte? Aber darauf hätte sie sich nie eingelassen. Zu groß ihre Angst, ein Gespräch mit David zu versäumen, seinen Besuch, auf den sie pausenlos wartete.

Andere Dinge kamen hoch. Die frühen Jahre ihrer Ehe vor Davids Geburt, als Maureen im Garten Gemüse angebaut und jeden Abend hinter der Brauerei auf Harold gewartet hatte. Auf dem Weg nach Hause gingen sie manchmal über die

Strandpromenade oder machten am Kai halt, um die Boote anzusehen. Sie hatte aus Matratzendrillich Vorhänge genäht und mit den Resten ein Etuikleid für sich. Sie stöberte in der Bücherei nach neuen Kochrezepten. Kochte Schmorgerichte, Currys, Pasta, Hülsenfrüchte. Beim Abendessen erkundigte sie sich nach den Brauereikollegen und deren Frauen, auch wenn sie nie zur Weihnachtsfeier gingen.

Er erinnerte sich, wie er sie einmal in einem roten Kleid gesehen hatte, mit einem kleinen, an den Kragen gepinnten Stechpalmenzweig. Wenn er die Augen schloss, bildete er sich ein, er könne noch ihren süßen Duft riechen. Sie hatten im Garten Ingwerbier getrunken und die Sterne betrachtet. »Wer braucht schon andere Leute?«, hatte einer von ihnen gesagt.

Er sah sie, wie sie ihm das eingewickelte Baby hinstreckte. »Er ist nicht aus Zucker«, hatte sie lächelnd gesagt. »Warum willst du ihn nicht mal nehmen?« Harold hatte eingewendet, das Baby möge sie doch lieber; vielleicht hatte er auch die Hände in die Hosentaschen vergraben.

Wie konnte es sein, dass Worte, über die sie einmal, den Kopf an seine Schulter gelehnt, gelächelt hatte, Jahre später zur Quelle solchen Grolls, solcher Wut werden konnten? »Du hast ihn nie im Arm gehalten!«, hatte sie ihn angeschrien, als es am schlimmsten stand. »In seiner ganzen Kindheit hast du ihn nie berührt!« Das stimmte nicht ganz, und das hatte er auch gesagt; doch im Grunde hatte sie recht. Er hatte zu viel Angst davor gehabt, seinen eigenen Sohn in den Arm zu nehmen. Aber wie kam es, dass sie das einmal verstanden hatte und Jahre später nicht mehr?

Ob David wohl jetzt, da sein Vater in sicherer Entfernung war, zu ihr kommen würde?

Harold hielt es drinnen nicht mehr aus, wenn er voller Bedauern an diese Dinge dachte und noch an so vieles andere.

Er zog seine Jacke an. Draußen hing über Wolkenflocken eine schmale Mondsichel. Eine Frau mit grellpinken Haaren, die ihre Blumenampeln goss, bemerkte ihn und starrte ihn an wie einen Außerirdischen.

Er rief Maureen von einer öffentlichen Telefonzelle aus an, aber sie hatte nichts Neues zu berichten, und ihr Gespräch war kurz, mit vielen Pausen. Nur einmal kam sie auf seine Wanderung zu sprechen, als sie ihn fragte, ob er daran gedacht habe, sich eine Karte anzusehen. Harold sagte, wenn er Exeter erreicht hätte, wolle er dort eine richtige Wanderausrüstung kaufen. In einer Stadt gebe es größere Auswahl. Kenntnisreich verwies er auf Goretex.

Sie sagte: »Aha.« Ein matter Laut, der klang wie ein Kommentar, nachdem er in etwas Ekliges getreten war, was sie die ganze Zeit hatte kommen sehen. Im anschließenden Schweigen hörte er sie mit der Zunge gegen den Gaumen schnalzen und schwer schlucken. Dann sagte sie: »Du hast vermutlich ausgerechnet, wie viel das alles kostet.«

»Ich dachte, ich greife die Ersparnisse an. Ich halte mich an ein Budget.«

»Aha«, sagte sie wieder.

»Und wir haben ja sonst keine Pläne.«

»Nein.«

»Dann ist es für dich in Ordnung?«

»In Ordnung?«, wiederholte sie, als hätte sie diese Worte noch nie gehört.

Einen anarchischen Moment lang lag ihm die Frage auf der Zunge, warum kommst du nicht mit. Aber er wusste, dass sie diese Frage mit ihrem »*Das glaube ich nicht*« tottrampeln würde. Also wiederholte er stattdessen: »Ist es für dich in Ordnung? Dass ich das mache? Dass ich nach Berwick laufe?«

»Das muss es wohl«, sagte Maureen und legte auf.

Wieder verließ Harold die Telefonzelle mit dem Wunsch, er könnte Maureen seine Gefühle begreiflich machen. Aber sie hatten schon vor Jahren einen Punkt erreicht, an dem die Sprache nichts mehr zu bedeuten schien. Sie brauchte ihn nur anzusehen und klemmte im Schraubstock der Vergangenheit. Solange sie nur einsilbige Worte wechselten, war die Gefahr gebannt. Sie schwebten über der Oberfläche des Unaussprechlichen, über dem unauslotbaren Abgrund, der sich niemals überbrücken ließe. Harold kehrte in sein Zimmer zurück und wusch seine Kleidung aus. Er sah ihre getrennten Betten in der Fossebridge Road vor sich und überlegte, wann genau Maureen aufgehört hatte, beim Küssen die Lippen zu öffnen. War es davor oder danach gewesen?

Harold wachte im Morgengrauen auf, überrascht und dankbar, dass er laufen konnte, doch diesmal war er müde. Das Zimmer war überheizt, er kam sich eingeengt vor, und die Nacht dehnte sich in die Länge. Er wurde das Gefühl nicht los, dass richtig war, was Maureen zu den Ersparnissen hatte durchblicken lassen, auch wenn sie es nicht ausgesprochen hatte. Er sollte das Geld nicht allein für sich selbst ausgeben, und nicht ohne ihre Zustimmung.

Aber es war weiß Gott lange her, seit er etwas getan hatte, was Eindruck auf sie machte.

Von Buckfast nahm Harold die B3352 über Ashburton und übernachtete in Heathfield. Er begegnete anderen Wanderern, und sie unterhielten sich kurz über die Schönheit der Landschaft und den nahen Sommer, wünschten einander, dass sie heil ans Ziel kämen, und gingen ihrer Wege. Harold durchschritt Kurven, folgte den Umrissen von Hügeln; sein Weg war immer die Straße vor ihm. Krähen stoben mit lautem Geflatter aus Bäumen hoch. Ein junges Reh schoss aus einer

Hecke. Autos röhrten aus dem Nichts heran und verschwanden ebenso schnell wieder. Hinter Toren schlugen Hunde an, mehrere Dachse lagen wie pelzbezogene Sandsäcke im Straßengraben. Ein Kirschbaum stand im Blütenkleid und warf bei einer Windbö einen Schwarm Blütenblätter wie Konfetti in die Luft. Harold war offen für jede Art von Überraschungen. Wie selten war eine solche Freiheit.

»Ich bin Papa«, hatte er als vielleicht Sechs- oder Siebenjähriger einmal zu seiner Mutter gesagt. Sie hatte interessiert aufgeblickt, und er erschrak über seine eigene Kühnheit. Er hatte keine Ahnung, wie es nun weitergehen sollte. Ihm blieb nichts anderes übrig, als in den Morgenmantel seines Vaters zu schlüpfen, seine Schiebermütze aufzusetzen und vorwurfsvoll auf eine leere Flasche zu starren. Das Gesicht seiner Mutter erstarrte wie Gelatine; er hatte Angst, es würde zumindest eine Ohrfeige setzen. Dann warf sie völlig unerwartet und zu seinem unsagbaren Entzücken den Kopf in den weichen Nacken und ließ die Glöckchen ihres Gelächters klingeln. Er sah ihre wunderschönen Zähne und ihren rosaroten Gaumen. So hatte er seine Mutter noch nie zum Lachen gebracht.

»Du bist ja ein Clown«, hatte sie gesagt.

Da hatte er sich groß wie ein Haus gefühlt. Erwachsen. Gegen seinen Willen hatte auch er sich anstecken lassen, hatte erst gegrinst, dann aber sich gebogen vor Lachen. Danach hatte er immer überlegt, wie er ihr ein Lachen entlocken konnte. Hatte Witze auswendig gelernt. Grimassen geschnitten. Manchmal funktionierte es, manchmal nicht. Manchmal landete er einen Zufallstreffer, ohne zu wissen, warum sie sich so amüsierte.

Harold lief auf Dorfstraßen und Landstraßen. Die Straße wurde schmaler und breiter, stieg an und machte Kurven. Manchmal musste er sich fast in die Hecken drücken, andere Male ging er in Ortschaften unbehindert auf Gehwegen. »Tritt nicht auf die Ritzen«, hörte er sich seiner Mutter nachrufen. »Wenn du drauftrittst, kommen die Gespenster.« Diesmal hatte sie ihn angestarrt, als hätte sie ihn noch nie gesehen, und war dann auf jede einzelne Ritze getreten, dass er ihr mit ausgebreiteten, wildschlagenden Armen nachrennen musste. Es war schwer gewesen, mit einer Frau wie Joan Schritt zu halten.

Eine neue Generation Blasen wuchs auf beiden Fersen heran. Bis zum Nachmittag hatte Harold auch an den Zehen weitere Blasen. Er hatte keine Ahnung gehabt, dass Gehen so weh tun konnte. Sein einziger Gedanke waren Pflaster.

Von Heathfield ging er auf der B3344 nach Chudleigh Knighton und weiter nach Chudleigh. Er war innerlich so erschöpft, dass es ihn große Anstrengung kostete, so weit zu kommen. Er nahm sich ein Zimmer für die Nacht, enttäuscht, dass er kaum acht Kilometer geschafft hatte. Doch am folgenden Tag schindete er sich richtig ab, brach schon im ersten Morgengrauen auf und legte über vierzehn Kilometer zurück. Die frühe Morgensonne ließ Lichtspeichen durch das Blätterdach der Bäume rollen, und später am Vormittag war der Himmel mit hartnäckigen Wölkchen überklebt, die ihm, je länger er hinsah, immer mehr wie graue Bowlerhüte vorkamen. Mücken schwirrten durch die Luft.

Sechs Tage nach seinem Aufbruch von Kingsbridge und knapp siebzig Kilometer von der Fossebridge Road entfernt rutschte Harold der Hosenbund unter den Bauch, und von Stirn, Nase und Ohren schälte sich sonnenverbrannte Haut. Wenn er auf die Uhr sah, merkte er, dass er schon vorher gewusst hatte, wie spät es war. Morgens und abends untersuchte er Zehen, Fersen und Fußgewölbe, cremte wunde und rissige Stellen ein oder verpflasterte sie. Er trank seine Limonade lieber draußen und stellte sich, wenn es regnete, bei den Rauchern unter. Die ersten Vergissmeinnicht leuchteten als helle Kissen unter dem Mond.

Harold nahm sich vor, in Exeter professionelle Wanderausrüstung und noch ein Souvenir für Queenie zu kaufen. Als die Sonne hinter den Stadtmauern unterging und die Luft abkühlte, erinnerte er sich wieder, dass irgendetwas an ihrem Brief nicht ganz stimmte, aber er konnte den Finger nicht auf die Wunde legen.

8
Harold und der Gentleman
mit dem Silberhaar

Liebe Maureen,
ich schreibe Dir auf einer Bank neben der Kathedrale von
Exeter. Zwei junge Männer machen Straßentheater, aber mir
kommt es gefährlich vor, als könnten sie gleich in Flammen auf-
gehen. Habe mit einem x markiert, wo ich bin. H.

Liebe Queenie,
geben Sie nicht auf. Alles Gute, Harold (Fry).

Liebes Mädchen von der Tankstelle (Was kann ich für Sie tun?),
ich frage mich, ob Sie beten? Ich habe es einmal versucht, aber
da war es zu spät. Ich fürchte, danach hat es mir gereicht. Herz-
liche Grüße von dem Mann, der zu Fuß ging.
PS: Bin immer noch unterwegs.

Es war mitten am Vormittag. Eine Menge hatte sich um zwei
junge Männer versammelt, die vor der Kathedrale zur Musik
aus einem CD-Spieler Feuer schluckten; in der Nähe durch-
wühlte ein alter, in eine Decke gehüllter Mann einen Abfalleimer. Die Feuerschlucker trugen dunkle, ölige Kleidung und
hatten die Haare hinten zusammengebunden; ihre Kunst-
stücke hatten etwas Prekäres, als könnten sie jederzeit fehl-

schlagen. Die Feuerschlucker forderten die Leute auf, zurückzutreten, und begannen mit Fackeln zu jonglieren, während die Menge nervös klatschte. Erst da schien der alte Mann die Feuerschlucker zu bemerken. Er drängte sich nach vorn und stellte sich zwischen die beiden Männer wie bei dem Kinderspiel, wo der in der Mitte den Ball fangen muss. Er lachte. Die beiden jungen Männer schrien ihn an, er solle aus dem Weg gehen, doch stattdessen begann er zu ihrer Musik zu tanzen. Seine Bewegungen waren ruckartig und unschön; plötzlich wirkten die Flammenwerfer geschmeidig und professionell. Sie schalteten ihren CD-Spieler aus und packten ihre Sachen weg. Die Menge löste sich wieder zu Passanten auf, doch der alte Mann tanzte vor der Kathedrale allein weiter, mit ausgebreiteten Armen und geschlossenen Augen, als wären die Musik und die Leute immer noch da.

Harold wollte eigentlich weiterwandern, spürte aber auch, dass der alte Mann seine Darbietung an ein Publikum richtete und es unhöflich wäre, als einzig Übriggebliebener den Alten ebenfalls zu verlassen.

Er erinnerte sich, wie David in der Ferienanlage in Eastbourne getanzt hatte. An jenem Abend, als er den Twist-Preis gewonnen hatte. Die anderen Bewerber waren, peinlich berührt, einer nach dem anderen abgetreten, bis auf der Tanzfläche nur noch dieser achtjährige Junge übrig blieb, der extrem schnell herumzappelte – ob in einem ekstatischen Glückszustand oder vor Schmerz, ließ sich nicht erkennen. Der Animateur begann langsam zu klatschen und machte einen Witz, der durch die ganze Disco schallte. Alle brüllten vor Lachen. Verwirrt grinste auch Harold; er wusste in jenem Moment nicht, was die komplizierte Rolle als Vater seines Sohnes von ihm verlangte. Er warf einen scheuen Blick zu Maureen hinüber und sah, dass sie ihn beobachtete; sie hatte beide Hände vor den Mund geschlagen. Sofort verging ihm das Lächeln, und er fühlte sich nur noch als Verräter.

Und so ging es weiter. Da waren Davids Schuljahre. Die vielen Stunden, die er in seinem Zimmer hockte, die Einser, die er heimbrachte, seine Weigerung, sich von den Eltern helfen zu lassen. »Es macht nichts, wenn er für sich bleibt«, sagte Maureen immer, »er hat eben andere Interessen.« Schließlich waren auch sie beide Einzelgänger. Einmal wollte David ein Mikroskop. In der nächsten Woche die gesammelten Werke von Dostojewski. Dann Deutsch für Anfänger. Einen Bonsai-Baum. In Ehrfurcht vor seiner Lernbegierde kauften sie ihm alles. Er war mit einer Intelligenz und mit Chancen gesegnet, die sie nie gehabt hatten; sie durften ihn nicht enttäuschen.

»Vater«, sagte David. »Hast du William Blake gelesen?« Oder: »Weißt du etwas über Driftgeschwindigkeit?«

»Wie bitte?«

»Das dachte ich mir.«

Harold hatte sein Leben lang den Kopf eingezogen, um Konfrontationen zu vermeiden, doch nun war seinem eigenen Fleisch und Blut jemand entsprungen, der wild entschlossen war, seinem Blick zu trotzen und mit ihm zu kämpfen. Er wünschte, er hätte an jenem Abend, als sein Sohn tanzte, nicht gegrinst.

Der alte Mann hörte zu tanzen auf. Erst danach schien er Harold zu bemerken. Er warf seine Decke ab und verbeugte sich so tief, dass er mit der Hand den Boden streifte. Er trug einen unglaublich schmutzigen Anzug, man konnte kaum erkennen, wo das Hemd aufhörte und die Jacke anfing. Er richtete sich wieder auf, ohne Harold aus den Augen zu lassen. Harold blickte sich kurz um, ob vielleicht jemand anderer gemeint war, aber die anderen Leute eilten vorbei und mieden jeden Blickkontakt. Der von dem alten Mann ins Visier Genommene war zweifellos Harold.

Er bewegte sich langsam auf den Alten zu. Auf halbem Weg wurde er so verlegen, dass er tun musste, als hätte er etwas im Auge, aber der alte Mann wartete. Als sie vielleicht noch eine Unterarmlänge voneinander entfernt waren, streckte der alte Mann die Arme aus, als umfasste er die Schultern einer unsichtbaren Partnerin. Harold blieb nichts übrig, als ebenfalls die Arme zu heben und dasselbe zu tun. Langsam tasteten sich ihre Füße nach links, dann nach rechts. Die beiden Männer berührten sich nicht, tanzten aber miteinander, und falls darüber eine leichte Note Urin und Erbrochenes wehte, musste Harold einräumen, dass er schon Schlimmeres gerochen hatte. Der Verkehr und die Menschenmenge waren die einzige Geräuschkulisse.

Der alte Mann blieb stehen und verbeugte sich ein zweites Mal. Harold war bewegt und zog den Kopf ein. Er dankte dem alten Mann für den Tanz, aber der hatte schon seine Decke aufgesammelt und hinkte davon, als wäre Musik das Letzte, was ihn interessierte.

In einem Souvenirladen in der Nähe der Kathedrale kaufte Harold einen Satz Bleistifte mit Prägedruck, die Maureen hoffentlich gefallen würden. Für Queenie suchte er einen kleinen Briefbeschwerer mit einem Modell der Kathedrale aus, die sich in Glitzer hüllte, wenn man die Kugel umdrehte. Es kam Harold seltsam, aber unvermeidlich vor, dass Touristen an religiösen Stätten Souvenirschnickschnack kaufen; sie wissen eben sonst nicht, was sie dort tun sollen.

Harold fühlte sich von Exeter regelrecht überrumpelt. Er hatte einen langsamen inneren Rhythmus entwickelt, den die Hektik der Stadt nun über den Haufen zu werfen drohte. Er hatte sich in der offenen Landschaft unter freiem Himmel, wo alles seinen festen Platz einnahm, sicher und wohl gefühlt. Er hatte dort den Eindruck gehabt, Teil von etwas Größerem zu sein und nicht nur Harold. In der Stadt, wo der Blick schnell auf Hindernisse stieß, hatte er das Gefühl, es könnte alles Mögliche passieren, worauf er nicht vorbereitet war.

Er suchte unter seinen Füßen nach ländlichen Spuren, fand aber nur Pflastersteine und Asphalt, die die Erde ersetzt hatten. Alles versetzte ihn in Alarmbereitschaft. Der Verkehr. Die Gebäude. Die Menschenmassen, die vorbeidrängten und in ihre Handys blafften. Er lächelte in jedes Gesicht, aber es war anstrengend, so viele Fremde in sich unterzubringen.

Er verlor einen ganzen Tag, an dem er einfach nur herumwanderte. Jedes Mal, wenn er weiterzugehen beschloss, sah er etwas, was ihn ablenkte, und eine weitere Stunde verging. Er brütete über dem Kauf von Dingen, obwohl er vorher nie gemerkt hatte, dass er sie brauchte. Sollte er Maureen ein neues Paar Gartenhandschuhe schicken? Eine Verkäuferin holte ihm fünf verschiedene Modelle und führte sie an ihren Händen vor, bis Harold einfiel, dass seine Frau ihre Gemüsebeete längst aufgegeben hatte. Er wollte unterwegs etwas essen und stand vor einem so riesigen Angebot an Sandwiches, dass er seinen Hunger vergaß und wieder ging, ohne etwas zu kaufen. (Wollte er Käse, Schinken oder den Belag des Tages: Meeresfrüchte-Cocktail? Oder lieber etwas ganz anderes? Sushi? Pekingente-Wraps?) Was ihm völlig klar war, wenn er allein mit beiden Füßen auf der Erde stand, das ging in dieser Fülle der Wahlmöglichkeiten, diesem Trubel in den Straßen und Läden mit ihren Glasfronten verloren. Er sehnte sich wieder nach der offenen Landschaft.

Und jetzt, wo er die Möglichkeit hatte, eine Wanderausrüstung zusammenzustellen, geriet er ebenfalls ins Wanken. Nach einer Stunde mit einem begeisterten jungen Australier, der nicht nur Wanderschuhe, sondern auch einen Rucksack, ein kleines Zelt und einen sprechenden Schrittzähler vor ihm ausbreitete, entschuldigte sich Harold wortreich und kaufte eine Kurbeltaschenlampe. Er sagte sich, dass er mit seinen Segelschuhen und seiner Plastiktüte wunderbar durchgekommen sei, und wenn er seine Sachen etwas findiger verstaute, könnte er die Zahnbürste und den Rasierschaum in die eine Jackentasche, das Deodorant und das Waschpulver in die andere stecken. Statt weiter einzukaufen, setzte er sich in ein Café am St.-David-Bahnhof.

Vor zwanzig Jahren musste Queenie an diesem Bahnhof angekommen sein. War sie von hier aus direkt nach Berwick weitergefahren? Hatte sie Familie dort? Freunde? Sie hatte weder das eine noch das andere je erwähnt. Einmal waren ihr bei einem Song im Autoradio die Tränen gekommen. *Mighty Like A Rose*. Die ruhige, tiefe Männerstimme vibrierte in der Luft. Und erinnerte Queenie an ihren Vater, wie sie zwischen Schluchzern sagte. Er war erst vor kurzem gestorben.

»Entschuldigung, Entschuldigung«, flüsterte sie.

»Ist schon in Ordnung.«

»Er war ein guter Mensch.«

»Ganz bestimmt.«

»Sie hätten ihn gemocht, Mr Fry.«

Dann hatte sie ihm eine Geschichte von ihrem Vater erzählt. Als sie noch ein Kind war, spielte er gern ein Spiel mit ihr: Er tat, als wäre sie unsichtbar. »Ich bin hier! Ich bin hier!«, rief sie lachend; die ganze Zeit sah er auf sie herunter und sagte, als wäre sie nicht da: »Komm sofort her. Wo steckst du denn, Queenie?«

»Es war so komisch«, sagte sie und zwickte die Nasenspitze

mit dem Taschentuch zusammen. »Ich vermisse ihn so sehr.«
Sogar ihre Trauer besaß eine gesetzte Würde.

Im Bahnhofscafé war viel los. Harold beobachtete die Ur-
lauber, die sich mit Koffern und Rucksäcken zwischen den
Tischen und Stühlen durchschlängelten, und fragte sich, ob
vielleicht auch Queenie hier gesessen hatte. Er stellte sie sich
vor, blass und einsam, in ihrem altmodischen Kostüm, stellte
sich vor, wie sie mit ihrem klaren Gesicht entschlossen ge-
radeaus starrte.

Er hätte sie niemals so gehen lassen dürfen.

»Entschuldigen Sie bitte«, sagte eine vornehme Stimme
über ihm, »ist dieser Stuhl frei?«

Mit einem Ruck kehrte Harold in die Gegenwart zurück.
Ein gutgekleideter Mann stand links von ihm und deutete
auf den Stuhl gegenüber. Harold wischte sich über die Augen;
überrascht und beschämt stellte er fest, dass er schon wieder
geweint hatte. Er antwortete, der Stuhl sei frei, und bat den
Fremden, sich doch zu setzen.

Der Mann trug einen schicken Anzug und ein dunkelblaues
Hemd mit Perlen als Manschettenknöpfen. Er war schlank
und elegant, sein dichtes Silberhaar trug er zurückgekämmt.
Beim Hinsetzen schlug er die Beine so übereinander, dass
die Bügelfalte seiner Hose genau über die Kniemitte fiel. Er
hob die Hände an die Lippen und faltete sie zu einem eleganten Steildach. So ein Mann wäre Harold gern gewesen; kulti-
viert, wie Maureen sagen würde. Vielleicht starrte er ihn zu
aufdringlich an, denn als die Bedienung dem Gentleman ein
Kännchen Ceylontee (ohne Milch, bitte) und ein Stück ge-
toastetes Teegebäck gebracht hatte, sagte er sichtlich bewegt:

»Abschiede sind immer schwer.« Er goss sich Tee in die
Tasse und drückte einen Spritzer Zitrone dazu.

Harold erklärte, dass er zu Fuß zu einer kranken Frau unterwegs sei, die er in der Vergangenheit enttäuscht hatte. Er hoffe, es sei kein endgültiger Abschied; er hoffe sehr, seine Freundin würde weiterleben. Er sah dem Mann nicht in die Augen, sondern richtete den Blick stattdessen auf das Teegebäck. Es war tellergroß; die geschmolzene Butter darauf sah aus wie Honig.

Der Mann schnitt eine Hälfte in schmale Stücke und aß, während er zuhörte. Das Café war laut und voll, die Fenster so beschlagen, dass man nicht mehr durchsehen konnte.

»Queenie war die Art Frau, die von den Leuten nicht geschätzt wird. Kein Püppchen wie die anderen Frauen in der Brauerei. Vielleicht hatte sie ein paar Haare im Gesicht. Keinen Bart oder so. Aber die anderen Kerle lachten sie aus. Erfanden dumme Spottnamen für sie. Das tat ihr weh.« Harold war gar nicht sicher, ob der andere ihn überhaupt hören konnte. Er bewunderte den Gentleman, wie reinlich er das Gebäck zwischen die Zähne beförderte und nach jedem Bissen die Finger abtupfte.

»Möchten Sie davon?«, fragte der Gentleman.

Harold hob abwehrend die Hände.

»Ich möchte nur die Hälfte. Es wäre so schade, die andere Hälfte wegzuwerfen. Bitte. Teilen Sie doch mit mir.«

Der Gentleman mit dem Silberhaar legte die Stücke, die er abgeschnitten hatte, auf eine Papierserviette. Dann schob er den Teller mit der intakten Hälfte zu Harold hinüber. »Darf ich Sie etwas fragen?«, bat er. »Sie machen auf mich den Eindruck eines anständigen Menschen.«

Harold nickte, weil er schon von dem Teekuchen abgebissen hatte und ihn schlecht wieder ausspucken konnte. Er versuchte, die herunterrinnende Butter mit den Fingern aufzufangen, aber sie war schon sein Handgelenk hinuntergelaufen und machte seinen Ärmel fettig.

»Ich komme jeden Donnerstag nach Exeter. Morgens steige ich in den Zug und fahre am frühen Abend wieder zurück. Ich komme hierher, um einen jungen Mann zu treffen. Wir haben ein Verhältnis. Niemand weiß von dieser Seite meines Lebens.«

Der silberhaarige Gentleman hielt inne, um sich Tee nachzuschenken. Der Teekuchen war Harold im Hals stecken geblieben. Er spürte, wie der Mann seinen Blick suchte, aber es war Harold schlicht unmöglich, ihm in die Augen zu sehen.

»Kann ich fortfahren?«, fragte der Gentleman.

Harold nickte. Er schluckte gewaltsam, presste das Gebäck an seinen Mandeln vorbei. Der Schmerz wanderte die ganze Speiseröhre hinunter.

»Was wir tun, gefällt mir, sonst würde ich nicht herkommen, und ich habe ihn auch liebgewonnen. Er holt mir danach immer ein Glas Wasser, und manchmal redet er. Er spricht nicht sehr gut Englisch. Ich glaube, er hatte als Kind Polio und hinkt deshalb gelegentlich.«

Zum ersten Mal kam der Gentleman ins Stocken, als kämpfe etwas in ihm. Er hob die Tasse, aber als er sie zum Mund führte, zitterten seine Finger so, dass der Tee überschwappte und ein ganzer Schwall auf seinem Kuchen landete. »Er rührt mich an, dieser junge Mann«, sagte er. »Er bewegt mich mehr, als ich sagen kann.«

Harold wandte den Blick ab. Er überlegte, ob er aufstehen und verschwinden könnte, aber ihm wurde klar, dass das nicht ging. Schließlich hatte er den halben Teekuchen des Gentleman gegessen. Aber er kam sich wie ein Eindringling vor, als er Zeuge der Hilflosigkeit dieses so liebenswürdigen, so eleganten Mannes wurde. Er wünschte, der Mann hätte seinen Tee nicht verschüttet, wünschte, er würde ihn aufwischen, aber das tat er nicht, er saß einfach da und ertrug sein Missgeschick mit Gleichmut. Sein Teekuchen war nun jedenfalls ungenießbar.

Der Gentleman sprach mühsam weiter, stockend und mit langen Pausen. »Ich lecke seine Sportschuhe. Das gehört bei uns dazu. Aber heute früh habe ich bemerkt, dass ein Schuh am Zeh ein kleines Loch hat.« Seine Stimme bebte. »Ich würde ihm gerne neue Sportschuhe kaufen, aber ich möchte ihn nicht beleidigen. Gleichzeitig finde ich den Gedanken unerträglich, dass er mit einem Loch in den Schuhen durch die Straßen geht. Da bekommt er nasse Füße. Was soll ich denn tun?« Er saugte die Lippen nach innen, wie um eine Lawine von Schmerz zurückzuhalten.

Harold saß stumm da. Der silberhaarige Gentleman war in Wirklichkeit ganz anders, als Harold erst gedacht hatte. Er war ein Mann wie Harold selbst, gequält von seinem ureigenen Schmerz, den ihm keiner ansah, der auf der Straße an ihm vorbeiging oder ihm in einem Café gegenübersaß, ohne seinen Teekuchen mit ihm zu teilen. Harold stellte sich den Gentleman auf dem Bahnsteig vor; in seinem eleganten Anzug sah er nicht anders aus als andere Menschen auch. In ganz England musste es dasselbe sein: Die Leute kauften Milch, tankten ihre Autos auf, brachten Briefe zur Post. Und niemand wusste, welche entsetzliche Last sie mit sich herumschleppten. Welche unmenschliche Anstrengung es sie manchmal kostete, normal zu erscheinen, zugehörig zur scheinbar so einfachen Welt des Alltäglichen. Diese Einsamkeit. Ergriffen und beschämt nahm er seine Papierserviette und hielt sie dem Gentleman hin.

»Ich glaube, ich würde ihm neue Sportschuhe kaufen«, sagte Harold. Er wagte es nun, den Blick zu heben und dem silberhaarigen Gentleman in die Augen zu sehen. Sie waren wässrig blau, das Weiß so gerötet, dass es wund wirkte. Das setzte Harold furchtbar zu, aber er wandte den Blick nicht ab. So saßen die beiden Männer da und schwiegen, und nach kurzer Zeit wurde Harold leicht ums Herz, und er konnte dem Gentleman zulächeln. Er hatte eines begriffen: Wenn er diesen Weg ging, um alte Fehler wiedergutzumachen, so bestand seine Reise auch darin, die Eigenart anderer zu akzeptieren. Als Reisendem stand ihm nicht nur das Land offen, sondern auch alles andere. Die Menschen konnten ungezwungen mit ihm reden, und er konnte ungezwungen zuhören. Ein wenig von ihrer Last mitnehmen, wenn er wieder ging. Er hatte so vieles vernachlässigt, dass er Queenie und der Vergangenheit dieses bisschen Großzügigkeit schuldig war.

Auch der Gentleman lächelte. »Danke.« Er wischte sich das Kinn ab, die Finger, den Rand seiner Tasse. Als er sich erhob, sagte er: »Ich glaube nicht, dass sich unsere Wege noch einmal kreuzen werden, aber ich bin froh, dass wir uns begegnet sind. Ich bin froh, dass wir miteinander gesprochen haben.«

Sie schüttelten sich die Hand, gingen auseinander und ließen die Reste des Teekuchens zurück.

9
Maureen und David

Maureen wusste nicht, was schlimmer war: der lähmende Schock bei der Nachricht, dass Harold zu Fuß zu Queenie ging, oder die siedende Wut, die den Schock später ersetzte. Sie hatte Harolds Postkarten bekommen, eine von der Buckfast Abbey und eine von der historischen Dartmouth Railway *(Hoffe, es geht Dir gut. H)*, aber sie boten weder Trost noch Erklärungen. Er rief sie fast jeden Abend an, war aber so müde, dass nichts Vernünftiges aus ihm herauszubekommen war. Das Geld, das sie für den Ruhestand zurückgelegt hatten, wäre in wenigen Wochen verschleudert. Wie konnte er es wagen, sie zu verlassen, nachdem sie es siebenundvierzig Jahre lang mit ihm ausgehalten hatte? Wie konnte er es wagen, sie so schrecklich zu demütigen, dass sie es nicht einmal ihrem Sohn erzählen konnte? Ein kleiner Stapel Rechnungen, an Mr. H. Fry adressiert, lag auf dem Dielentisch und erinnerte sie jedes Mal, wenn sie vorbeilief, an seine Abwesenheit.

Sie holte den Staubsauger, suchte nach Spuren von Harold, nach einem Haar, einem Knopf, und saugte sie weg. Sie besprühte seinen Nachttisch, seinen Schrank, sein Bett mit Desinfektionsmittel.

Nicht nur ihre Wut belastete Maureen, sondern auch das Problem, was sie ihrem Nachbarn erzählen sollte. Sie begann die Lüge zu bedauern, Harold läge mit einem geschwollenen Knöchel im Bett. Fast jeden Tag erschien Rex an der Haustür, fragte, ob Harold gern Besuch hätte, und brachte kleine Geschenke mit: eine Schachtel Pralinen, ein Päckchen Spielkarten, einen Artikel über Rasendüngung, den er aus der Lokalzeitung ausgeschnitten hatte. Es war so weit gekommen, dass Maureen Angst hatte, zur Haustür zu blicken, weil sie befürchtete, dass sich hinter dem Riffelglas Rex' rundliche Silhouette abzeichnete. Sie überlegte, ob sie sagen sollte, ihr Mann sei letzte Nacht im Krankenwagen zur Notaufnahme transportiert worden, aber dann wäre Rex unerträglich besorgt. Außerdem würde er ihr dann ständig anbieten, sie in die Klinik zu fahren. Sie fühlte sich in ihrem eigenen Haus noch mehr wie eine Gefangene als zu Harolds Zeiten.

Eine Woche nach seinem Aufbruch rief Harold aus einer Telefonzelle an und berichtete, er bliebe eine zweite Nacht in Exeter und würde frühmorgens nach Tiverton aufbrechen. Und dann sagte er: »Manchmal denke ich, ich mache das für David … Hast du mich gehört, Maureen?«

Sie hatte ihn gehört. Aber sie brachte kein Wort hervor.

Er sagte: »Ich denke viel an ihn. Und erinnere mich an vieles. Aus der Zeit, als er klein war. Ich glaube, das könnte helfen.«

Maureen sog scharf die Luft ein, die eiskalt an ihren Zähnen vorbeistrich, was sich anfühlte, als würden sie abgeschliffen. Schließlich fragte sie: »Behauptest du etwa, David will, dass du zu Queenie Hennessy läufst?«

Eine Weile blieb er stumm, dann seufzte er: »Nein.« Das polterte so dumpf heraus, als wäre etwas auf den Boden gefallen.

Sie fuhr fort: »Hast du mit ihm gesprochen?«

»Nein.«

114

»Ihn gesehen?«

Wieder: »Nein.«

»Was soll das dann?«

Harold sagte nichts. Maureen stand auf und marschierte den ganzen Dielenläufer auf und ab, als messe sie die Größe ihres Siegs mit ihren Füßen nach. »Wenn du zu dieser Frau gehst, wenn du ohne Karte, ohne Handy und ohne mir vorher ein Wort zu sagen quer durch ganz England läufst, dann sei wenigstens so gut und steh dazu. Das ist deine Entscheidung, Harold. Nicht meine, und schon gar nicht die von David.«

Nach einem solchen Ausbruch von Selbstgerechtigkeit hatte sie keine andere Wahl, als aufzulegen. Was sie sofort bedauerte. Sie versuchte, Harold zurückzurufen, aber es klappte nicht. Manchmal sagte sie so etwas, ohne es zu meinen. Es war einfach zum Grundgewebe ihrer Sprache geworden. Sie suchte nach Ablenkung, aber es blieb nichts weiter zu tun, als die Gardinen zu waschen, und Maureen brachte es nicht über sich, sie abzuhängen. Ein weiterer Abend kam und ging ereignislos.

Maureen schlief unruhig. Sie träumte, sie sei bei einer Abendgesellschaft, mit vielen Leuten in Smoking und Abendkleid, die sie nicht kannte. Sie setzte sich zum Essen an die Tafel und blickte auf ihren Schoß. Da fand sie ihre Leber liegen. »Wie nett, Sie kennenzulernen«, sagte sie zu dem Mann neben sich und deckte ihre Leber mit den Händen zu, bevor er sie sehen konnte. Die ganze Zeit glitschte die Leber zwischen ihren Fingern herum, drückte sich schmatzend in die Zwischenräume unter ihren Nägeln, bis Maureen nicht mehr wusste, wie sie sie bändigen sollte. Die Kellner trugen schon die Teller auf, die mit Silberhauben abgedeckt waren.

Und doch spürte Maureen keinen körperlichen Schmerz. Nicht im eigentlichen Sinn. Sie empfand eher Panik, litt Höllenqualen. Ihre Haut kribbelte vor Panik bis unter den Haaransatz. Wie sollte sie die Leber zurück in ihren Bauch stopfen, ohne dass es jemand bemerkte, wo sie doch keinerlei Spalt im Fleisch ertasten konnte? Nun klebte auch noch eine Hand an dem Ding fest, egal, wie heftig sie unter der Tischplatte ihre Finger wegzuzerren versuchte. Sie wollte sie mit der freien Hand ablösen, aber im Nu klebte auch die an der Leber. Am liebsten wäre Maureen aufgesprungen und hätte geschrien, aber das kam natürlich nicht in Frage. Sie musste ganz still und reglos dasitzen; niemand durfte wissen, dass sie ihre Innereien in Händen hielt.

Um Viertel nach vier wachte Maureen schweißgebadet auf und tastete nach ihrer Nachttischlampe. Sie dachte an Harold, der in Exeter schlief, an die Ersparnisse, die sich in nichts auflösten, und an Rex mit seinen Geschenken. Sie dachte an die Stille, die sich nicht wegputzen ließ. Es grenzte ans Unerträgliche.

Als es hell geworden war, sprach sie mit David. Sie gestand ihm die Wahrheit über seinen Vater, der zu Fuß zu einer Frau aus der Vergangenheit unterwegs war, und David hörte ihr zu. »Du und ich, wir haben Queenie Hennessy nicht gekannt«, sagte Maureen. »Aber sie hat in der Brauerei gearbeitet. Sie hatte eine Stelle in der Buchhaltung. Vermutlich war sie der Typ alte Jungfer. Sehr einsam.« Anschließend sagte sie zu David, dass sie ihn liebte und wünschte, er würde sie besuchen. Er beteuerte, für ihn gelte dasselbe. »Was soll ich denn wegen Harold unternehmen? Was würdest du denn tun?«, fragte sie.

Er erklärte ihr genau, was mit seinem Vater los war, und riet ihr dringend, den Arzt aufzusuchen. Er nannte die Dinge, die sie nicht auszusprechen wagte, beim Namen.

»Aber ich kann das Haus nicht verlassen«, wandte sie ein.

»Er könnte zurückkommen. Er könnte kommen, während ich weg bin.«

David lachte. Ein bisschen unbarmherzig, fand sie; aber von Schonung und Rücksicht hatte er noch nie etwas gehalten. Sie hatte die Wahl. Sie konnte zu Hause bleiben und warten. Oder sie konnte etwas unternehmen. Sie stellte sich vor, wie David lächelte, und Tränen schossen ihr in die Augen. Und dann sagte er etwas Unerwartetes: Er wisse von Queenie Hennessy. Sie sei ein guter Mensch.

Maureen schnappte nach Luft. »Aber du bist ihr doch nie begegnet!«

Das stimme zwar, gab er zu, aber es stimme nicht, erinnerte er seine Mutter, dass sie und Queenie einander nie begegnet seien. Sie sei einmal mit einer Nachricht für Harold in der Fossebridge Road aufgetaucht. Es sei dringend, hatte sie gesagt.

Das gab den Ausschlag. Sobald die Praxis öffnete, rief sie an und ließ sich einen Termin beim Arzt geben.

10
Harold und das Zeichen

Der Morgenhimmel leuchtete in einem gleichmäßigen, von ein paar Wolken gefiederten Blau; hinter den Bäumen drückte sich noch die Mondsichel herum. Harold war erleichtert, als er wieder die Straße unter den Füßen spürte. Er hatte Exeter früh verlassen, nachdem er antiquarisch ein Lexikon der Wildpflanzen und einen Großbritannien-Reiseführer gekauft hatte. Er hatte die Bücher zusammen mit den beiden Geschenken für Queenie in die Plastiktüte gesteckt. Außerdem hatte er seine Vorräte an Wasser und Keksen aufgefüllt und auf den Rat eines Apothekers hin eine Tube Vaseline für seine Füße gekauft. »Ich könnte Ihnen eine Spezialsalbe andrehen, aber das wäre nur eine Verschwendung von Zeit und Geld«, sagte der Ladeninhaber. Er hatte Harold auch gewarnt, dass schlechtes Wetter im Anzug sei.

In der Stadt waren Harolds Gedanken versiegt. Doch in der offenen, unbesiedelten Landschaft flossen die Bilder wieder ungehindert. Das Laufen befreite die Vergangenheit, der er zwanzig Jahre lang aus dem Weg gegangen war, und jetzt plapperte und tollte sie mit der ihr eigenen wilden Energie in seinem Kopf herum. Er maß die Entfernung nicht mehr in Kilometern, sondern in Erinnerungen.

Als er an Schrebergärten vorbeiging, sah er wieder Maureen in der Fossebridge Road im Garten. Sie hatte ein altes Hemd von ihm übergezogen und die Haare zurückgebunden, damit sie nicht im Wind flatterten. Gerade hatte sie grüne Bohnen eingesetzt, und ihr Gesicht war erdverschmiert. Dann sah Harold ein zerbrochenes Vogelei und erinnerte sich mit herzzerreißender Zärtlichkeit, wie verletzlich Davids Köpfchen nach der Geburt gewesen war. Er hörte in der Stille das hohle Krächzen einer Krähe und lag plötzlich wieder als Teenager im Bett, hörte denselben Ruf und wurde von Einsamkeit überwältigt.

»Wo gehst du hin?«, hatte er seine Mutter gefragt. Er überragte seinen Vater bereits, fand es aber großartig, dass er seiner Mutter nur bis zur Schulter reichte. Sie hob ihren Koffer auf und drapierte einen langen Seidenschal um den Hals. Er hing ihr wie Haare den Rücken hinunter.

»Nirgends«, sagte sie, öffnete aber die Haustür.

»Ich will mit.« Er griff nach ihrem Schal, nur nach den Fransen, was sie vielleicht nicht bemerken würde. Die Seide lag weich zwischen seinen Fingerkuppen. »Kann ich mit?«

»Sei nicht blöd. Das wird schon. Du bist jetzt praktisch ein Mann.«

»Soll ich dir einen Witz erzählen?«

»Jetzt nicht, Harold.« Sie entwand ihm sanft ihren Schal. »Wegen dir werde ich noch ganz kindisch«, sagte sie und wischte sich über die Augen. »Bin ich verschmiert?«

»Du bist wunderschön.«

»Wünsch mir Glück.« Sie holte tief Luft, als würde sie gleich ins Wasser springen, und trat hinaus.

Die Szene war so gestochen scharf, dass sie Harold wirklicher erschien als die Erde unter seinen Füßen. Er roch das Moschusparfum seiner Mutter. Sah den weißen Puder auf ihrer Haut und wusste genau, obwohl sie gar nicht da war, ihre

120

Wange hätte nach Marshmallows geschmeckt, wenn sie ihm erlaubt hätte, sie zu küssen.

»Ich dachte, Sie mögen zur Abwechslung vielleicht die hier«, hatte Queenie eines Tages gesagt. Sie drückte den klemmenden Deckel einer kleinen Dose auf, und da kamen weiße, mit Puderzucker überstäubte Konfektwürfel zum Vorschein. Er hatte nur den Kopf geschüttelt und war weitergefahren. Sie hatte keine Marshmallows mehr mitgenommen.

Sonne schien durch die Bäume, die jungen, im Wind zitternden Blätter leuchteten wie Transparentpapier. In Brampford Speke waren die Dächer mit Stroh gedeckt und die Ziegel nicht mehr kieselgrau, sondern in einem wärmeren Rot-Ton gefärbt. Spierstrauchzweige bogen sich unter ihren Blütenrispen, Rittersporntriebe bohrten sich durch die Erde. Mit Hilfe seines Pflanzenführers identifizierte Harold die Echte Waldrebe, Hirschzungenfarn, Rote Lichtnelken, Stinkenden Storchschnabel und den Gefleckten Aaronstab. Er fand heraus, dass die blassen Blütensterne, deren Schönheit er so bewundert hatte, Buschwindröschen hießen. Begeistert von diesen Entdeckungen steckte er die restlichen vier Kilometer bis Thorverton die Nase tief in sein Wildpflanzenlexikon. Der Warnung des Apothekers zum Trotz regnete es nicht. Harold fühlte sich mit Glück gesegnet.

Das Land fiel links und rechts ab, dass Harold einen freien Blick auf die fernen Hügel hatte. Er überholte zwei Buggys schiebende junge Frauen, einen Jungen mit bunter Baseballmütze auf einem Tretroller, drei Leute, die ihre Hunde ausführten, und einen Wanderer. Er verbrachte den Abend mit einem Sozialarbeiter, der gern Dichter gewesen wäre. Der Mann bot Harold an, seine Limonade mit Bier aufzufüllen, doch Harold lehnte ab. Alkohol habe in der Vergangenheit Unglück gebracht, sagte er, nicht nur ihm, sondern auch

Menschen, die ihm nahe waren. Seit vielen Jahren verzichtete er darauf. Er erzählte ein bisschen von Queenie und dass sie gern Lieder rückwärts sang, Scherzfragen stellte und eine Schwäche für Süßes hatte. Ihre Lieblingsbonbons waren Birnendrops, Zitronenbrause und Lakritze. Manchmal war ihre Zunge grellrot oder lila verfärbt, aber er machte sie nicht darauf aufmerksam. »Ich habe ihr ein Glas Wasser geholt und gehofft, es würde das Zeug wegspülen.«

»Sie sind ein Heiliger«, sagte der Mann, als Harold ihm erzählte, dass er zu Fuß nach Berwick ging.

Harold knabberte Speckchips und stritt jegliche Heiligkeit heftig ab. »Da wäre auch meine Frau vollkommen einer Meinung mit mir.«

»Sie sollten mal sehen, mit was für Leuten ich zu tun habe«, sagte der Sozialarbeiter. »Da würde ich am liebsten alles hinschmeißen. Glauben Sie wirklich, dass Queenie Hennessy auf Sie wartet?«

»Aber sicher«, sagte Harold.

»Und dass Sie es nach Berwick schaffen? Mit den Segelschuhen?«

»Aber sicher«, wiederholte er.

»Bekommen Sie nie Angst? So ganz allein?«

»Anfangs war es schon so. Aber jetzt habe ich mich daran gewöhnt. Ich weiß, was ich zu erwarten habe.«

Der Sozialarbeiter zog die Schultern hoch und ließ sie wieder fallen. »Aber was ist mit solchen Leuten, mit denen ich mich abplagen muss? Was passiert, wenn Ihnen mal so jemand über den Weg läuft?«

Harold dachte an die Menschen, denen er bereits begegnet war. Ihre Geschichten hatten ihn überrascht und bewegt, keine hatte ihn kaltgelassen. Schon jetzt hatte die Zahl der Menschen auf der Welt, die ihm wichtig waren, zugenommen. »Ich bin ein ganz gewöhnlicher Mensch, keiner, der sich von der Masse abhebt, und nur auf der Durchreise. Ich belästige niemanden. Und wenn ich den Leuten erzähle, was ich mache, verstehen sie mich anscheinend. Sie überdenken ihr eigenes Leben und wünschen mir, dass ich ans Ziel komme. Dass Queenie am Leben bleibt, wünschen sie sich genauso sehr wie ich.«

Der Sozialarbeiter hörte so aufmerksam zu, dass es Harold ungemütlich heiß wurde. Er griff nach seiner Krawatte und zog sie gerade.

In dieser Nacht träumte er zum ersten Mal wieder. Er stand auf, bevor sich die Bilder festsetzen konnten, aber ihm blieb die Erinnerung, wie Blut aus seinen Knöcheln quoll, und wenn er nicht aufpasste, konnte Schlimmeres folgen. Er stand am Fenster, starrte in die schwarze Weite des Himmels und dachte daran, wie sein Vater an dem Tag, als seine Mutter gegangen war, hartnäckig auf die Haustür gestarrt hatte, als genügte eine solche Hartnäckigkeit, damit sie aufschwang und seine Mutter dahinter wieder zum Vorschein kam. Er hatte sich mit einem Stuhl und zwei Flaschen vor der Tür eingerichtet und schien Stunden dort zu sitzen.

»Sie kommt zurück«, hatte er gesagt, und Harold lag im Bett und lauschte so angestrengt, dass sein ganzer Körper unter Spannung stand und er sich mehr wie die Stille selbst fühlte als wie ein Junge. Am nächsten Morgen waren ihre Kleider wie lauter leere Mütter überall in dem kleinen Haus verstreut. Manche lagen sogar auf dem schmalen Grasfleck, den sie den »vorderen Rasen« nannten.

»Was ist denn da passiert?«, fragte die Frau nebenan.

Harold hatte die Kleider aufgesammelt und zu einer großen Kugel gedreht. Der Geruch seiner Mutter hüllte ihn so intensiv ein, dass er unmöglich glauben konnte, sie würde

123

nie zurückkehren. Er musste sich die Fingernägel in die Ellbogen graben, damit ihm kein Laut entfuhr. Harold ließ die Szene noch einmal abspulen und sah zu, wie die Schwärze des Nachthimmels sich lockerte. Als er innerlich wieder ruhig war, kehrte er ins Bett zurück.

Einige Stunden später begriff er nicht, was sich verändert hatte. Er konnte sich kaum rühren. Die Blasen ließen sich aushalten, wenn er sie mit Pflastern abpolsterte, aber jedes Mal, wenn er den rechten Fuß mit Gewicht belastete, schoss ihm ein krampfartiger Schmerz von der Ferse in die Wade. Er tat alles, was er immer tat: duschte, frühstückte, packte seine Plastiktüte neu, zahlte die Rechnung. Doch jedes Mal, wenn er auftrat, meldete sich der Schmerz im Unterschenkel wieder. Der Himmel war von einem kalten Kobaltblau, von dem sich die weißen Leuchtspuren einiger Kondensstreifen abhoben, angestrahlt von der noch tief stehenden Sonne. Ohne einen Blick für diese Pracht folgte Harold der Silver Street bis zur A396. Er musste alle zwanzig Minuten stehen bleiben, die Socke herunterrollen und in seine Wadenmuskeln kneifen. Zu seiner Erleichterung gab es keine sichtbaren Anzeichen einer Verletzung.

Er versuchte sich mit Gedanken an Queenie oder David abzulenken, aber sie wollten nicht so recht Gestalt annehmen. Wenn er auf eine Erinnerung stieß, verlor er sie genauso rasch wieder. Er erinnerte sich, wie sein Sohn einmal gesagt hatte: »Ich wette, du kannst nicht alle Länder des afrikanischen Kontinents aufzählen.« Als er versuchte, wenigstens ein einziges Land zu nennen, zuckte der Schmerz in seinem Bein auf, und er vergaß, woran er gedacht hatte. Nach einer halben Meile fühlte sich sein Schienbein an wie durchgeschnitten, er konnte kaum noch auftreten. Er musste mit dem linken Bein weit ausschreiten und das rechte Bein mit einem lächerlichen

Hoppelschritt nachziehen. Bis zur Mitte des Vormittags hatte sich eine dichte Wolkendecke über den Himmel gelegt. Egal, von wo aus Harold es betrachtete, sein Fußmarsch nach Norden, quer durch England, kam ihm nun vor wie ein Berg, den er bezwingen musste. Sogar die ebenen Straßenabschnitte schienen plötzlich anzusteigen.

Er konnte das Bild seines Vaters nicht abschütteln, wie er, auf einem Küchenstuhl zusammengesackt, auf seine Mutter wartete. Das Bild war immer da gewesen, aber Harold hatte das Gefühl, er sähe es zum ersten Mal. Sein Vater hatte sich möglicherweise auf seinen Schlafanzug übergeben. Besser, man atmete nicht durch die Nase.

»Geh weg«, sagte sein Vater. Aber seine Augen schwenkten so schnell von Harold zur Wand, dass sich schwer sagen ließ, was von beidem größeren Abscheu in ihm weckte.

Als die Nachbarn es erfuhren, kamen sie seinen Vater trösten. Joan sei schon immer ein unabhängiger Geist gewesen, sagten sie. Es sei ein Segen: Wenigstens sei er jung genug, um noch einmal von vorn anzufangen. Plötzlich war das Haus von weiblichem Leben erfüllt wie nie zuvor: Fenster wurden aufgerissen, Schränke geleert, Bettzeug gelüftet. Schmorgerichte, Quiches und Fleischsülzen erschienen auf dem Tisch, dazu Brotpudding, Marmelade und in braunes Papier gewickelter Früchtekuchen. Es hatte noch nie so viel zu essen gegeben, da sich seine Mutter nicht sonderlich für geregelte Mahlzeiten interessierte. Schwarzweißfotos von ihr verschwanden in Handtaschen, ihre Lippenstifte und Parfüms aus dem Bad. Er sah sie an Straßenecken und Kreuzungen. Einmal erblickte er sie sogar nach der Schule, wie sie auf ihn wartete; aber als er hinrannte, war es nur eine unbekannte Frau, die einen der Hüte oder Röcke seiner Mutter anhatte. Joan hatte immer knallige Farben geliebt. Sein dreizehnter Geburtstag kam und ging ohne ein Wort von ihr. Nach sechs Monaten konnte er sie nicht einmal mehr im Badschränkchen riechen. Sein Vater begann die Räume, die seine Frau eingenommen hatte, mit fernen Verwandten zu besetzen.

»Sag deiner Tante Muriel guten Tag«, forderte er Harold auf. Er hatte seinen Morgenmantel abgelegt und trug stattdessen einen Anzug mit abstehenden Schultern. Rasierte sich sogar.

»Du liebe Güte, ist der aber groß.« Das breite Gesicht der Frau lugte aus einem Pelzmantel hervor, mit ihren Wurstfingern hielt sie eine Tüte Makronen. »Mag er eine?«

Bei der Erinnerung lief Harold das Wasser im Mund zusammen. Er aß alle Kekse in seiner Plastiktüte, aber sie befriedigten seine Gier nicht, die er für Hunger hielt, durch Essen aber nicht stillen konnte. Sein Speichel war zäh und weiß wie Zahnpasta. Wenn ihm jemand begegnete, verbarg er den Mund hinter seinem Taschentuch, um niemanden zu beunruhigen. Er kaufte zwei Kartons H-Milch und trank so hastig, dass sie ihm das Kinn herunterlief. Er stürzte sie viel zu schnell herunter, aber sein Bedürfnis war so groß, dass es nicht mit sich verhandeln ließ. Immer wieder zerrte er mit den Zähnen am Karton; die Milch floss ihm nicht schnell genug. Ein paar Meter weiter musste er stehen bleiben und sich übergeben. Unaufhörlich musste er daran denken, wie seine Mutter ihn verlassen hatte.

Als sie ihren Koffer gepackt hatte, hatte sie ihm nicht nur ihr Gelächter geraubt, sondern auch den einzigen Menschen, der größer war als er selbst. Niemand hätte Joan als zärtlich beschrieben, aber wenigstens stand sie zwischen ihrem Sohn und den Wolken. Die Tanten gaben ihm Süßigkeiten oder kniffen ihn in die Wange; manchmal fragten sie ihn sogar, was er von dem Sitz eines Kleides hielt. Aber die Welt schien plötzlich keine Konturen mehr zu haben, und er zuckte vor den Berührungen der Tanten zurück.

»Ich will nicht behaupten, dass er komisch ist«, hatte Tante Muriel gesagt. »Er schaut einen einfach nicht an.«

Harold schaffte es bis nach Bickleigh, wo sein Reiseführer die Besichtigung des kleinen, aus roten Ziegeln erbauten Schlösschens empfahl, das sich ans Ufer des River Exe schmiegte. Ein Mann mit langem Gesicht und olivfarbener Hose klärte ihn jedoch auf, dass sein Reiseführer völlig veraltet und das Schloss nicht öffentlich zugänglich sei, außer, Harold sei für eine Luxushochzeit oder ein schauriges Krimiwochenende zu begeistern. Er empfahl Harold den Besuch des Kunsthandwerk- und Geschenkeladens bei der Bickleigh Mill, wo er etwas für seinen Geschmack und Geldbeutel Geeigneteres finden würde.

Harold sah sich die Glas-Kinkerlitzchen an, die Lavendelsäckchen und ein Sortiment Vogelhäuschen, echt handgefertigt und aus der Region, aber nichts davon erschien ihm im Geringsten notwendig oder auch nur wünschenswert. Das machte ihn traurig. Er wäre gern gegangen, aber da er der einzige Kunde im Laden war und die Verkäuferin ihn anstarrte, fühlte er sich verpflichtet, etwas zu kaufen. Er nahm für Queenie vier laminierte Sets mit Ansichten von Devon. Für seine Frau suchte er einen Kugelschreiber aus, der beim Aufdrücken mattrot leuchtete, so dass Maureen im Dunkeln schreiben könnte, sollte sie jemals den Wunsch danach verspüren.

Harold Mutterlos, hatten ihn die Jungs in der Schule genannt. Er fing an, erst Tage, dann Wochen zu schwänzen, bis ihm seine Mitschüler wie Fremde vorkamen und er selbst sich wie einer anderen Spezies zugehörig. Tante Muriel schrieb ihm Entschuldigungen: »Harold hatte Kopfweh.« »Harold sieht käsig aus.« Manchmal holte sie das Lexikon hervor und wurde kreativer: »Am Dienstag um 18 Uhr hatte er eine Gallenkolik.« Als er durchfiel, schmiss er die Schule ganz.

»Der schlägt sich schon durch«, sagte Tante Vera, die Muriels Bettseite einnahm, als Muriel ging. »Er kennt ein paar gute Witze. Nur bei der Pointe nuschelt er.«

Müde und einsam bestellte Harold ein Essen in der »Fischerhütte«, einem Pub am Fluss. Er unterhielt sich mit mehreren Unbekannten und erfuhr, dass die hiesige Brücke, die über den aufgewühlten Fluss führte, Simon & Garfunkel zu dem Song *Bridge Over Troubled Water* inspiriert habe. Harold sah sich die ganze Zeit nicken, lächeln und den aufmerksamen Zuhörer spielen, während seine Gedanken in Wirklichkeit um seine Reise, die Vergangenheit und das Geschehen in seinem Bein kreisten. War es etwas Ernstes? Würde es sich von selbst geben? Er zog sich früh zurück, in der Hoffnung, der Schlaf würde das Bein schon heilen. Er heilte es nicht.

Liber Sohn, lautete Joans einziger Brief. *Neu-Seeland ist wunderbar. Ich muste weg. Muter sein war nichts für mich. Sag deinem Dad vile Grüsse von mir.* Das Schlimmste war nicht, dass sie gegangen war. Sondern, dass sie ihre Erklärung nicht einmal richtig buchstabieren konnte.

Am zehnten Tag des Fußmarschs gab es beim Laufen keinen einzigen Moment, keine einzige Bewegung der Beinmuskeln mehr, bei denen der Schmerz Ruhe gab. Er schoss Harold die rechte Wade hinauf und erinnerte ihn daran, dass er ein Problem hatte. Ihm fiel wieder ein, mit welchem Nachdruck er der Hospizschwester versichert hatte, er würde zu Fuß zu Queenie laufen; das kam ihm jetzt kindisch und unangemessen vor. Er schämte sich sogar dafür, was er dem Sozialarbeiter alles erzählt hatte. Es war, als hätte es über

Nacht einen Bruch gegeben, der seinen Fußmarsch von seinem Glauben daran abgespalten und nur die erbarmungslose Schinderei übriggelassen hatte. Zehn Tage war Harold nun gelaufen, und er hatte seine ganze Energie darauf konzentriert, einfach einen Fuß vor den anderen zu setzen. Aber nachdem er Vertrauen zu seinen Füßen gefasst hatte, war an die Stelle der konkreten Befürchtungen etwas weit Heimtückischeres getreten.

Die fünfeinhalb Kilometer auf der A396 bis Tiverton waren die schlimmsten, die er bisher erlebt hatte. Es gab sehr wenig Platz, um den Autos auszuweichen, obwohl die Hecken vor kurzem zurückgeschnitten worden waren und der Fluss immer wieder silbern durchblitzte. Doch der Anblick der gestutzten Hecken war barbarisch, und er schaute lieber weg. Die Fahrer hupten ihn an und schrien, er solle gefälligst von der Straße verschwinden. Er machte sich Vorwürfe, weil er nur eine so kurze Strecke geschafft hatte; wenn er in diesem Tempo weitermachte, wäre es Weihnachten, bis er Berwick erreichte. Ein Kind, hielt er sich vor, wäre weiter gekommen.

Er erinnerte sich an David, als er getanzt hatte wie der Teufel. Er dachte an den Jungen, der bei Bantham einfach hinausgeschwommen war. Er sah wieder den Moment vor sich, als er seinem Sohn einen Witz erzählen wollte und David die Stirn runzelte. »Aber ich kapier's nicht«, hatte er am Rand der Tränen gesagt. Harold hatte erklärt, dass der Witz doch lustig sei. Dass er einen zum Lachen bringen sollte. Er erzählte ihn ein zweites Mal. »Ich kapier's immer noch nicht«, hatte der Junge gesagt. Später hörte Harold, wie er den Witz im Bad vor Maureen wiederholte. »Er hat gesagt, das wäre lustig«, jammerte David. »Er hat ihn mir zweimal erzählt, aber ich konnte überhaupt nicht lachen.« Sogar schon in diesem Alter hatte das Wort »lachen« bei ihm einen düsteren Klang.

Und dann dachte Harold an seinen Sohn mit achtzehn, als ihm die Haare weit über die Schultern flossen und seine Arme und Beine zu lang für seine Kleider waren. Harold sah den jungen Mann auf dem Bett liegen, die Füße auf dem Kopfkissen, und so bohrend ins Nichts starren, dass Harold sich kurz fragte, ob er wohl Dinge sah, die Harold verborgen blieben. Seine Handgelenke waren nur Haut und Knochen.

Harold hörte sich sagen: »Ich habe von deiner Mutter erfahren, dass du es nach Cambridge geschafft hast.«

David sah ihn nicht an. Er starrte weiter ins Nichts.

Harold hätte ihn so gern in die Arme genommen und an sich gedrückt. Er hätte so gern gesagt, mein wunderbarer Junge, wieso bist du so klug, wenn ich es nicht bin? Aber er hatte nur in Davids undurchdringliches Gesicht geblickt und gesagt: »Donnerwetter. Das ist ja gut. Menschenskind.«

David schnaubte spöttisch, als hätte er gerade einen Witz über seinen Vater gehört. Und Harold schloss die Tür von Davids Zimmer und machte sich Hoffnungen, dass es eines Tages leichter würde, vielleicht, wenn sein Sohn erwachsen war.

Harold beschloss, von Tiverton aus auf Hauptstraßen weiterzulaufen, denn das wäre die direktere Route. Er würde dem Great Western Way folgen und dann über Landsträßchen zur A38 hinüberwechseln. Bis nach Taunton sollten es etwa dreißig Kilometer sein.

Ein Gewitter zog auf. Wolken türmten sich wie eine Kapuze übers Land und warfen ein gespenstisch phosphoreszierendes Licht auf die Blackdown Hills. Zum ersten Mal vermisste Harold sein Handy; er fühlte sich nicht vorbereitet auf das, was vor ihm lag, und wünschte, er könnte mit Maureen sprechen. Die Baumwipfel leuchteten vor der granitfarbenen Dünung des Himmels, dann wurden sie von den ersten Windstößen gebeutelt. Blätter und Zweige flogen in die Luft. Vögel stießen schrille Pfiffe aus. In der Ferne entrollte der Regen riesige Segel, die zwischen Harold und den Hügeln hingen. Als ihn die ersten Tropfen trafen, duckte er sich in seine Jacke.

Aber er konnte sich vor dem Regen nicht verstecken. Er prasselte auf Harolds wasserdichte Jacke und floss ihm in den Hals, drang sogar durch die Gummibündchen seiner Ärmel. Die Tropfen hagelten auf ihn ein wie Pfefferkörner. Sie sammelten sich zu Lachen und Bächen und strudelten die Rinnsteine entlang, und mit jedem vorbeifahrenden Auto schwappten sie in seine Segelschuhe. Nach einer Stunde trieften seine Füße nur so, und seine Haut juckte von der nassen, ständig scheuernden Kleidung. Er wusste nicht, ob er Hunger hatte, und konnte sich nicht erinnern, ob er etwas gegessen hatte. Seine rechte Wade flimmerte vor Schmerz.

Ein Auto blieb neben ihm stehen und spritzte ihm dabei die Hose von unten bis oben voll. Egal; nasser konnte er nicht werden. Das Fenster auf der Beifahrerseite senkte sich gleichmäßig. Ein warmer Luftschwall floss heraus, der nach neuem Leder und Heizung roch. Harold bückte sich.

Das Gesicht auf der anderen Seite des Autos war jung und trocken. »Haben Sie sich verirrt? Brauchen Sie Hilfe?«, fragte es.

»Ich weiß schon, wo ich hin muss.« Regentropfen brannten Harold in den Augen. »Aber danke fürs Halten.«

Der Fahrer blieb hartnäckig. »Bei diesem Wetter jagt man ja nicht mal einen Hund vor die Tür.«

»Ich habe ein Versprechen abgelegt.« Harold richtete sich wieder auf. »Aber es freut mich, dass Sie mich bemerkt haben.«

Die nächste Meile fragte er sich, ob es nicht dumm gewesen war, jede Hilfe abzulehnen. Je länger er lief, desto geringer die Wahrscheinlichkeit, dass Queenie überlebte. Und doch war Harold sicher, dass sie wartete. Er fürchtete, er würde sie nicht wiedersehen, wenn er seinen Teil der Abmachung, mochte sie auch jeder Logik entbehren, nicht erfüllte.

Was soll ich tun? Gib mir ein Zeichen, Queenie, sagte er. Vielleicht sagte er es laut, vielleicht nur zu sich selbst. Er wusste nicht mehr so recht, wo genau er aufhörte und wo die Außenwelt begann.

Ein großer Laster donnerte auf ihn zu, hupte ohrenbetäubend und bespritzte ihn von Kopf bis Fuß mit Matsch.

Und doch geschah noch etwas anderes, und es entpuppte sich als einer dieser Momente, in die er immer wieder hineingeriet und noch mitten im Geschehen als bedeutsam erkannte. Am späten Nachmittag hörte der Regen urplötzlich auf; man konnte kaum glauben, dass es überhaupt geregnet hatte. Im Osten rissen die Wolken auf und legten tief über dem Horizont einen Lichtstreifen aus poliertem Silber frei. Harold stand da und sah zu, wie die grauen Massen an immer neuen Stellen aufbrachen und neue Farben enthüllten – Blau, Bernstein, Pfirsich, Grün, Purpurrot. Dann tränkte ein mattes Rosa die Wolken, als hätten die starken Farben ausgeblutet, sich vermischt und verdünnt. Harold hielt gebannt den Atem an. Er wollte die kleinste Veränderung mitverfolgen. Goldenes Licht lag auf dem Land, sogar seine Haut wärmte sich daran. Zu seinen Füßen knackte und knisterte die Erde. Die Luft roch grün und nach tausendfachem Neubeginn. Ein zarter Nebel wehte hier und dort wie ein Rauchschleier empor.

Harold war so müde, dass er kaum die Füße heben konnte,

und doch beflügelte ihn eine solche Hoffnung, dass ihm schwindlig wurde. Wenn er den Blick immer auf die Dinge gerichtet hielt, die größer waren als er selbst, dann würde er es nach Berwick schaffen. Ganz sicher.

11
Maureen und der Stellvertreter

Die Sprechstundenhilfe entschuldigte sich, dass sie Maureen nicht persönlich zur Sprechstunde eintragen könne, dafür sei jetzt ein Computer zuständig. »Aber ich stehe doch hier vor Ihnen«, sagte Maureen, »warum können Sie mich nicht einschreiben?« Die Sprechstundenhilfe deutete auf ein Computerterminal ein paar Schritte neben der Theke und versicherte Maureen, der neue Anmeldevorgang sei ganz einfach.

Maureens Finger wurden klamm. Der Automat fragte, ob sie männlichen oder weiblichen Geschlechts sei, und sie drückte die falsche Taste. Dann fragte er nach ihrem Geburtsdatum, und sie tippte den Monat vor dem Tag ein; schließlich musste ihr ein junger Patient helfen, der ihr pausenlos über die Schulter nieste. Bis sie sich angemeldet hatte, stand hinter ihr eine kleine Schlange stöhnender und ächzender Kranker. Auf dem Bildschirm blinkte die Meldung: »Wenden Sie sich an die Rezeption.« Alle in der Schlange schüttelten vereint den Kopf.

Die Sprechstundenhilfe entschuldigte sich ein zweites Mal. Maureens Hausarzt sei unerwartet weggerufen worden, aber Maureen könne stattdessen einen Termin bei seiner Vertretung wahrnehmen.

»Warum haben Sie mir das nicht gleich gesagt?«, rief Maureen.

Die Sprechstundenhilfe setzte zu einer dritten Entschuldigungsrunde an. Es sei ein neues System, sagte sie, jeder müsse sich elektronisch anmelden, »sogar Senioren«. Sie fragte Maureen, ob sie lieber warten oder morgen Vormittag wiederkommen wolle, und Maureen schüttelte den Kopf. Sie traute es sich nicht zu, wenn sie jetzt nach Hause ginge, morgen noch die Entschlusskraft für den Gang zum Arzt aufzubringen.

»Möchten Sie ein Glas Wasser?«, fragte die Sprechstundenhilfe. »Sie sehen blass aus.«

»Ich muss mich nur einen Moment setzen«, sagte Maureen.

David hatte natürlich recht gehabt, dass sie das Haus unbesorgt verlassen konnte, aber er hatte keine Ahnung, welche Ängste sie auf dem Weg zur Praxis ausstehen musste. Es war ja keineswegs so, dass sie ohne Harold nicht zurechtkam, sagte sie sich; trotzdem war es für sie ein neuer Schock, es allein mit der Außenwelt aufzunehmen. Die Leute ringsum waren mit ganz alltäglichen Dingen beschäftigt. Sie fuhren Auto, schoben Kinderwagen, gingen mit dem Hund und kamen nach Hause, als wäre das Leben genau wie vorher, dabei stimmte das doch gar nicht. Es war ganz neu und ganz verkehrt. Maureen knöpfte den Mantel bis zum Hals zu und schlug den Kragen hoch, trotzdem schien die Luft zu kalt, der Himmel zu offen, die Farben und Formen zu übermächtig. Sie war die Fossebridge Road hinuntergeeilt, bevor Rex sie entdecken konnte, und ins Zentrum geflohen. Die Narzissenblüten am Kai waren braun verschrumpelt.

Im Wartezimmer versuchte sich Maureen mit Zeitschriften abzulenken, aber die Worte, die sie las, verbanden sich nicht zu Sätzen. Sie war sich der anwesenden Paare bewusst, Paare wie sie selbst und Harold, die nebeneinander saßen und einander Gesellschaft leisteten. Im Spätnachmittagslicht flirrten die Stäubchen, wirbelten durch die dicke Luft wie mit dem Löffel umgerührt.

Als ein junger Mann die Tür des Sprechzimmers öffnete und den Namen eines Patienten nuschelte, wartete Maureen, dass jemand aufstand, und wunderte sich, warum derjenige so lange brauchte – bis sie merkte, dass es ihr eigener Name war. Hastig erhob sie sich. Der Vertretungsarzt sah aus wie frisch von der Uni, sein Körper füllte den dunklen Anzug noch gar nicht aus. Seine polierten Schuhe glänzten wie Kastanien, und aus dem Nichts stieg in Maureen das Bild von Davids Schulschuhen auf und versetzte ihr einen qualvollen Stich. Sie wünschte, sie hätte ihren Sohn nicht um Hilfe gebeten. Sie wünschte, sie wäre zu Hause geblieben.

»Was kann ich für Sie tun?«, murmelte der Stellvertreter, während er sich bückte, um sich zu setzen. Die Worte schienen seinem Mund geräuschlos zu entströmen, und Maureen musste den Hals vorrecken, um sie aufzufangen. Wenn sie nicht aufpasste, würde er ihr noch einen Hörtest anbieten.

Maureen erklärte, wie ihr Mann zu Fuß zu einer Frau aufgebrochen sei, die er zwanzig Jahre nicht gesehen hatte, überzeugt, er könne sie so vor ihrer Krebserkrankung retten. Heute sei er den elften Tag unterwegs, sagte Maureen und drehte ihr Taschentuch zu einem Knoten zusammen. »Er kommt unmöglich bis nach Berwick. Er hat keine Landkarte. Keine richtigen Schuhe. Sogar sein Handy hat er vergessen.« Während sie das alles einem Fremden erzählte, ging ihr erst richtig auf, wie haarsträubend es war, und sie befürchtete, sie würde anfangen zu weinen. Sie riskierte einen Blick auf den Arzt. Da hatte sie den Eindruck, als wäre inzwischen jemand heimlich zu ihm getreten und hätte mit einem schwarzen Stift tiefe Sorgenfalten in sein Gesicht gezeichnet. Vielleicht hatte sie zu viel erzählt.

Der Arzt sprach langsam, als versuche er, sich an den genauen Wortlaut zu erinnern. »Ihr Mann glaubt, er wird seine ehemalige Kollegin retten?«

»Ja.«

»Vor Krebs?«

»Ja.« Sie wurde langsam ungeduldig. Sie wollte nicht dauernd erklären müssen, sondern intuitiv verstanden werden. Sie war nicht hier, um Harold zu verteidigen.

»Und wie, glaubt er, wird er sie retten?«

»Er scheint zu glauben, wenn er zu Fuß geht, wird sie geheilt.«

Das Gesicht des Arztes verfinsterte sich, und noch mehr Falten zerfurchten seine Wangen. »Er glaubt, ein Fußmarsch heile Krebs?«

»Ein Mädchen hat ihn auf diese Idee gebracht«, sagte sie. »In einer Tankstelle. Sie hat ihm auch Burger gemacht. Zu Hause isst Harold nie Burger.«

»Ein Mädchen hat ihm gesagt, er könne Krebs heilen?« Wenn dieser Arzttermin noch länger dauerte, wäre das Gesicht des armen Mannes völlig verwüstet.

Maureen schüttelte den Kopf und versuchte, ins richtige Fahrwasser einzuschwenken. Plötzlich war sie sehr müde. »Ich mache mir Sorgen um Harolds Gesundheit«, sagte sie.

»Ist er fit und gesund?«

»Ohne seine Lesebrille ist er etwas weitsichtig. Und an den Eckzähnen hat er zwei Kronen. Aber das ist es nicht, was mich beunruhigt.«

»Glaubt er tatsächlich, dass er sie durch eine Wanderung heilen kann? Ich verstehe nicht ganz. Ist er denn gläubig?«

»Harold? Der ruft Gott nur an, wenn der Rasenmäher

streikt.« Sie lächelte als Hilfestellung, damit der Vertretungsarzt begriff, dass sie einen Scherz gemacht hatte. Er wirkte verwirrt. »Harold ist vor sechs Monaten in Ruhestand gegangen.
Seitdem war er sehr …« Sie brach ab und suchte nach dem
richtigen Wort. Der Arzt schüttelte den Kopf zum Zeichen,
dass er es ihr nicht anbieten konnte. »Still«, sagte sie dann.

»Still?«, wiederholte er.

»Er verbringt jeden Tag im selben Sessel.«

Da leuchteten die Augen des Stellvertreters auf, und er
nickte erleichtert. »Ah. Depressionen.« Er griff zu seinem Stift
und zog mit einem Klick die Kappe ab.

»Depressionen würde ich es nicht nennen.« Maureen
spürte, wie ihr Herz schneller zu schlagen begann. »Die Sache ist die: Harold hat Alzheimer.« So. Jetzt war es heraus.

Dem Vertretungsarzt fiel mit einem irritierenden Knacken
die Kinnlade herunter. Er legte den Stift auf dem Schreibtisch
ab, ohne die Kappe wieder aufzustecken.

»Er hat Alzheimer und geht zu Fuß nach Berwick?«

»Ja.«

»Welche Medikamente nimmt Ihr Mann, Mrs Fry?« In der
Stille lag ein so tiefer Ernst, dass Maureen ein Schauer über-
lief.

»*Ich* sage, es ist Alzheimer«, erklärte sie langsam. »Aber die
Diagnose wurde noch nicht gestellt.«

Der Stellvertreter entspannte sich wieder. Er lachte beinahe. »Sie meinen, er ist vergesslich? Er hat ab und zu einen
senilen Moment? Nur weil wir mal unser Handy liegen lassen, heißt das noch nicht, dass wir alle Alzheimer haben.«

Maureen nickte knapp. Sie wusste nicht, was sie mehr ärgerte: sein herablassendes Lächeln oder die Art, wie er ihr
den »senilen Moment« hinwarf. »Es liegt bei ihm in der Familie«, sagte sie. »Ich erkenne die Anzeichen.«

Sie gab einen kurzen Abriss von Harolds Geschichte. Dass sein Vater mit Depressionen und als Alkoholiker aus dem Krieg zurückgekehrt war. Dass seine Eltern kein Kind hatten haben wollen und dass seine Mutter den Koffer gepackt hatte und nie wiedergekommen war. Danach habe sein Vater mit einer ganzen Reihe von »Tanten« verkehrt und Harold an seinem sechzehnten Geburtstag vor die Tür gesetzt. Der Kontakt zwischen den beiden Männern war jahrelang abgebrochen. »Dann bekam mein Mann aus heiterem Himmel einen Anruf von einer Frau, die sich als seine Stiefmutter vorstellte. ›Komm deinen Vater abholen‹, sagte sie, ›der ist völlig verrückt geworden.‹«

»Und das war Alzheimer?«

»Ich habe ein Pflegeheim für ihn gefunden, aber er wurde keine sechzig. Wir haben ihn mehrmals besucht, aber er brüllte viel herum und warf mit Gegenständen. Er hatte keine Ahnung, wer Harold war. Und jetzt wird mein Mann genauso. Es geht nicht nur darum, dass er mal was vergisst. Es gibt andere Symptome.«

»Verwendet er falsche Wörter? Vergisst er ganze Gespräche? Lässt er Dinge an merkwürdigen Orten liegen? Leidet er an schnellen Stimmungsumschwüngen?«

»Ja, ja.« Sie wedelte ungeduldig mit der Hand.

»Aha.« Der Stellvertreter kaute an seiner Lippe.

Maureen witterte schon den Sieg. Sie beobachtete ihn aufmerksam und sagte: »Was ich wissen möchte – wenn Sie als Arzt der Meinung sind, dass Harold sich durch seinen Fußmarsch in Gefahr bringt, könnten Sie dann veranlassen, dass er angehalten wird?«

»Angehalten?«

»Ja.« Ihr Hals fühlte sich an wie wundgescheuert. »Könnte er gezwungen werden, nach Hause zurückzukehren?« Das

Blut pochte ihr so heftig im Schädel, dass sie Kopfschmerzen bekam. »Er kann keine achthundert Kilometer laufen. Er kann Queenie Hennessy nicht retten. Er muss dazu gebracht werden, zurückzukommen.«

Maureens Worte hallten in der Stille nach. Sie faltete die Hände, legte sie auf die Knie und stellte beide Füße genau nebeneinander. Das Gespräch war verlaufen wie erwartet, aber es ging ihr nun keineswegs wie erwartet, und sie musste das unangenehme Gefühl, das in ihr hochstieg, der Ordnung einer akkuraten Körperhaltung unterwerfen.

Der Stellvertreter wurde ganz still. Draußen hörte Maureen ein Kind schreien. Sollte es doch um Himmels willen jemand hochnehmen! Der Arzt sagte: »Es klingt sehr danach, als sollten wir die Polizei einschalten. Ist Ihr Mann jemals in die Psychiatrie eingewiesen worden?«

Maureen stürzte aus der Praxis; ihr war schlecht vor Scham. Als sie Harolds Vergangenheit und seinen Aufbruch erklärte, war sie gezwungen gewesen, die Dinge zum ersten Mal aus Harolds Blickwinkel zu sehen. Die Idee war verrückt und sah ihm überhaupt nicht ähnlich, aber mit Alzheimer hatte sie nichts zu tun. Sie besaß sogar eine eigene Schönheit, und wenn auch nur die, dass Harold zum ersten Mal und allen Widrigkeiten zum Trotz etwas tat, woran er glaubte. Sie hatte dem Vertretungsarzt gesagt, sie brauche Zeit zum Überlegen; vielleicht mache sie sich unnötige Sorgen, Harold sei bis jetzt kaum senil. Er würde sicher bald heimkommen. Vielleicht war er schon da. Sie hatte das Sprechzimmer schließlich mit einem Rezept für ein niedrig dosiertes Schlafmittel zum eigenen Gebrauch verlassen.

Auf dem Weg zum Kai ging ihr die Wahrheit auf wie ein grelles, plötzlich im Dunkeln angeknipstes Licht. Nicht David war der Grund, warum sie all die Jahre bei ihrem Mann geblieben war. Sie war auch nicht geblieben, weil Harold ihr leidtat. Egal, wie einsam sie sich mit Harold fühlte, sie war geblieben, weil die Welt ohne ihn noch trostloser wäre.

Maureen kaufte im Supermarkt ein einzelnes Schweinekotelett und einen welken Kopf Brokkoli.

»Ist das alles?«, fragte die junge Frau an der Kasse.

Maureen brachte kein Wort hervor.

Sie bog in die Fossebridge Road ein und dachte an die Stille im Haus, die auf sie wartete. An die unbezahlten Rechnungen in dem ordentlichen, aber darum nicht weniger bedrohlichen Stapel. Sie spürte eine plötzliche Schwere im Körper, ihre Füße wurden lahm.

Als sie das Gartentor erreichte, schnitt Rex gerade die Hecke.

»Na, wie geht's dem Patienten?«, fragte er. »Wird's allmählich wieder?«

Sie nickte und ging hinein.

12
Harold und die radelnden Mütter

Seltsamerweise war es Mr Napier, der Harold und Queenie damals zu einem Team zusammenspannte. Er hatte Harold in sein holzgetäfeltes Büro gerufen und ihm mitgeteilt, es sei erforderlich, dass Queenie die Buchführung der Pubs vor Ort prüfe. Er traue den Wirten nicht und wolle ihnen unangemeldet auf den Zahn fühlen. Aber da die Dame nicht Auto fahre, müsse jemand anderer sie mitnehmen. Er habe sich die Sache gründlich überlegt, sagte er und zog an seiner Zigarette; als einer der älteren und der wenigen verheirateten Vertreter sei Harold offensichtlich der geeignetste Kandidat. Mr Napier stand breitbeinig da, als wüchse er, wenn er mehr Bodenfläche beanspruchte, über alle anderen hinaus, obwohl dieser verschlagene Mensch im glänzenden Anzug Harold tatsächlich nur bis zur Schulter reichte.

Harold hatte natürlich keine andere Wahl, als sich einverstanden zu erklären.

Insgeheim war er beklommen. Er hatte seit dem peinlichen Vorfall in der Materialkammer nicht mehr mit Queenie gesprochen. Außerdem hatte er die Autofahrten immer als Zeit für sich betrachtet. Er wusste zum Beispiel nicht, ob Queenie BBC 2 mochte. Er hoffte, sie würde sich nicht mit ihm unterhalten wollen. Es war schon mit den männlichen Kollegen schlimm genug. Von Frauendingen hatte er überhaupt keine Ahnung.

»Gut, dann wäre das geklärt«, sagte Mr Napier. Er streckte die Hand aus. Sie war unangenehm zart und feucht; Harold hatte das Gefühl, ein kleines Reptil anzufassen. »Wie geht's der Gemahlin?«

Harold stockte. »Danke, gut. Wie geht's …« Ihm wurde kalt vor Schreck. Mr Napier hatte innerhalb von sechs Jahren zum dritten Mal geheiratet, diesmal eine junge Blondine mit Bienenkorbfrisur, die kurz als Bardame gearbeitet hatte. Es kam bei ihm nicht gut an, wenn man den Namen seiner Gattin vergaß.

»Veronica geht es glänzend. Ich habe gehört, Ihr Junge geht nach Cambridge.«

Mr Napier verzog den Mund zu einem breiten Grinsen. Seine Gedanken waren äußerst sprunghaft, Harold wusste nie, was als Nächstes kam. »Nur Hirn und nix in der Hose, was?«, witzelte Napier und stieß aus dem Mundwinkel einen Rauchschwaden aus. Er lachte lauernd, wartete darauf, dass sein Angestellter zurückschoss, und wusste doch, dass er es nicht tun würde.

Harold senkte den Kopf. Auf Mr Napiers Schreibtisch stand seine hochgeschätzte Sammlung von Clowns aus Muranoglas, manche mit blauen Gesichtern, andere faul auf dem Rücken lümmelnd oder ein Instrument spielend.

»Nicht berühren«, sagte Napier, und sein Zeigefinger schoss vor wie eine Pistole. »Die haben meiner Mutter gehört.«

Jeder wusste, dass er die Figuren hütete wie seinen Augapfel, aber für Harold sahen sie missgebildet und grässlich aus, als wären Gesicht und Glieder in der Sonne zu einer schleimigen Masse aufgeweicht, verkrümmt und beim Färben erstarrt. Harold wurde das Gefühl nicht los, dass die

144

Clowns sich über ihn lustig machten; Zorn flackerte in ihm hoch. Mr Napier drückte seine Zigarette im Aschenbecher aus und schlenderte zur Tür.

Als Harold an ihm vorbeiging, schob Napier noch nach: »Und behalten Sie mir die Hennessy im Auge, ja? Sie wissen ja, wie die Weiber sind.« Dann tippte er sich auf die Nase, und der Zeigefinger, gerade noch Pistole, deutete jetzt auf ein gemeinsames Geheimnis hin, nur dass Harold natürlich keine Ahnung hatte, wovon Napier redete.

Er fragte sich, ob Mr Napier Queenie trotz ihrer Tüchtigkeit schon wieder loswerden wollte. Leuten, die besser waren als er, misstraute sein Chef grundsätzlich.

Ein paar Tage später fand die erste Fahrt statt. Queenie erschien an Harolds Auto und hielt ihre Handtasche, als brächen sie zum Einkaufen auf und nicht zur Bilanzprüfung. Harold kannte den Wirt, den es traf, in seinen besten Momenten ein aalglatter Kerl. Unwillkürlich tat Queenie ihm leid.

»Ich habe gehört, Sie fahren mich, Mr Fry«, sagte sie ein wenig herrisch.

Sie schwiegen die ganze Fahrt. Sie saß in sehr akkurater Haltung neben ihm, die Hände wie ein Ball fest im Schoß verknotet. Harold war beim Fahren noch nie so befangen gewesen – ihm war peinlich bewusst, wie er die Kurven nahm, die Kupplung trat oder bei der Ankunft die Handbremse anzog. Er sprang aus dem Auto, um die Beifahrertür zu öffnen, und wartete, als sich langsam ihr Bein hervorschob und nach festem Grund tastete. Maureens Knöchel waren so schmal, dass ihm vor Verlangen ganz schwach wurde. Queenies Knöchel dagegen waren plump. Ihr fehlten, fand er, genau wie ihm selbst, scharfe körperliche Konturen.

Als er aufblickte, merkte er mit brennender Scham, dass sie ihm geradewegs ins Gesicht starrte. »Danke, Mr Fry«, sagte sie schließlich und stolzierte rasch davon, die Handtasche unter den Arm geklemmt.

Daher staunte er nicht schlecht, als er bei der Kontrolle des Bierbestands den Wirt schweißtriefend und puterrot im Gesicht vorfand.

»Verdammte Scheiße«, sagte er, »dieses Frauchen ist vielleicht ein Teufel. Die sieht aber auch alles, da hast du keine Chance.«

Da brandete in Harold Bewunderung hoch, gepaart mit ein bisschen Stolz.

Auf dem Heimweg saß Queenie wieder stumm und reglos da. Harold fragte sich sogar, ob sie vielleicht schlief, aber nachzusehen kam ihm unhöflich vor, falls sie doch wach war. Er bog in den Hof der Brauerei ein, und plötzlich sagte sie: »Danke.«

Er brummte verlegen, es sei ihm ein Vergnügen gewesen, oder so ähnlich.

»Ich meine, danke für Ihre Unterstützung vor zwei Wochen«, sagte sie. »In der Büromaterialkammer.«

»Nicht der Rede wert«, sagte Harold und meinte es auch so.

»Ich war furchtbar durcheinander. Sie waren nett zu mir. Ich hätte mich schon früher bei Ihnen bedanken sollen, aber habe mich geschämt. Das war falsch.«

Er konnte ihrem Blick nicht begegnen. Ohne sie anzusehen, wusste er, dass sie sich auf die Lippe biss.

»Ich war froh, dass ich helfen konnte.« Er knipste die Druckknöpfe seiner Autohandschuhe wieder zusammen.

»Sie sind ein Gentleman«, sagte sie. Sie zog das Wort in seine beiden Bestandteile so auseinander, dass er zum ersten Mal begriff, was es wirklich bedeutete: *gentle man*, ein sanfter, einfühlsamer Mann. Damit öffnete sie die Beifahrertür, bevor er es tun konnte, und stieg aus. Er sah ihr nach, wie sie mit gleichmäßigen, akkuraten Schritten in ihrem braunen Kostüm den Hof überquerte, und ihre rechtschaffene Unscheinbarkeit brach ihm schier das Herz. Als er am Abend schlafen ging, gelobte er stumm, dass er Mr Napiers Aufforderung befolgen würde, egal, was er mit seinen nebulösen Andeutungen gemeint hatte. Harold würde auf Queenie achtgeben.

Maureens Stimme schnitt durch das Dunkel: »Ich hoffe, du schnarchst nicht wieder.«

Am zwölften Tag zog eine nicht enden wollende graue Decke über Himmel und Land, von der Regentücher herunterhingen, die alle Farben und Konturen verwischten. Harold starrte nach vorn, versuchte sich zu orientieren und suchte nach einem Riss in den Wolken, ähnlich dem, der ihn gestern so beglückt hatte, aber es war, als müsste er die Welt wieder durch Gardinen betrachten. Alles war ein Einerlei. Er schlug nicht mehr in seinen Führern nach, weil die Kluft zwischen ihrem Wissensvorsprung und seinem Unwissen unerträglich groß war. Er spürte, dass er gegen seinen Körper kämpfte und am Verlieren war.

Seine Kleider trockneten nicht mehr. Das aufgequollene Leder seiner Schuhe ging völlig aus der Form. Whitnage. Westleigh. Whiteball. So viele Orte, die mit W anfingen. Bäume. Hecken. Telegrafenmasten. Häuser. Mülltonnen. Er ließ seine Rasierer und den Rasierschaum im Gemeinschaftsbad einer Pension liegen und hatte nicht die Energie, sie zu ersetzen. Als er seine Füße untersuchte, entdeckte er erschrocken, dass das Brennen in seiner Wade sichtbare Gestalt angenommen hatte, als alarmierend scharlachroter Fleck unter der Haut. Zum ersten Mal bekam er richtig Angst.

In Sampford Arundel rief Harold Maureen an. Er musste unbedingt ihre Stimme hören und wollte von ihr daran erinnert werden, warum er unterwegs war, selbst wenn sie es im Zorn tun würde. Aber sie durfte auf keinen Fall ahnen, an welchen Zweifeln er litt oder welche Schwierigkeiten er mit seinem Bein hatte, deshalb fragte er, wie es ihr und auch dem Haus so gehe, und sie antwortete, beiden gehe es gut. Sie wiederum fragte, ob er immer noch laufe, und er erzählte, er sei durch Exeter und Tiverton gekommen und jetzt unterwegs nach Bath, über Taunton. Ob es etwas gebe, was sie ihm nachschicken solle? Sein Handy, seine Zahnbürste, seinen Schlafanzug oder Kleidung zum Wechseln? Ihre Stimme klang durchaus freundlich, aber das bildete er sich bestimmt nur ein.

»Ich brauche nichts«, sagte er.

»Dann bist du also fast in Somerset?«

»Ich weiß nicht genau. Wahrscheinlich schon.«

»Wie viel hast du heute geschafft?«

»Keine Ahnung. Vielleicht elf Kilometer.«

»Sieh mal an.«

Der Regen trommelte auf das Dach der Telefonzelle, und das trübe Licht hinter den Glasscheiben sah aus wie eine Flüssigkeit. Harold wäre gern geblieben und hätte sich weiter mit Maureen unterhalten, aber das Schweigen und die Distanz, zwanzig Jahre lang gepflegt, hatten solche Ausmaße angenommen, dass sogar der übliche Smalltalk nur leer und verletzend klang.

Dann sagte sie: »Ich muss jetzt Schluss machen, Harold. Ich habe viel zu tun.«

»Ja. Ich auch. Ich wollte nur hallo sagen und so. Hören, ob es dir gutgeht.«

»Oh, mir geht es sehr gut. Ich bin sehr beschäftigt. Die Tage vergehen wie im Flug. Ich merke kaum, dass du weg bist. Und wie geht es dir?«

148

»Mir geht's auch sehr gut.«

»Na, das ist doch schön.«

»Ja.«

Schließlich gab es nichts mehr zu sagen. Er verabschiedete sich mit den Worten, »Lass es dir gutgehen«, nur weil das ein ganzer Satz war. Er wollte genauso wenig auflegen wie weiterlaufen.

Er schaute in den Regen hinaus und wartete, dass er aufhörte. Da sah er eine Krähe mit gebeugtem Kopf und tropfnassen Federn, die glänzten wie Pech. Er wünschte, der Vogel würde wegfliegen, aber er blieb triefend und einsam hocken. Maureen war so beschäftigt, dass sie Harolds Abwesenheit kaum bemerkte.

Am Sonntag schlief er fast bis Mittag. Als er aufwachte, hatte sich der Schmerz in seinem Bein nicht gebessert, und es regnete immer noch. Er hörte die Welt draußen ihren Geschäften nachgehen: der Verkehr, die Leute, alle hetzten woandershin. Niemand wusste, wer oder wo Harold war. Er lag im Bett, ohne sich zu rühren, wollte es mit keinem weiteren Tagesmarsch mehr aufnehmen, und doch gab es kein Zurück. Er erinnerte sich, wie Maureen früher neben ihm gelegen hatte, und rief sich das Bild ihrer Nacktheit ins Gedächtnis – wie vollkommen sie war, und wie zierlich. Er sehnte sich nach der Berührung ihrer weichen Finger auf seiner Haut.

Als Harold nach seinen Segelschuhen angelte, fiel ihm auf, dass die Sohlen papierdünn waren. Er duschte weder, noch rasierte er sich oder untersuchte die Füße, doch als er in die Schuhe schlüpfte, hatte er das Gefühl, er stopfe seine Füße in einen Hartschalenkoffer. Er zog sich an, ohne an irgendetwas zu denken, denn wohin jeder Gedanke führen würde, lag auf der Hand. Die Zimmerwirtin wollte ihm ein spätes Frühstück aufdrängen, aber er lehnte ab. Er befürchtete, er würde, wenn er ihr freundliches Angebot annahm oder auch nur ihrem Blick begegnete, in Tränen ausbrechen.

Harold ließ Sampford Arundel hinter sich, aber ihm widerstrebte jeder Schritt. Er kniff das Gesicht zusammen, um den Schmerz abzuwehren. Es war ihm egal, was die Leute dachten; er stand ohnehin im Abseits. Er gönnte sich keine Pausen, obwohl sein Körper nach Ruhe schrie. Er ärgerte sich über sich selbst, weil er so schwach war. Der Regen fiel ihm schräg ins Gesicht. Seine Schuhe waren so abgelaufen, dass er genauso gut barfuß hätte gehen können. Er vermisste Maureen und dachte nur an sie.

Wie hatte alles so entgleisen können? Sie waren einmal glücklich gewesen. Wenn David mit zunehmendem Alter einen Keil zwischen sie getrieben hatte, dann waren sie daran mitschuldig. »Wo ist David?«, fragte Maureen vielleicht. Wenn Harold antwortete, er habe beim Zähneputzen die Haustür gehen hören, sagte sie: »Ach so«, als wäre es kein Problem, dass ihr achtzehnjähriger Sohn es sich angewöhnt hatte, nachts durch die Straßen zu vagabundieren. Hätte Harold seine innersten Ängste geäußert, dann hätte er die ihren nur verstärkt. In jenen Tagen kochte sie noch. Teilte noch Harolds Bett.

Aber solche unausgesprochenen Spannungen konnten nicht ewig verborgen bleiben. Kurz vor Queenies Verschwinden kam es schließlich zum großen Knall. Maureen hatte getobt. Geschluchzt. Mit Fäusten auf ihn eingeschlagen. »Und du willst ein Mann sein?«, hatte sie geschrien. Und ein anderes Mal: »Das ist nur deinetwegen so gekommen. Es wäre alles gutgegangen, wenn du nicht gewesen wärst.«

Diese Vorwürfe waren unerträglich, auch wenn Maureen sich hinterher weinend in seine Arme flüchtete und entschul-

150

digte. Ihre Worte hingen in der Luft, wenn er allein war, und ließen sich nicht mehr zurücknehmen. An allem war Harold schuld.

Und dann hatte es aufgehört: das Reden, das Schreien, die Blicke. Diese neue Stille war anders als das Schweigen vorher. Früher hatten sie einander Schmerz ersparen wollen; jetzt war nichts mehr zu retten. Sie brauchte, was sie dachte, gar nicht mehr auszusprechen. Er wusste schon, wenn er sie ansah, dass es kein Wort, keine Geste mehr gab, die den Bruch hätten kitten können. Sie klagte Harold nicht mehr an. Sie weinte nicht mehr vor ihm, ließ ihm nicht einmal mehr den Trost, sie in den Armen zu halten.

Sie räumte ihre Kleider ins Gästezimmer, und er lag im Ehebett, von ihrem Schluchzen gequält, aber er ging nicht hinüber, weil sie ihn nicht bei sich haben wollte. Dann kam der Morgen. Sie benutzten das Badezimmer zu verschiedenen Zeiten. Er zog sich an und frühstückte, während sie von einem Zimmer ins andere lief, als wäre er nicht da, als könnte sie ihre Gefühle nur im Zaum halten, wenn sie niemals stehen blieb. »Ich gehe dann.« – »Gut.« – »Bis später.« – »Gut.«

Die Worte bedeuteten nichts; sie hätten genauso gut chinesisch miteinander sprechen können. Nichts kann den Abgrund zwischen zwei Menschen überbrücken. Kurz vor seiner Pensionierung hatte Harold vorgeschlagen, sie könnten doch dieses letzte Mal zusammen zur Weihnachtsfeier der Brauerei gehen. Sie hatte ihn mit offenem Mund angestarrt, als wäre er handgreiflich geworden.

Harold hörte auf, die Hügel, den Himmel und die Bäume zu betrachten. Er suchte nicht mehr nach den Straßenschildern, die ihm auf seiner Reise den Weg nach Norden wiesen. Er ging mit gebeugtem Kopf gegen den Wind und sah nur den Regen, denn etwas anderes gab es nicht. Die A38 war viel schlimmer, als er es sich vorgestellt hatte. Er blieb auf dem Randstreifen und ging, wenn möglich, hinter der Bande, aber der Verkehr toste mit einer solchen Geschwindigkeit an ihm vorbei, dass er bis auf die Knochen durchnässt wurde und ständig in Gefahr war. Nach mehreren Stunden merkte er, dass er, völlig in Erinnerungen und der Trauer über Vergangenes verloren, drei Kilometer in die falsche Richtung gelaufen war. Es blieb ihm nichts anderes übrig, als umzukehren.

Eine bereits hinter sich gebrachte Strecke wieder zurückzulaufen war das Schlimmste überhaupt. Es war, als käme er überhaupt nicht vom Fleck. Schlimmer noch: als fräße er sich selbst auf. Westlich von Bagley Green gab er auf und hielt bei einem Bauernhaus mit dem Schild *Zimmer zu vermieten*.

Sein Gastgeber, ein bekümmerter Mann, konnte ihm nur ein einziges freies Zimmer anbieten. Die anderen seien von sechs Radfahrerinnen besetzt, die auf dem Radwanderweg von Land's End in Cornwall nach John O'Groats in Schottland unterwegs waren. »Alles Mütter«, erklärte er. »Bei denen hat man den Eindruck, die wollen mal die Sau rauslassen.« Er warnte Harold, er solle sich lieber bedeckt halten.

Harold schlief schlecht. Er träumte wieder, und die radelnden Mütter machten Party. Harold glitt hin und her zwischen Schlafen und Wachen; der Schmerz in seinem Bein ängstigte ihn, und er bemühte sich verzweifelt, ihn zu vergessen. Die Stimmen der Frauen verwandelten sich in die Stimmen der Tanten, die die Stelle seiner Mutter eingenommen hatten. Er hörte Gelächter und ein Grunzen, wenn sein Vater sich entleerte. Harold lag mit weitgeöffneten Augen und mit pochendem Bein da, wünschte sich die Nacht vorbei und sich selbst an einen anderen Ort.

Am nächsten Morgen war der Schmerz noch schlimmer geworden. Die Haut oberhalb der Ferse hatte violette Streifen, der Fuß war so geschwollen, dass er kaum in den Schuh passte. Er musste ihn richtig hineinrammen und krümmte sich vor Schmerz. Sein Gesicht blickte ihm aus dem Spiegel entgegen, abgezehrt, von der Sonne verbrannt und mit nadelspitzen Stoppeln überzogen. Er sah krank aus. Das Ebenbild seines Vaters im Pflegeheim, wie er dagesessen hatte, die Hausschuhe verkehrt herum an den Füßen. »Sagen Sie Ihrem Sohn hallo«, hatte ihn die Pflegerin ermuntert. Als er Harold erblickte, brach er in ein heftiges Zittern aus.

Harold hatte gehofft, er könnte fertig frühstücken, bevor die radelnden Mütter aufwachten, aber als er den letzten Schluck Kaffee hinunterkippte, brach über das Speisezimmer des Bauernhauses eine Invasion von neonfarbenem Lycra und schallendem Gelächter herein.

»Wisst ihr was?«, rief eine von ihnen, »ich hab keine Ahnung, wie ich wieder auf das verdammte Rad steigen soll.« Die anderen lachten. Von den sechs Frauen war sie die lauteste, anscheinend die Rädelsführerin. Harold hoffte, wenn er sich still verhielte, bliebe er unbemerkt, aber da fing sie schon seinen Blick auf und zwinkerte ihm zu. »Ich hoffe, wir haben Sie nicht gestört«, sagte sie.

Sie war dunkelhäutig, hatte ein ausgezehrtes Gesicht und die Haare so kurz geschnitten, dass ihre Kopfhaut verletzlich durchschimmerte. Harold ertappte sich bei dem Wunsch, sie würde eine Mütze aufsetzen. Diese Mädels seien ihre Rettungsleine, erzählte sie Harold; sie wüsste nicht, wo sie ohne sie wäre. Sie lebte in einer kleinen Wohnung mit ihrer Tochter. »Ich bin nicht so der sesshafte Familientyp«, sagte sie. »Ich brauche keinen Mann.« Sie zählte auf, was sie ohne Mann alles tun konnte. Eine Riesenliste, auch wenn sie so schnell redete, dass Harold sich auf ihren Mund konzentrieren musste, um sie zu verstehen. Es kostete ihn Mühe, sie anzusehen, ihr zuzuhören und auf sie einzugehen, wo in ihm selbst solche Schmerzen tobten. »Ich bin frei wie ein Vogel«, sagte sie und breitete die Arme aus, um zu demonstrieren, was sie meinte. Aus ihren Achseln quollen dunkle Haarbüschel.

Sie erntete bewundernde Pfiffe und anspornende Zurufe: »Frauenpower!« Harold spürte, dass er in den Applaus mit einfallen sollte, konnte sich aber nur zu einem leisen Händeklatschen überwinden. Die Frau lachte und schlug mit ihrer Handfläche gegen die der anderen, doch ihre Unabhängigkeit hatte etwas so Fieberndes, dass Harold sich Sorgen um sie machte.

»Ich schlafe, mit wem ich will. Letzte Woche hatte ich den Klavierlehrer meiner Tochter. Bei meinem Yoga-Retreat einen Buddhisten, der Enthaltsamkeit gelobt hatte.« Mehrere Frauen johlten.

Die einzige Frau, mit der Harold geschlafen hatte, war Maureen. Selbst als sie ihre Kochbücher weggeworfen, sich die Haare kurz geschnitten, ihre Schlafzimmertür nachts zugesperrt hatte, hatte er sich nie nach einer anderen umgesehen. Er wusste, dass die Kollegen in der Brauerei Affären hatten. Einmal hatte es eine Bardame gegeben, die über seine Witze lachte, auch über die schlechten, und ihm ein Glas Whiskey über den Tresen schob, dass sich ihre Hände fast berührten. Aber nach mehr war ihm nicht zumute. Er konnte sich selbst nicht mit einer anderen Frau als Maureen vorstellen. Sie hatten so viel miteinander geteilt. Ohne sie zu leben wäre, als würden ihm alle lebenswichtigen Organe entnommen und von ihm bliebe nichts als eine leere, zerbrechliche Hülle. Er gratulierte der radelnden Mutter, weil er nicht wusste, was er sonst tun sollte, dann stand er auf und entschuldigte sich. Ein blitzartiger Schmerz schoss ihm das Bein hoch, dass er stolperte und

154

nach dem Tisch greifen musste. Er tat, als kratze er sich am Arm, während der Schmerz kam und ging. Und wiederkam.

»Bon voyage«, sagte die radelnde Mutter. Auch sie stand auf, umarmte ihn und nebelte ihn mit einem dicken Schwaden Zitrus- und Schweißgeruch ein, der halb angenehm war, halb nicht. Sie lachte, als sie sich von ihm löste, und legte ihm die Arme auf die Schultern. »Frei wie ein Vogel«, sagte sie noch einmal, und es stand ihr auch deutlich ins Gesicht geschrieben.

Ihm wurde eisig ums Herz. Bei einem flüchtigen Seitenblick sah er, dass sich auf ihrem Unterarm zwischen Handgelenk und Ellbogen die Striemen zweier tiefer Narben kreuzten. Auf der einen hafteten immer noch ein paar Schorftröpfchen. Er nickte steif und wünschte ihr Glück.

Harold konnte nicht länger als fünfzehn Minuten laufen, bis er stehen bleiben und sein rechtes Bein ausruhen musste. Rücken, Nacken, Arme und Schultern schmerzten so sehr, dass er an wenig anderes dachte. Der Regen schoss dicke Bolzen herunter, die von den Dächern und dem Asphalt zurückprallten. Schon nach einer Stunde kam er ins Stolpern und wünschte sich nichts mehr, als stehen zu bleiben. Vorn waren Bäume und etwas Rotes, vielleicht eine Fahne. Die Leute hinterließen die merkwürdigsten Dinge am Straßenrand.

Der Regen pladderte auf die Blätter, dass sie sich schüttelten; das weiche, verrottende Laub am Boden dünstete Modergeruch aus. Als Harold der Fahne näher kam, sackten ihm die Schultern nach unten. Der rote Farbtupfer war keine Fahne. Sondern ein Liverpool-Fußballhemd an einem Holzkreuz.

Er war schon an mehreren solcher Gedenkstätten am Straßenrand vorbeigekommen, aber keine verstörte ihn so sehr wie diese. Er befahl sich, zur anderen Seite hinüberzuwechseln und nicht hinzusehen, doch das brachte er nicht fertig. Er wurde davon angezogen wie von etwas Verbotenem. Offenbar hatten Verwandte oder Freunde das Kreuz mit einem Stechpalmenkranz aus Plastik und glänzendem Christbaumschmuck in Form von Tannenbäumchen dekoriert. Harold untersuchte die welken, in Zellophan gewickelten Blumen, deren Farben schon verblasst waren, und das Foto in der Plastikhülle. Der Mann war vielleicht in den Vierzigern, untersetzt und dunkelhaarig; eine Kinderhand lag auf seiner Schulter. Er grinste in die Kamera. *Für den besten Dad der Welt,* stand auf einer durchweichten Karte.

Welcher Nachruf würde zu dem schlechtesten passen?

»Fuck you«, hatte David gezischt, als ihm die Beine versagten und er kopfüber die Treppe hinunterzustürzen drohte. »Fuck you.«

Harold wischte mit einem sauberen Taschentuchzipfel die Regentropfen von dem Foto und schnipste die Blütenblätter weg. Als er weiterging, konnte er an nichts anderes denken als an die radelnde Mutter. Er fragte sich, wann sie wohl so verzweifelt gewesen war, dass sie sich die Arme aufgeschnitten hatte, um zu verbluten. Er fragte sich, wer sie gefunden hatte und was sie gemacht hatten. Wollte sie gerettet werden? Oder war sie ins Leben zurückgezerrt worden, als sie glaubte, davon befreit zu sein? Er wünschte, er hätte etwas sagen können. Etwas, was sie für immer davon abhielte, es wieder zu tun. Wenn er sie getröstet hätte, dann hätte er sie loslassen können. Aber so wusste er, dass er nun, nachdem er sie getroffen und ihr zugehört hatte, eine Last mehr in seinem Herzen trug, und er war nicht sicher, wie viel mehr er noch verkraften konnte. Trotz der Schmerzen in seiner Wade und der Kälte in seinen Knochen, trotz der Erschütterungen in seiner Seele trieb er sich an, schneller zu gehen.

Am späten Nachmittag erreichte Harold die Außenbezirke von Taunton. Die Häuser standen dicht an dicht und waren mit Satellitenschüsseln gespickt. In den Fenstern hingen graue Gardinen, manche waren mit Blechrollläden verbarrikadiert. Die paar Gärten, die nicht aus Betonfläche bestanden, hatte der Regen plattgemacht. Kirschblüten lagen auf dem Gehweg verstreut wie nasse Papierschnipsel. Der Verkehr donnerte so laut vorbei, dass es weh tat, die Straßen glänzten ölig.

In Harold kam eine der Erinnerungen hoch, die er am meisten fürchtete. Sonst konnte er sie doch immer so gut unterdrücken. Er versuchte stattdessen an Queenie zu denken, aber nicht einmal das funktionierte. Er spießte die Ellbogen seitlich in die Luft, um schneller gehen zu können, und jagte seine Füße mit einer solchen Rage über die Gehwegplatten, dass er mit dem Atmen nicht mehr nachkam. Aber nichts schützte ihn vor der Erinnerung an den Nachmittag vor zwanzig Jahren, als alles zusammenbrach. Er sah, wie sich seine Hand nach der Holztür ausstreckte, spürte die Wärme der Sonne auf den Schultern, roch die modrige, aufgeheizte Luft, hörte die Lautlosigkeit einer Stille, die nicht war, was sie sein sollte.

»Nein«, schrie er und schlug mit den Fäusten in den Regen hinaus.

Plötzlich explodierte seine Wade, als wären Haut und Muskeln aufgeschlitzt worden. Der Boden kippte, wölbte sich hoch. Harold streckte die Hand aus, um ihn wieder hinunterzudrücken, aber im selben Augenblick gaben seine Knie nach, und er taumelte zu Boden. Seine Hände und Knie brannten.

Verzeih mir. Verzeih mir. Dass ich dich so enttäuscht habe.

Als er wieder zu Bewusstsein kam, zog jemand an seinen Armen und schrie etwas von einem Rettungswagen.

13
Harold und die Ärztin

Bei seinem Kollaps hatte Harold sich Schürfwunden an Knien und Händen und Prellungen an beiden Ellbogen zugezogen. Die Frau, die ihn rettete, hatte seinen Sturz vom Badfenster aus mitbekommen. Sie half Harold auf die Beine, sammelte den Inhalt seiner Plastiktüte ein und stützte ihn, als sie ihn über die Straße führte. Sie stoppte den Verkehr mit Handzeichen, »Arzt, Arzt!« rufend. In ihrem Haus führte sie ihn zu einem Sessel und lockerte ihm die Krawatte. Der Raum wirkte karg und kalt; ein Fernseher stand schräg auf einem Umzugskarton. Im Nebenzimmer bellte hinter der geschlossenen Tür ein Hund. Harold hatte sich in Gegenwart von Hunden nie so recht wohl gefühlt.

»Ist etwas zerbrochen?«, fragte er.

Er verstand ihre Antwort nicht.

»Da war ein Glas Honig«, sagte er, nun ängstlicher. »Ist das noch ganz?«

Die Frau nickte und fühlte seinen Puls. Sie legte die Fingerkuppen auf sein Handgelenk und starrte in die Weite, als sähe sie etwas hinter der Wand, während sie leise zählte. Sie war jung, dennoch sah ihr Gesicht irgendwie hart aus, und die Jogginghose und das Sweatshirt hingen an ihr herunter, als gehörten sie jemand anderem. Einem Mann vielleicht.

»Ich brauche keinen Arzt«, flüsterte Harold heiser. »Bitte rufen Sie keinen Rettungswagen und keinen Arzt.«

Harold wollte nicht in ihrem Haus sein. Er wollte nicht ihre Zeit beanspruchen oder mit einer weiteren Fremden in nähere Berührung kommen, außerdem befürchtete er, sie würde ihn nach Hause schicken. Er hätte gern mit Maureen gesprochen, hatte aber Angst, er wüsste nicht, was er sagen sollte, ohne sie zu beunruhigen. Er wünschte, er hätte dem Sturz nicht nachgegeben oder die Kraft aufgebracht, weiterzulaufen.

Die junge Frau reichte ihm einen Becher Tee, hielt ihm den Henkel hin, damit er sich die Finger nicht verbrannte. Sie sagte noch etwas anderes, was er aber nicht verstand. Er versuchte zu lächeln, als hätte er verstanden, doch sie sah ihn an, als warte sie auf eine Antwort, und dann sagte sie es noch einmal lauter und langsamer: »Was haben Sie denn verdammt nochmal bei dem Regen da draußen gemacht?«

Jetzt erst bemerkte er ihren starken Akzent. Vielleicht ein osteuropäischer Akzent. Er und Maureen hatten in der Zeitung von Leuten wie ihr gelesen. Die kamen wegen der Sozialleistungen rüber, hieß es. Der Hund klang inzwischen immer weniger nach Hund und immer mehr nach wilder Bestie. Er warf sich mit seinem ganzen Gewicht gegen die Tür seines momentanen Gefängnisses und hörte sich an, als würde er mindestens einen von ihnen beißen, sobald es ihm gelänge, sich zu befreien. Auch von solchen Hunden las man in der Zeitung.

Harold versicherte ihr, sobald er seinen Tee ausgetrunken hätte, würde er weiterlaufen. Er erzählte seine Geschichte, die sie sich schweigend anhörte. Deshalb könne er nicht haltmachen oder einen Arzt aufsuchen; er habe Queenie etwas versprochen und dürfe sein Versprechen nicht brechen. Er trank noch einen Schluck Tee und sah aus dem Fenster. Direkt davor stand ein großer Baum. Seine Wurzeln beschädigten wahrscheinlich das Fundament; er müsste zurückgeschnitten werden. Dahinter toste dichter Verkehr vorbei. Ihm graute vor dem Gedanken, wieder nach draußen zurückzukehren, doch er hatte keine andere Wahl. Als sein Blick zu der jungen Frau zurückwanderte, sah sie ihn immer noch an, ohne zu lächeln.

»Aber Sie sind im Arsch.« Das sagte sie völlig sachlich und ohne Werturteil.

»Hm, ja«, sagte Harold.

»Ihre Schuhe sind im Arsch. Ihr Körper. Und Ihre Brille auch.« Sie hielt die zwei Hälften seiner Lesebrille hoch, in jeder Hand eine. »Sie sind im Arsch, in jeder Hinsicht. Wie wollen Sie es da bis nach Berwick schaffen?«

Ihre Ausdrucksweise erinnerte ihn an Davids wohlüberlegte Art des Fluchens, als hätte er alle Wortalternativen sorgfältig geprüft und angesichts seiner Gefühle für seinen Vater nur die unflätigsten Ausdrücke für passend befunden.

»Ich bin – wie Sie so richtig betonen – im Arsch.« Harold ließ den Kopf hängen. Seine Hose war schlammverspritzt und an den Knien in Fransen gegangen. Seine Schuhe waren durchnässt. Er wünschte, er hätte sie an der Tür ausgezogen. »Ich gebe zu, dass es bis Berwick furchtbar weit ist. Ich gebe zu, dass ich die falsche Kleidung trage. Und ich gebe auch zu, dass ich für diesen Fußmarsch weder das Training noch die körperlichen Voraussetzungen habe. Ich kann nicht erklären, warum ich glaube, dass ich ankommen werde, auch wenn alles dagegenspricht. Aber ich glaube daran. Und ich werde nicht aufgeben, auch wenn eine ziemlich laute Stimme in mir sagt, dass ich lieber aufgeben sollte. Ich muss weiterlaufen, auch wenn ich gar nicht mehr will.« Er stockte; er brachte nur schwer über die Lippen, was er da sagte, denn es war schmerzhaft. »Es tut mir schrecklich leid, aber anscheinend habe ich mit meinen Schuhen Ihren Teppich nassgemacht.«

Als er verstohlen zu der jungen Frau hinüberblickte, sah er sie zu seiner Überraschung zum ersten Mal lächeln. Sie bot ihm ein Zimmer zum Übernachten an.

Am Fuß der Treppe gab sie der Tür, hinter der der rasende Hund weggesperrt war, einen Tritt und forderte Harold auf, ihr zu folgen. Er hatte Angst vor dem Hund und wollte sie wegen seiner starken Schmerzen nicht beunruhigen, deshalb bemühte er sich, mit ihr Schritt zu halten. Die Wahrheit aber sah anders aus: Seine Knie und Handflächen fühlten sich nach seinem Sturz an wie Nadelkissen, und er konnte das rechte Bein überhaupt nicht mehr belasten. Die Frau stellte sich vor: Martina aus der Slowakei. Er müsse dieses Dreckloch entschuldigen und auch den Krach. »Wir dachten, diese Scheißbude wäre nur eine vorübergehende Bleibe.« Harold versuchte, ein Gesicht aufzusetzen, als wäre er eine solche Sprache gewöhnt. Er wollte nicht den Anschein erwecken, dass er sie verurteilte.

»Ich fluche zu viel«, sagte sie, als hätte sie seine Gedanken gelesen.

»Wir sind hier bei Ihnen zu Hause, Martina. Da dürfen Sie sagen, was Sie möchten.«

Der Hund heulte immer noch und kratzte am Türlack.

»Schnauze, du Scheißköter!«, schrie sie hinunter. Harold konnte die Füllungen in ihren Backenzähnen sehen.

»Mein Sohn hat sich immer einen Hund gewünscht«, sagte er.

»Das ist nicht meiner. Der gehört meinem Freund.« Sie riss eine Tür im Obergeschoss auf und trat beiseite, damit er in das Zimmer gehen konnte.

Es roch nach Leere und frischer Farbe. Die nackten Wände waren reinweiß, die lila Bettdecke passte zu den Vorhängen und zu den drei paillettenbestickten Zierkissen am Kopfende. Es rührte Harold, dass Martina bei all ihrer Bitterkeit sich solche Mühe gegeben hatte, das Zimmer mit schönen Stoffen gemütlich zu machen. Die oberen Zweige und Blätter des Baums rieben an der Fensterscheibe. Martina sagte, sie hoffe, Harold würde sich hier wohlfühlen, und er versicherte ihr, das werde er ganz bestimmt. Als er allein war, ließ er sich vorsichtig auf das Bett nieder; jeder Muskel tobte. Er wusste, dass er seine Wunden untersuchen und säubern sollte, aber er konnte nicht den Willen aufbringen, auch nur den kleinen Finger zu rühren. Geschweige denn, die Schuhe auszuziehen.

Er wusste nicht, wie er in diesem Zustand weiterlaufen sollte. Er hatte Angst und fühlte sich einsam. Die Situation erinnerte ihn an die Zeit, als er noch ein Jugendlicher war und sich in seinem Zimmer versteckte, weil sein Vater in leere Flaschen hineinstürzte oder mit den Tanten schlief. Er wünschte, er hätte Martinas Übernachtungsangebot ausgeschlagen. Vielleicht telefonierte sie schon mit dem Arzt? Er hörte ihre Stimme unten, verstand aber kein Wort, obwohl er angestrengt lauschte. Vielleicht redete sie mit ihrem Freund. Vielleicht würde ihr Freund darauf bestehen, Harold nach Hause zu fahren.

Er zog Queenies Brief aus der Tasche, aber ohne seine Lesebrille flossen die Worte ineinander.

Lieber Harold,
dieser Brief wird Sie vielleicht überraschen. Ich weiß, dass es lange her ist, seit wir uns zuletzt gesehen haben, aber in letzter Zeit habe ich viel über die Vergangenheit nachgedacht. Letztes Jahr hatte ich eine Operation. Mir wurde ein Tumor entfernt,

aber der Krebs hat sich ausgebreitet, und man kann nichts mehr tun. Ich habe meinen Frieden damit geschlossen und muss nicht leiden, aber ich möchte Ihnen noch gern für die Freundschaft danken, die Sie mir vor all den Jahren entgegengebracht haben. Bitte grüßen Sie Ihre Frau von mir. Ich denke immer noch voller Zuneigung an David.
Alles Gute.

Er hörte ihre ruhige Stimme so klar, als stünde sie neben ihm. Aber er schämte sich so sehr. Er schämte sich, weil er Queenie, diese Seele von Mensch, im Stich gelassen hatte. Und nie etwas unternommen hatte, um die Sache in Ordnung zu bringen.

»Harold. Harold.«

Er musste hin. Er musste nach Berwick. Er musste sie finden.

»Alles in Ordnung?«

Er schüttelte sich. Das war nicht Queenies Stimme. Das war die Frau, in deren Zimmer er saß. Martina. Es fiel ihm schwer, zwischen Vergangenheit und Gegenwart zu unterscheiden.

»Kann ich reinkommen?«, rief sie.

Harold versuchte aufzustehen, aber die Tür ging auf, bevor er es geschafft hatte, und so überraschte ihn Martina in einer merkwürdig gekrümmten Haltung, halb auf dem Bett, halb erhoben. Sie stand mit einer Waschschüssel auf der Schwelle, zwei Handtücher über dem Arm, unter dem anderen klemmte ein Erste-Hilfe-Koffer aus Plastik. »Für Ihre Füße«, sagte sie und nickte in Richtung Segelschuhe.

»Sie können mir doch nicht die Füße waschen.« Harold hatte sich nun zum Stehen aufgerichtet.

»Ich bin nicht gekommen, um sie zu waschen, aber Sie gehen komisch. Ich muss mir das ansehen.«

164

»Meine Füße sind ganz in Ordnung. Kein Problem.«

Sie runzelte ungeduldig die Stirn und stemmte die Plastikschüssel gegen die Hüfte. »Wie versorgen Sie Ihre Füße denn?«

»Ich klebe Pflaster drauf.«

Martina lachte, klang aber alles andere als amüsiert. »Wenn Sie meinen, Sie müssen unbedingt in dieses verdammte Berwick, dann müssen wir Sie erst wieder hinkriegen, Harold.«

Zum ersten Mal redete jemand von seinem Fußmarsch, als sei er dafür mitverantwortlich. Harold hätte vor Dankbarkeit weinen mögen, stattdessen nickte er nur und setzte sich wieder.

Martina kniete sich hin und band ihren Pferdeschwanz straffer zusammen, dann breitete sie sorgfältig eines ihrer Handtücher auf dem Teppich aus und strich die Falten glatt. Die einzigen Geräusche kamen vom Verkehr, vom Regen und vom Wind, der die Zweige des Baums gegen das Glas drückte, dass sie fein, aber schrill darüberkratzten. Es dämmerte schon, aber Martina machte kein Licht. Sie hielt ihm ihre gewölbten Handflächen hin und wartete.

Harold zog seine Socken und Schuhe aus, obwohl das Bücken schmerzte, und schälte die neueste Schicht Pflaster ab. Er spürte ihren aufmerksamen Blick. Als er seine nackten Füße nebeneinanderstellte, betrachtete er sie unwillkürlich mit fremden Augen und war schockiert, als sähe er sie zum ersten Mal. Die Haut hatte eine ungesund weiße, ins Graue spielende Farbe, mit Rillen vom Abdruck der Sockenbündchen. Zehen, Fersen und Spann waren mit Blasen überzogen, manche bluteten, andere waren eitrig entzündet. Der große Zehennagel war verdickt wie ein Huf und heidelbeerschwarz, wo er gegen die Schuhspitze gestoßen war. Auf seiner Ferse war eine dicke Hornhautschicht gewachsen, die hier und da blutende Risse hatte. Harold musste bei dem Geruch die Luft anhalten.

»Mehr wollen Sie nicht sehen.«

»Doch«, sagte sie. »Krempeln Sie das Hosenbein hoch.«

Er zuckte zusammen, als der Stoff über seine rechte Wade streifte, ein Gefühl, als hätte er sich verbrüht. Er hatte noch nie einen Fremden seine nackte Haut berühren lassen. Er erinnerte sich, wie er am Abend seiner Hochzeit in Holt im Hotelbadezimmer gestanden, stirnrunzelnd das Spiegelbild seiner bloßen Brust betrachtet und gefürchtet hatte, Maureen wäre enttäuscht.

Martina wartete immer noch. Sie sagte: »Keine Angst. Ich weiß, was ich tue. Ich bin vom Fach.«

Harolds rechter Fuß flitzte wie von selbst hinter seinen linken Knöchel, um sich dort zu verstecken. »Sie meinen, Sie sind Krankenschwester?«

Sie sah ihn sarkastisch an. »Ich bin Ärztin. Frauen sind das heutzutage. Ich habe meine praktische Ausbildung in einem Krankenhaus in der Slowakei gemacht. Dort habe ich meinen Freund kennengelernt. Er hat auch da gearbeitet. Geben Sie mir Ihren Fuß, Harold. Ich schicke Sie nicht nach Hause, das verspreche ich Ihnen.«

Er musste sie nun wohl oder übel machen lassen. Behutsam hob sie seinen Fuß am Knöchel in die Höhe, und er spürte die weiche Wärme ihrer Handflächen. Sie tastete die Haut ab, arbeitete sich zur Fußsohle vor. Als sie die Hautverfärbungen über dem rechten Knöchel sah, entfuhr ihr ein leiser Schrei; sie hielt mit den Bewegungen inne und kam mit dem Gesicht näher heran. Ihre Finger wanderten im Kriechtempo über den verletzten Muskel und lösten tief im Bein ein Feuerwerk von Krämpfen aus.

»Tut das weh?«

166

Es tat weh. Höllisch weh. Er musste seine tiefen Gesäßmuskeln anspannen, damit er keine Grimassen zog. »Nicht wirklich.«

Sie hob sein Bein höher und betrachtete die Rückseite. »Die Verfärbung zieht sich bis in die Kniekehle.«

»Aber es tut nicht weh«, wiederholte er.

»Wenn Sie damit weiterlaufen, wird es schlimmer. Und diese Blasen müssen behandelt werden. Die größeren punktiere ich. Danach verbinden wir Ihre Füße. Sie müssen lernen, das selbst zu tun.«

Er sah zu, wie sie die erste Eiterblase mit einer Nadel anstach. Er machte keinen Mucks. Sie drückte die Flüssigkeit heraus, gab sorgfältig acht, dass sie das Hautsäckchen nicht beschädigte. Harold erlaubte ihr, seinen linken Fuß in die Schüssel mit dem warmen Seifenwasser zu senken, eine ungemein intime Handlung; es war fast, als spiele sie sich nur zwischen ihr und seinem Fuß ab, und er selbst blieb außen vor. Er blickte zur Decke, damit sein Blick nicht zum falschen Ort abirrte. Ein grundenglisches Verhalten, aber er verhielt sich trotzdem so.

Er war immer viel zu englisch gewesen – damit meinte er wohl unscheinbar. Farblos. Andere hatten interessante Geschichten zu erzählen oder Fragen zu stellen. Er fragte nicht gern, weil er niemandem zu nahetreten wollte. Er band sich täglich eine Krawatte um, aber manchmal kamen ihm Zweifel, ob er sich nicht an eine Ordnung oder auch nur an Regeln hielt, die im Grunde niemals existiert hatten. Vielleicht wäre es anders gewesen, wenn er eine richtige Ausbildung gehabt hätte. Die Schule abgeschlossen hätte. Studiert hätte. Aber sein Vater hatte ihm an seinem sechzehnten Geburtstag einen Mantel in die Hand gedrückt und ihm die Tür gewiesen. Der Mantel war nicht neu und roch nach Mottenkugeln, und in der Innentasche steckte ein Busticket.

»Traurig, wie er so davonzieht«, sagte seine Tante Sheila, aber Tränen vergoss sie nicht. Sie war von allen seine Lieblingstante gewesen. Sie beugte sich zu ihm vor, um ihm einen Kuss zu geben, und nebelte ihn mit einem solchen Duftschwall ein, dass er sich umdrehen und gehen musste, um nicht einer kindischen Schwäche nachzugeben und sie zu umarmen.

Es war letztlich eine Erleichterung, dass er seine Kindheit hinter sich ließ. Und obwohl er fertigbrachte, was sein Vater nie geschafft hatte – er fand Arbeit, versorgte und liebte eine Frau und einen Sohn, wenn auch nur von den hinteren Plätzen aus –, kam es Harold manchmal vor, als wäre ihm das Schweigen seiner Jugend in seine eigene Familie, sein eigenes Haus hinein gefolgt und hätte sich unter dem Teppich, hinter den Vorhängen, hinter der Tapete verschanzt. An der Vergangenheit ließ sich nicht rütteln, man konnte seinen Anfängen nicht entrinnen. Nicht einmal mit einer Krawatte.

War David nicht der Beweis dafür?

Martina hob seinen Fuß in ihren Schoß und trocknete ihn mit einem weichen Handtuch ab, vorsichtig, um nicht zu reiben. Sie drückte einen Klacks antibiotischer Salbe auf den Finger und verteilte sie mit kleinen Bewegungen. Die weiche Grube unter ihrem Hals färbte sich fleckig rot, ihr Gesicht schien sich vor Konzentration zusammenzuziehen. »Sie sollten zwei Paar Socken tragen, nicht nur eines. Und warum haben Sie keine Wanderschuhe?« Sie blickte nicht zu ihm hoch.

»Ich wollte welche kaufen, als ich nach Exeter kam. Aber dann habe ich es mir anders überlegt, nachdem ich schon so weit gelaufen war. Ich habe meine Schuhe angesehen, und sie kamen mir völlig in Ordnung vor. Ich sah nicht ein, warum ich plötzlich neue brauchte.«

Martina sah ihn an und lächelte. Er merkte, dass er endlich etwas gesagt hatte, was ihr gefiel, was Verbundenheit zwischen ihnen schuf. Sie erzählte ihm, dass ihr Freund gern wanderte. Sie planten einen Sommerurlaub im Lake District. »Vielleicht könnten Sie seine alten Wanderstiefel ausleihen? Er hat sich neue gekauft. Sie stehen immer noch in ihrem Karton in meinem Schrank.« Harold versicherte, er sei mit seinen Segelschuhen vollauf zufrieden. Er verspüre ihnen gegenüber eine Art Loyalität.

»Wenn mein Freund richtig schlimme Blasen hat, klebt er sie mit Isolierband ab; dann kann er weiterlaufen.« Sie wischte sich die Hände mit einem Papierhandtuch ab. Die Bewegung war routiniert und vertrauenerweckend.

»Ich glaube, Sie sind eine gute Ärztin«, sagte Harold.

Sie rollte mit den Augen. »In England kann ich nur putzen gehen. Sie glauben, Ihre Füße wären schlimm. Da sollten Sie mal die verdammten Klos sehen, die ich schrubben muss.« Sie lachten beide, dann fragte sie: »Hat Ihr Sohn seinen Hund bekommen?«

Ihn durchfuhr ein heftiger Stich. Martinas Finger hielten abrupt inne; sie fürchtete, dass sie auf einen weiteren Bluterguss gestoßen war, und sah hoch. Harold hielt sich ganz gerade und beruhigte seinen Atem, bis er wieder sprechen konnte. »Nein. Ich wünschte, es wäre so gewesen, aber es war nicht so. Ich fürchte, ich habe meinen Sohn vor zwanzig Jahren schrecklich enttäuscht.«

Martina lehnte sich zurück, als müsse sie einen neuen Blickwinkel einnehmen. »Ihren Sohn *und* Queenie? Sie haben beide enttäuscht?«

Sie war der erste Mensch seit langem, der sich nach David erkundigte. Harold wollte ihr etwas erklären, wusste aber nicht, wo er anfangen sollte. Da saß er in einem Haus, das er nicht kannte, die Hosenbeine bis zu den Knien hochgekrempelt, und vermisste seinen Sohn ganz furchtbar. »Es war alles nicht gut genug. Wird es nie sein.« Hinter seinen Lidern stachen Tränen. Er blinzelte, um sie zurückzuhalten.

Martina riss ein Stück Watte ab, um die Wunden auf seinen Handflächen zu säubern. Das Antiseptikum brannte auf der aufgeschürften Haut wie Nadelstiche, aber er saß reglos da. Er streckte ihr die Hände hin und ließ seine Wunden von ihr reinigen.

Martina lieh ihm ihr Telefon, aber als er Maureen anrief, war die Verbindung schlecht. Er versuchte zu erklären, wo er war, doch sie schien ihn nicht zu verstehen. »Bei wem übernachtest du?«, fragte sie immer wieder. Er wollte weder sein Bein noch seinen Sturz erwähnen und erzählte ihr, er käme gut voran. Die Zeit fliege nur so.

Martina gab ihm ein leichtes Schmerzmittel, trotzdem schlief er schlecht. Der Verkehr und der Regen, der auf den Baum vor dem Fenster eindrosch, weckten ihn immer wieder auf. Ab und zu testete er seine Wade in der Hoffnung, ihr Zustand hätte sich gebessert, und zog das Bein ein wenig an, aber er wagte nicht, es zu belasten. Er stellte sich Davids Zimmer mit den blauen Vorhängen vor, sein eigenes Zimmer mit dem Schrank, in dem nur seine Anzüge und Hemden hingen, und dann das Gästezimmer, in dem Maureens Duft schwebte. Langsam schlief Harold ein.

Am nächsten Morgen dehnte Harold erst seine linke, dann seine rechte Seite, reckte ein Gelenk nach dem anderen und gähnte, bis ihm die Augen tränten. Er konnte keinen Regen mehr hören. Das Licht fiel durch das Laub vor dem Fenster und malte an die weiße Wand Schatten, die wie Wasser leicht hin und her wogten. Harold reckte und streckte sich noch einmal, dann schlief er sofort wieder ein und wachte erst auf, als es schon elf Uhr vorbei war.

Martina untersuchte sein Bein und meinte, es sähe etwas besser aus, aber gleich weiterzulaufen würde sie ihm nicht raten. Sie erneuerte die Pflaster an seinen Füßen und fragte, ob er sich nicht noch einen Tag ausruhen wolle; der Hund ihres Freunds würde sich über seine Gesellschaft freuen, solange sie in der Arbeit war. Das Tier sei zu viel allein.

»Eine meiner Tanten hatte einen Hund«, sagte er. »Er hat mich immer gebissen, wenn niemand herschaute.« Martina lachte, und Harold stimmte mit ein, obwohl der Hund damals die Ursache für große Einsamkeit und nicht unbeträchtliche Schmerzen gewesen war. »Meine Mutter ist kurz vor meinem dreizehnten Geburtstag von zu Hause weggegangen. Sie und mein Vater waren sehr unglücklich miteinander. Er hat getrunken, und sie wollte reisen. An mehr erinnere ich mich nicht. Als sie fort war, wurde es eine Weile noch schlimmer mit ihm, dann haben die Nachbarn herausbekommen, was los war. Sie haben ihn mit Begeisterung bemuttert. Mein Vater ist plötzlich aufgeblüht. Er hat viele Tanten mit nach Hause gebracht. Wurde ein bisschen zum Casanova.« Harold hatte noch nie so offen von seiner Vergangenheit gesprochen. Er hoffte, er klang nicht allzu mitleiderregend.

Ein Lächeln führte einen Schlängeltanz auf Martinas Lippen auf. »Tanten? Waren das wirklich Ihre Tanten?«

»Tanten im übertragenen Sinn. Er hat sie in Pubs kennengelernt. Sie blieben ein Weilchen, dann gingen sie wieder. Jeden Monat roch es im Haus nach einem neuen Parfum. Auf der Wäscheleine hing immer andere Unterwäsche. Ich habe oft im Gras gelegen und hochgeblickt. Ich hatte noch nie so etwas Schönes gesehen.«

Ihr Lächeln schlug wieder in ein Lachen um. Ihm fiel auf,

wie weich Martinas Gesicht wurde, wenn sie fröhlich war, wie hübsch ihre Wangen, wenn sie sich rosig färbten. Eine Haarsträhne rutschte aus ihrem straffen Pferdeschwanz. Er freute sich, dass sie sie nicht zurückstopfte.

Einen Moment lang sah Harold nichts anderes als Maureens junges Gesicht vor sich. Es blickte zu ihm auf, öffnete sich, entblößte sich fast, die weichen Lippen teilten sich und warteten, was er als Nächstes sagen würde. Er erinnerte sich, wie aufregend er es fand, dass er Maureens Aufmerksamkeit fesseln konnte, und wünschte sich, ihm würde noch mehr einfallen, womit er Martina amüsieren könnte, aber es kam nichts mehr.

Sie fragte: »Haben Sie Ihre Mutter jemals wiedergesehen?«

»Nein.«

»Haben Sie nach ihr gesucht?«

»Manchmal wünsche ich mir, ich hätte es getan. Ich hätte ihr gern gesagt, dass es mir gutging, falls sie sich Sorgen machte. Sie hatte einfach nicht das Zeug zur Mutter. Maureen war das genaue Gegenteil. Sie wusste von Anfang an, wie sie David lieben musste.«

Er verstummte, Martina auch. Er hatte das beruhigende Gefühl, was er ihr anvertraut hatte, sei in sicheren Händen. So war es auch mit Queenie gewesen. Wenn er ihr im Auto etwas erzählte, wusste er genau, dass sie es bei ihren eigenen Gedanken an einem sicheren Ort verstaute, ihn weder verurteilte, noch seine Bekenntnisse in der Zukunft gegen ihn verwenden würde. Das konnte man wohl Freundschaft nennen, und es tat ihm leid um jedes Jahr, das er ohne diese Freundschaft verbracht hatte.

Als Martina am Nachmittag zu ihrem Putzjob unterwegs war, klebte Harold seine Lesebrille mit Pflastern zusammen und schob einen Keil unter die Hintertür, damit sie offen blieb,

172

während er sich den kleinen Garten vornahm. Der Hund saß da und sah ihm interessiert zu, ohne zu bellen. Harold fand die Gartenwerkzeuge von Martinas Freund, säuberte die Kanten des Rasens und schnitt die Hecke zurück. Sein Bein war sehr steif, und da er sich nicht erinnern konnte, wo er seine Schuhe hingestellt hatte, ging er barfuß. Der warme Staub umschmeichelte seine Fußsohlen wie Samt und löste die Verspannungen. Harold hätte gern den Baum gestutzt, der das Zimmer verdunkelte, aber er war zu hoch, und es gab keine Leiter.

Als Martina von der Arbeit zurückkehrte, überreichte sie ihm eine braune Papiertüte, in der er seine Segelschuhe fand, frisch besohlt und poliert. Sie hatte sogar neue Schnürsenkel eingefädelt.

»Einen solchen Service kriegt man beim Kassenarzt nicht«, sagte sie und verschwand, bevor er ihr danken konnte.

Am Abend aßen sie zusammen, und Harold erinnerte sie daran, dass sie von ihm noch Geld für das Zimmer bekäme. Sie sagte, sie würden sich doch morgens sehen, aber Harold schüttelte den Kopf. Mit dem ersten Morgenlicht wäre er auf und davon; er musste die verlorene Zeit aufholen. Der Hund saß zu seinen Füßen und legte den Kopf auf seinen Schoß. »Schade, dass ich Ihren Freund nicht kennenlernen konnte«, sagte er.

Martina runzelte die Stirn. »Der kommt nicht wieder.«

Ihre Antwort traf Harold wie ein Schlag. Plötzlich musste er sein Bild von Martina und ihrem Leben neu zusammensetzen, mit einer Jähheit, die ihm grausam erschien. »Ich verstehe nicht ganz«, sagte er. »Wo ist er denn?«

»Keine Ahnung.« Martinas Gesicht entgleiste. Sie schob ihren Teller zur Seite, obwohl sie noch nicht aufgegessen hatte.

»Wieso wissen Sie das nicht?«

»Ich wette, Sie halten mich jetzt für total plemplem.«

Harold dachte an die Menschen, denen er auf seinem Weg begegnet war. Alle waren anders, aber wunderlich kam ihm keiner vor. Er dachte an sein eigenes Leben, das von außen sehr gewöhnlich erscheinen mochte, obwohl so viel Dunkles, Quälendes darin verborgen war. »Ich glaube nicht, dass Sie verrückt sind«, sagte er. Er streckte ihr seine Hand entgegen, und sie betrachtete sie kurz, als wäre sie noch nie auf die Idee gekommen, dass man eine Hand ja ergreifen könnte. Dann berührten ihre Finger die seinen.

»Wir sind nach England gekommen, damit er eine bessere Arbeit finden könnte. Wir waren erst wenige Monate hier. Da taucht an einem Samstag eine Frau mit zwei Koffern und einem Baby auf. Er habe ein Kind, sagt sie zu mir.« Martina verstärkte ihren Griff und drückte ihm seinen Ehering gegen die Finger. »Ich wusste nichts von der anderen. Ich wusste nichts von dem Kind. Er kam nach Hause, und ich dachte, er würde sie rausschmeißen. Ich wusste, wie sehr er mich liebt. Aber er hat sie nicht rausgeschmissen. Er hat sein Baby auf den Arm genommen, und es war, als sähe ich einen Fremden vor mir, den ich nicht kannte. Ich sagte, ich würde eine Weile spazieren gehen. Als ich zurückkam, waren sie weg.« Martina war so blass geworden, dass er die Äderchen auf ihren Lidern sehen konnte. »Er hat alles dagelassen. Seinen Hund. Seine Gartenwerkzeuge. Sogar die neuen Wanderstiefel. Dabei wandert er so gern. Jeden Tag wache ich mit dem Gedanken auf: Heute ist der Tag, da kommt er bestimmt. Aber Tag um Tag vergeht, und er kommt nicht.«

Eine Weile hing im Raum nur Stille, schwer von ihren Worten. Harold staunte wieder, wie schnell sich das Leben ändern konnte. Vielleicht beschäftigte man sich gerade mit etwas

174

ganz Alltäglichem – ging mit dem Hund seines Partners spazieren, zog sich die Schuhe an – und wusste nicht, dass man gleich alles verlieren würde, was einem lieb und teuer war.

»Er kommt vielleicht wieder.«

»Das ist schon ein Jahr her.«

»Man weiß nie.«

»Doch. Ich weiß es.«

Sie schniefte, als spürte sie den ersten Anflug eines Schnupfens, aber sie täuschte weder Harold noch sich selbst. »Aber *Sie* sind hier. Zu Fuß unterwegs nach Berwick upon Tweed.« Er fürchtete, jetzt käme gleich wieder ein Hinweis, dass er es unmöglich schaffen konnte, aber sie sagte: »Wenn ich nur einen Fitzel Ihres Glaubens hätte!«

»Aber das haben Sie doch.«

»Nein«, sagte sie. »Ich warte auf etwas, was nie eintreten wird.«

Sie saß reglos da, und er wusste, dass sie an die Vergangenheit dachte. Er wusste auch, dass sein Glaube, soweit vorhanden, etwas sehr Zerbrechliches war.

Harold nahm ihren Teller und trug ihn in die Küche, wo er heißes Wasser in die Spüle einließ und den Abwasch machte. Er gab die Essensreste dem Hund und dachte an Martina, die auf einen Mann wartete, der nicht zu ihr zurückkehren würde. Er dachte an seine Frau, die immer an Flecken herumscheuerte, die er nicht sehen konnte. Und auf seltsame Weise hatte er das Gefühl, dass er nun mehr begriff, und wünschte, er könnte Maureen das sagen.

Als er später in seinem Zimmer seine Plastiktüte packte, hörte er im Flur ein leises Rascheln, dem ein Klopfen folgte; er öffnete die Tür. Martina überreichte ihm zwei Paar Wandersocken und eine Rolle blaues Isolierband. Dann hängte sie ihm einen leeren Rucksack über das Handgelenk und drückte ihm einen Messingkompass in die Hand. Das hatte alles ihrem Freund gehört. Harold wollte gerade sagen, dass er nichts mehr von ihr annehmen könne, da beugte sie sich rasch vor und gab ihm einen weichen Kuss auf die Wange. »Alles Gute beim Laufen, Harold«, sagte sie. »Und Sie schulden mir nichts für das Zimmer. Sie waren mein Gast.« Der Kompass lag warm und schwer in seiner Hand.

Harold brach, wie angekündigt, beim ersten Licht auf. Er lehnte eine Postkarte mit einem Dank an das Kopfkissen und auch die laminierten Tischsets, weil Martina sie vielleicht besser gebrauchen konnte als Queenie. Im Osten hatte die Dämmerung den Nachthimmel schon aufgespalten; ein fahles Lichtband stieg in die Höhe und breitete sich über den ganzen Himmel aus. Am Fuß der Treppe tätschelte Harold den Hund von Martinas Freund.

Harold schloss leise die Tür, denn er wollte Martina nicht wecken, aber sie beobachtete ihn vom Badfenster aus, das Gesicht an die Scheiben gepresst. Er sah sich nicht um. Winkte nicht. Er hatte ihr Profil am Fenster entdeckt und schritt so kühn aus, wie er konnte, denn vielleicht machte sie sich ja Sorgen wegen seiner Blasen oder seiner Segelschuhe; ob sie es sich wohl wünschte, dass er sie nicht allein ließ mit einem Hund und einem Paar Wanderstiefel? Es war nicht einfach, ihr Gast gewesen zu sein. Es war nicht einfach, ein bisschen zu begreifen und dann wegzugehen.

14
Maureen und Rex

Nach ihrem Gespräch mit dem Vertretungsarzt fiel Maureen in ein noch tieferes Loch. Tief beschämt dachte sie an Queenie Hennessys Besuch vor zwanzig Jahren und wünschte, sie wäre freundlicher zu ihr gewesen.

Ohne Harold floss in endloser Reihe ein Tag in den anderen, und Maureen sah apathisch zu und wusste nicht, wie sie die Tage füllen sollte. Sie beschloss, die Betten abzuziehen, doch dann erschien es ihr sinnlos, weil niemand mitbekam, wie sie den Wäschekorb auf den Boden knallte oder nörgelte, sie schaffe das alles bestens, auch ohne Hilfe, vielen Dank. Sie faltete am Esstisch die Straßenkarte auseinander, aber jedes Mal, wenn sie sie betrachtete und sich Harolds Reise vorzustellen versuchte, spürte sie ihre Einsamkeit noch heftiger. In ihr dehnte sich eine solche Leere aus, dass sie das Gefühl hatte, sie müsse unsichtbar sein.

Maureen machte sich eine kleine Dose Tomatensuppe warm. Wie war es möglich, dass Harold nach Berwick lief und sie zu Hause saß, mit Nichtstun beschäftigt? Was war passiert, was sie nicht mitgekriegt hatte? Anders als Harold hatte sie die Schule mit einem vernünftigen Abschluss verlassen. Sie hatte eine Sekretärinnenausbildung gemacht, und als David in der Grundschule war, hatte sie in einem Fern-

177

kurs Französisch gelernt. Und sie hatte ihren Garten geliebt. Auf dem Grundstück in der Kingsbridge Road hatte es keine Handbreit gegeben, wo nicht irgendetwas blühte oder Früchte trug. Sie hatte jeden Tag gekocht. Es machte ihr Spaß, auf die Jagd nach neuen Zutaten zu gehen. »Heute sind wir Italiener«, hatte sie gesagt, lachend die Tür zum Esszimmer aufgeschubst und David und Harold ein Spargelrisotto präsentiert. »Buon appetito.« Wie sehr bedauerte sie nun, was sie alles aufgegeben hatte. Wohin war ihr Unternehmungsgeist verschwunden? Und warum war sie nie gereist? Warum hatte sie nicht mehr Sex gehabt, als es noch möglich war? Sie hatte gesprüht, desinfiziert, gebleicht und jeden Augenblick der letzten zwanzig Jahre, in dem sie nicht schlief, totgeschrubbt. Hatte alles getan, nur um ihre Gefühle nicht spüren zu müssen. Alles, um Harolds Blick nicht zu begegnen und das Unsagbare nicht auszusprechen.

Das war kein Leben mehr, so lieblos gelebt. Maureen schüttete die Suppe in den Ausguss, setzte sich an den Küchentisch und presste das Gesicht in die Hände.

Es war Davids Idee gewesen, Rex die Wahrheit über Harolds Reise zu gestehen. Eines Morgens hatte er zu ihr gesagt, er habe über ihre Situation nachgedacht und sei der Meinung, es würde ihr guttun, mit Rex darüber zu reden. Sie lachte und protestierte, sie kenne den Mann kaum, aber er wies darauf hin, dass Rex doch ihr Nachbar sei, und natürlich würden sie einander kennen.

»Das heißt nicht, dass wir miteinander reden«, sagte sie. »Die sind erst sechs Monate, bevor seine Frau starb, hierhergezogen. Außerdem brauche ich keine anderen Leute zum Reden. Ich habe doch dich.«

David räumte ein, dies stimme natürlich. Aber es könnte

Rex guttun, wenn Maureen die Katze aus dem Sack ließ. Und sie könne ja auch nicht ewig mit der Wahrheit hinter dem Berg halten. Es lag Maureen schon auf der Zunge, ihm zu sagen, dass sie ihn vermisste, als er sie aufforderte, am besten gleich zu Rex hinüberzugehen.

»Sehe ich dich bald?«, fragte sie. Er versprach es.

Maureen fand Rex in seinem Garten vor, wo er die Rasenkanten mit einer sichelförmigen Klinge bearbeitete. Sie stand am Zaun, der ihre Gärten teilte, hielt sich etwas schief, weil das Gelände so abschüssig war, und fragte in leichtem Ton, wie es denn so ginge.

»Ich sorge dafür, dass ich beschäftigt bin. Sowieso das Beste, was noch drin ist. Wie geht's Harold?«

»Gut.« Ihre Beine zitterten. Sogar ihre Finger fühlten sich an wie schwerelos. Sie holte tief Luft, als begänne sie einen neuen Absatz im Text. »Es ist nämlich so, Rex: Harold ist gar nicht zu Hause. Ich habe dich angelogen. Es tut mir leid.« Dann drückte sie die Fingerkuppen auf die Lippen, damit nicht noch mehr herauskam. Sie brachte es nicht über sich, Rex anzusehen.

In der folgenden Stille, die ihr in den Ohren pochte, hörte sie, wie der Kantenstecher auf das Gras gelegt wurde. Sie spürte Rex' körperliche Nähe, als er zu ihr trat. Ein Hauch Pfefferminzzahnpasta wehte sie an, als er leise sagte: »Hast du gedacht, ich merke nicht, dass etwas nicht stimmt?«

Er streckte die Hand aus und legte sie ihr auf die Schulter. Es war seit langer Zeit das erste Mal, dass jemand sie berührte, und wirkte so befreiend, dass ihr ganzer Kummer hochkam und ihren Körper schüttelte; die Tränen liefen ihr nur so herunter. Sie hatte alles weggeworfen.

»Komm doch rüber, und ich setz den Kessel auf«, sagte Rex.

Seit Elizabeths Beerdigung hatte Maureen das Haus von Rex nicht mehr betreten. Sie hatte sich vorgestellt, in den Monaten seit dem Ereignis habe sich eine Staubschicht über alles gelegt, und es herrsche ein allgemeines Durcheinander, weil Männern solche Dinge nicht auffielen, schon gar nicht, wenn sie trauerten. Aber zu ihrem Erstaunen blitzte und blinkte alles. Blumentöpfe mit Kakteen standen in so akkuraten Abständen auf den Fensterbrettern, als hätte er mit dem Lineal nachgemessen. Es lagen keine Stapel ungeöffneter Briefe herum. Es gab keine Abdrücke schmutziger Schuhe auf dem beigegrauen Teppich. Zu dessen Schutz hatte Rex sogar ab der Haustür einen durchsichtigen Plastikläufer verlegt; Maureen war sicher, dass es derlei zu Elizabeths Lebzeiten noch nicht gegeben hatte. Sie warf einen Kontrollblick in den runden Spiegel und schnäuzte sich. Sie sah blass und müde aus, ihre Nase leuchtete wie ein Warnlicht. Was ihr Sohn wohl dazu sagen würde, dass sie vor einem Nachbarn weinte? Wenn sie mit David redete, riss sie sich immer sehr zusammen, um nicht zu weinen.

Rex rief aus der Küche, sie solle im Wohnzimmer warten.

»Kann ich auch sicher nichts helfen?«, fragte sie, aber er bestand noch einmal darauf, sie solle es sich bequem machen.

Wie die Diele wirkte auch das Wohnzimmer so still und aufgeräumt, dass Maureen sich wie ein Eindringling fühlte. Sie ging zum Kamin und betrachtete die gerahmten Fotos von Elizabeth auf dem Sims, einer großen Frau mit ausgeprägtem Unterkiefer, einem rauen Lachen und dem abwesenden Blick eines Cocktailpartygasts. Maureen hätte es niemandem außer David gestanden, aber sie hatte sich von Elizabeth immer ein wenig eingeschüchtert gefühlt. Sie war nicht einmal sicher, ob sie ihre Nachbarin wirklich gemocht hatte.

Tassen klirrten, und die Tür wurde aufgeschoben. Maureen

drehte sich um und sah Rex mit einem Tablett hereinkommen. Er schenkte den Tee ein, ohne etwas zu verschütten, und selbst an ein Milchkännchen hatte er gedacht.

Als Maureen einmal einen Anfang gefunden hatte, war sie selbst überrascht, wie viel sie zu Harolds Unternehmung zu sagen hatte. Sie erzählte Rex von Queenies Brief und Harolds plötzlicher Entscheidung, einfach loszulaufen. Sie erzählte ihm von ihrem Besuch bei dem Vertretungsarzt, für den sie sich so schämte. »Ich habe Angst, dass er nicht zurückkommt«, endete sie schließlich.

»Natürlich kommt er zurück.« Rex' Konsonanten waren etwas vernuschelt, aber er sprach mit einer so schlichten Selbstverständlichkeit, dass Maureen sofort beruhigt war. Natürlich würde Harold wiederkommen. Maureen wurde mit einem Mal so leicht ums Herz, dass sie am liebsten gelacht hätte.

Rex reichte ihr eine Tasse. Sie war aus feinem Porzellan, mit passender Untertasse. Maureen stellte sich Harold beim Kaffeekochen vor; er würde den Becher randvoll gießen, dass man ihn gar nicht hochheben könnte, ohne etwas zu verschütten und sich die Hand zu verbrühen. Selbst das kam ihr jetzt lustig vor.

Sie sagte: »Erst dachte ich, er hätte vielleicht eine Midlife-Crisis. Etwas verspätet – aber Harold war ja schon immer ein Spätzünder.« Rex lachte, etwas höflich, wie Maureen merkte, doch wenigstens war das Eis gebrochen. Er bot ihr einen Teller mit gefüllten Keksen und eine Serviette an. Sie nahm einen Keks und merkte, wie hungrig sie war.

»Bist du sicher, dass Harold so weit laufen kann?«, fragte er.

»Er hat so etwas noch nie in seinem Leben gemacht. Gestern Abend hat er im Haus einer jungen Slowakin übernachtet. Die er überhaupt nicht kannte.«

»Du lieber Himmel.« Rex hielt die Hand unters Kinn, um die Krümel einer rosa Waffel aufzufangen. »Ich hoffe, es geht ihm gut.«

»Ich würde sagen, er hört sich an, als ginge es ihm bestens.« Sie lächelten und verstummten; das Schweigen schien sie voneinander zu entfernen, deshalb lächelten sie erneut, höflicher diesmal.

»Vielleicht sollten wir ihm hinterherfahren«, sagte Rex, »und nachsehen, ob alles in Ordnung ist. Mein Rover ist aufgetankt. Ich könnte uns Sandwiches machen, und wir könnten gleich los.«

»Vielleicht.« Maureen biss sich auf die Lippe und dachte über den Vorschlag nach. Sie vermisste Harold fast so sehr wie David. Sie hätte ihn sehr gern gesehen. Aber wenn sie den Vorschlag weiter fortspann, wie es wäre, nachdem sie ihren Mann erreicht hätten, kam sie ins Schwimmen. Wie würde sie sich fühlen, wenn er sie doch nicht mehr wollte? Wenn er sie wirklich verlassen wollte? Sie schüttelte den Kopf. »Ich muss gestehen, dass wir nicht mehr miteinander reden. Schon lange nicht mehr. Nicht richtig. An dem Tag, als er gegangen ist, habe ich ihn beim Frühstück angemeckert, wegen der Erdbeermarmelade, Rex. Wegen Marmelade! Kein Wunder, dass er davon ist.« Sie war wieder traurig. Sie dachte an ihre kalten Betten in den getrennten Zimmern, an die paar Worte, die sie noch miteinander austauschten, die nur die Oberfläche streiften und nichts bedeuteten. »Wir führen seit zwanzig Jahren keine richtige Ehe mehr.«

In der folgenden Pause hob Rex seine Tasse zum Mund, und Maureen tat dasselbe. Dann fragte er: »Mochtest du Queenie Hennessy?«

Diese Frage hatte Maureen nicht erwartet. Sie musste ihren Tee sehr rasch herunterschlucken, und er schwemmte einen unzerkauten Ingwerkeksbrocken mit, dass sie husten musste. »Ich bin ihr nur einmal begegnet. Aber das ist schon lange her.« Sie klopfte sich auf die Brust, damit der Keksbrocken besser hinunterrutschte. »Queenie ist ganz plötzlich verschwunden. Das ist eigentlich alles, woran ich mich erinnere. Als Harold eines Tages aus der Arbeit zurückkam, sagte er, in der Buchhaltung sei jetzt jemand Neues. Ein Mann, glaube ich.«

»Warum ist Queenie verschwunden?«

»Ich weiß nicht. Es gab Gerüchte. Aber Harold und ich machten damals selber eine schwere Zeit durch. Er hat es mir nie gesagt, und ich habe nie gefragt. So sind wir eben, Rex. Heute stülpt jeder sein Innerstes nach außen, seine dunkelsten Geheimnisse. Wenn ich beim Arzt diese Klatschzeitschriften durchblättere, wird mir ganz schwindlig. Aber wir haben das nicht getan. Es gab eine Zeit, da haben wir einander viel an den Kopf geworfen. Dinge, die wir nicht hätten sagen sollen. Als Queenie verschwand, wollte ich nichts davon wissen.«

Sie zögerte, fürchtete fast, sie hätte zu viel preisgegeben; jetzt wusste sie nicht so recht weiter. »Ich habe gehört, sie hätte sich in der Brauerei etwas zuschulden kommen lassen. Der Chef war ein äußerst unangenehmer Mensch. Keiner, der verzeiht und vergisst. Wahrscheinlich war es insgesamt das Beste, dass sie gegangen ist.« Wie vor all den Jahren sah Maureen Queenie Hennessy wieder mit verschwollenen Augen vor ihrer Haustür stehen und ihr einen Blumenstrauß entgegenstrecken. Plötzlich kam es Maureen in Rex' Wohnzimmer sehr kalt vor; sie schlang die Arme um die Taille.

»Ich weiß nicht, wie es dir geht«, sagte er schließlich. »Aber ich könnte jetzt einen kleinen Sherry vertragen.«

Rex fuhr mit Maureen nach Slapton Sands, zum Start Bay Inn. Sie spürte den Schluck Alkohol die Kehle hinunterrinnen, erst kühl, weiter unten dann fast brennend, spürte, wie sich ihre Muskeln entspannten. Sie erzählte Rex, wie seltsam es ihr vorkam, wieder einen Pub zu betreten; seit Harold abstinent geworden war, trank sie selten. Sie stellten fest, dass sie beide keine Lust zum Kochen hatten, und bestellten im Pub ein frühes Abendessen und ein Glas Wein dazu. Sie stießen auf Harolds Reise an; Maureen spürte eine lange verschüttete Leichtigkeit in sich und fühlte sich fast wieder wie die junge, zum ersten Mal verliebte Frau von damals.

Da es noch hell war, spazierten sie zwischen Meer und Wiesen die Landzunge entlang. Nach den beiden Gläsern Alkohol fühlte sie sich innerlich warm und an den Rändern etwas unscharf. Ein Schwarm Möwen flog mit dem Wind. Man könne Grasmücken hier finden, erklärte Rex, und Haubentaucher. »Elizabeth hat sich nie besonders für die Tierwelt interessiert. Sie sagte, für sie sähe ein Vogel aus wie der andere.« Manchmal hörte Maureen zu, manchmal nicht. Sie dachte an Harold und ließ im Geist die Szene wieder ablaufen, wie sie sich vor siebenundvierzig Jahren begegnet waren. Seltsam, dass sie die Einzelheiten des Abends so lange vergessen hatte.

Sie hatte Harold sofort bemerkt. Er war nicht zu übersehen. Er tanzte allein in der Mitte der Tanzfläche; die Schöße seiner Jacke mit dem Hahnentrittmuster flogen hoch wie große Flügel. Es kam ihr vor, als tanze er etwas aus sich heraus, das in ihm eingesperrt war. So etwas hatte sie noch nie gesehen; die jungen Männer, die ihre Mutter ihr vorstellte, waren alle streng gescheitelt und trugen Smoking. Vielleicht hatte er gespürt, dass sie ihn beobachtete, sogar quer durch diese dunkle, pulsierende Halle, weil er plötzlich stehen blieb und ihren Blick auffing. Dann tanzte er weiter, und sie sah ihm wieder zu. Sie war wie in Trance. Was sie so mitriss, war seine unbändige Energie; er war ganz er selbst. Wieder unterbrach er seinen Tanz, wieder suchte er ihren Blick. Dann schlängelte er sich durch die Menge und blieb so dicht bei ihr stehen, dass sie die Hitze seiner Haut riechen konnte.

Dieser Moment stand ihr jetzt vor Augen, sie sah den jungen Harold ganz lebhaft – wie er den Mund zu ihrem Ohr herunterbeugte und ihr Haar teilte, damit er mit ihr sprechen konnte. Sie fand die Geste so kühn, dass ihr prickelnde Stromstöße den Hals hinunterschossen. Noch jetzt spürte sie unter der Haut ein fernes Kribbeln. Was hatte er gesagt? Was auch immer, es war sehr lustig, und sie hatten so gelacht, dass Maureen einen peinlichen Anfall von Schluckauf bekam. Sie erinnerte sich an den Schwung seiner Jacke, als er ihr an der Bar ein Glas Wasser holen ging und sie wie festgeklebt gewartet hatte. In jenen Tagen war es, als würde die Welt ihre Lichter nur anknipsen, wenn Harold in der Nähe war. Wer waren diese beiden jungen Menschen, die so hingebungsvoll miteinander getanzt und gelacht hatten?

Sie merkte, dass Rex verstummt war. Er sah sie an.

»Ein Königreich für deine Gedanken, Maureen.«

Lächelnd schüttelte sie den Kopf. »Ach, ich hab an nichts Besonderes gedacht.«

Sie standen Seite an Seite und sahen aufs Wasser hinaus. Die sinkende Sonne pinselte einen roten Pfad vom Horizont zum Ufer. Maureen fragte sich, wo Harold wohl schlief, und wünschte, sie könnte ihm gute Nacht sagen. Sie reckte den Hals zum Himmel und suchte in der Dämmerung nach dem ersten Sterngefunkel.

15
Harold und der Neuanfang

Mit dem Ende des Regens begann noch einmal alles wie wild auszutreiben. Bäume und Blumen explodierten schier vor Farben und Düften. Auf schwankenden Kastanienzweigen balancierten dicke Blütenkerzen. Am Straßenrand spannte der Wiesenkerbel dicht an dicht seine Schirme aus. Kletterrosen rankten an Gartenmauern hoch, Pfingstrosen entfalteten ihre Seidenpapierkunst. Die Apfelbäume schüttelten ihre Blüten ab und steckten sich grüne Fruchtperlen an, lichte Wälder wurden von blauen Glockenblumenseen überschwemmt. Der Löwenzahn setzte bereits seine weißen Flaumperücken auf.

Fünf Tage lief Harold wie ein Uhrwerk, ließ Othery, die Polden Hills, Street, Glastonbury, Wells, Radstock und Peasedown St. John hinter sich und erreichte an einem Montagmorgen Bath. Er hatte durchschnittlich knapp dreizehn Kilometer am Tag zurückgelegt, auf Martinas Rat hin versorgt mit Sonnenschutz, Watte, einem Nagelknipser, Pflastern, Verbandsmull, antiseptischer Salbe, Blasenspezialpflastern und Traubenzucker für Notfälle. Er besorgte sich wieder Wasch- und Rasierzeug sowie eine neue Schachtel Waschpulver und packte alles zusammen mit der Rolle Isolierband ordentlich in den Rucksack von Martinas Freund. Wenn er an Schaufenstern vorbeiging und seinem Spiegelbild begegnete, starrte ihm ein so aufrechter, gangsicherer Mann entgegen, dass er zweimal hinsehen musste, um sich zu vergewissern, dass das wirklich er war. Der Kompass wies treu nach Norden.

Harold fand, dass seine Reise erst jetzt wirklich anfing. Er hatte gedacht, sie hätte mit seiner Entscheidung begonnen, nach Berwick zu laufen, aber jetzt sah er, wie naiv er gewesen war. Einen Anfang kann es öfter als einmal geben, und immer wieder anders. Man konnte sich auch nur einbilden, neu anzufangen, obwohl man denselben alten Stiefel weitermachte. Harold hatte sich seinen Schwächen gestellt und sie überwunden, und jetzt konnte sich das eigentliche Ereignis des Laufens entfalten.

Jeden Morgen kroch die Sonne über den Horizont, durchlief ihren Zenit und ging unter, wenn der eine Tag dem nächsten wich. Harold verbrachte viel Zeit damit, den Himmel zu beobachten und wie sich das Land darunter veränderte. Der Sonnenaufgang vergoldete die Hügelkuppen, und die Fenster, die sein Licht zurückwarfen, loderten orangefarben, dass man glauben konnte, dahinter brenne ein Feuer. Die Abendschatten lagen lang unter den Bäumen wie ein Wald für sich, ein Wald aus Dunkelheit. Harold lief durch den Morgennebel und lächelte den Strommasten zu, die den Kopf durch den milchigweißen Dunst streckten. Die Hügel wurden sanfter, flacher und öffneten sich vor ihm zu einer lieblich grünen Landschaft. Er durchquerte die Sumpfebene Somersets, wo Wasserwege wie Silbernadeln blitzten. Die Masse des Glastonbury Tor hockte am Horizont, dahinter die Mendip Hills.

Allmählich besserte sich Harolds Bein. Als der Bluterguss sich von Lila zu Grün und schließlich zu einem matten Gelb umfärbte, verlor er seine Angst. Vielleicht gewann er sogar mehr Sicherheit. Die Strecke zwischen Tiverton und Taunton war mit Zorn und Schmerz getränkt gewesen. Er hatte mehr gewollt, als er körperlich leisten konnte, und so war sein Weg zu einem Kampf gegen sich selbst geworden, in dem er unterlag. Jetzt machte er jeden Morgen und Abend sanfte Dehnübungen und legte alle zwei Stunden eine Pause ein. Er behandelte die Blasen, bevor sie sich infizierten, und hatte immer frisches Wasser dabei. Er holte sein Wildpflanzenbuch wieder heraus, bestimmte, was am Wegesrand wuchs, und lernte den Gebrauch der Pflanzen kennen – welche Früchte trugen, essbar, sonst wie verwendbar oder giftig waren, welche Blätter mit heilkräftiger Wirkung besaßen. Bärlauch verbreitete seine milde Knoblauchschärfe in der Luft. Wieder einmal staunte Harold, wie viel ihm zu Füßen lag, wenn er nur den Blick dafür schulte.

Er schickte weitere Postkarten an Maureen und Queenie und hielt sie über sein Vorankommen auf dem Laufenden; gelegentlich schrieb er auch dem Mädchen von der Tankstelle. Auf den Rat seines Großbritannienführers besuchte er das Schuhmuseum in Street und sah sich auch im Schuhgeschäft des Einkaufszentrums Clarks Village um, obwohl er es immer noch für falsch hielt, seine Segelschuhe aufzugeben, in denen er so weit gekommen war. In Wells kaufte er Queenie einen geschliffenen Rosenquarz, den sie ins Fenster hängen konnte, und für Maureen einen aus einem Zweig geschnitzten Bleistift. Mehrere nette Damen des örtlichen Frauenvereins drängten ihn, einen Sandkuchen zu kaufen, doch er entschied sich stattdessen für eine handgestrickte Baskenmütze in einem Queenie-Braunton. Er besichtigte die Kirche und saß in ihrem kalten Licht, das sich wie Wasser von oben auf ihn ergoss. Er dachte daran, dass die Menschen schon vor Jahrhunderten Kirchen, Brücken und Schiffe gebaut hatten – alles Anfälle sowohl von Wahnsinn als auch von Glauben, wenn man es sich recht überlegte. Als niemand hersah, glitt

Harold auf die Knie und bat um Schutz für die Menschen, die er hinter sich gelassen hatte, und auch für die, denen er noch begegnen würde. Er bat um den Willen, durchzuhalten. Er entschuldigte sich auch dafür, dass er nicht glaubte.

Harold ging an Büroangestellten vorbei, an Hundehaltern, an Leuten, die ihre Einkäufe erledigten, an Kindern auf dem Schulweg, Müttern mit Buggys und an Wanderern wie er selbst, dazu an einigen Touristengruppen. Er begegnete einem Steuerprüfer, der Druide und seit zehn Jahren in keinen Schuh mehr geschlüpft war. Er unterhielt sich mit einer jungen Frau, die ihren leiblichen Vater aufspüren wollte, mit einem Priester, der ihm gestand, dass er während der Messe twitterte, mit mehreren Leuten, die für einen Marathonlauf trainierten, und mit einem Italiener, der einen singenden Papagei dabeihatte. Er verbrachte einen Nachmittag mit einer weißen Hexe aus Glastonbury, mit einem Obdachlosen, der sein Haus versoffen hatte, mit vier Motorradfahrern auf der Suche nach der Autobahn und mit einer sechsfachen Mutter, die ihm gestand, sie hätte keine Ahnung gehabt, dass das Leben so einsam sein konnte. Harold ging ein Stück mit diesen Fremden und hörte ihnen zu. Er urteilte über niemanden, allerdings flossen nach einigen Tagen Ort und Zeit ineinander, und Harold konnte sich nicht mehr recht erinnern, ob der Steuerprüfer keine Schuhe trug oder einen Papagei auf der Schulter sitzen hatte. Das spielte auch keine Rolle mehr. Er hatte erfahren, dass ihn gerade die kleinen Dinge anrührten und staunen ließen – und auch die große Einsamkeit. Die Welt bestand aus Menschen, die einen Fuß vor den anderen setzten, und vielleicht kam einem das Leben eines Menschen gewöhnlich vor, nur weil er sehr lange genau das getan hatte: einen Fuß vor den anderen zu setzen. Harold konnte an keinem Fremden mehr vorbeigehen, ohne die Tatsache zu würdigen, dass alle Menschen gleich waren und doch einzigartig, und dass darin das Dilemma des Menschseins bestand.

Er ging mit so sicherem Schritt, als hätte er sein ganzes Leben nur darauf gewartet, aus seinem Sessel aufzustehen.

Maureen erzählte ihm am Telefon, sie sei aus dem Gästezimmer wieder ins Schlafzimmer übergesiedelt. Harold hatte so viele Jahre allein geschlafen, dass er zunächst überrascht war; dann aber freute er sich, weil das Schlafzimmer das größere und angenehmere der beiden Zimmer war und, da es nach vorne hinausging, eine schöne Aussicht auf Kingsbridge hatte. Aber er nahm stillschweigend an, dies bedeute auch, dass sie seine Sachen in das Gästezimmer hinübergeräumt hatte.

Er dachte daran, wie oft er die geschlossene Tür betrachtet hatte; ihm war klar, dass seine Frau sich mit ihrem Exil völlig aus seiner Reichweite begeben hatte. Manchmal hatte er die Hand auf die Klinke gelegt, als wäre sie ein Teil von Maureen, der seine Berührung spüren konnte.

Maureens Stimme kroch unter dem Schweigen hindurch: »Ich habe daran gedacht, wie wir uns zum ersten Mal begegnet sind.«

»Wie bitte?«

»Das war bei einer Tanzveranstaltung in Woolwich. Du hast mich am Nacken berührt. Dann hast du etwas Witziges gesagt. Wir haben uns halb totgelacht.«

Beim Versuch, sich die Szene vorzustellen, runzelte er angestrengt die Stirn. Er konnte sich zwar an die Tanzveranstaltung erinnern, aber darüber hinaus sah er nur, wie schön sie gewesen war, wie zart. Er wusste noch, dass er getanzt hatte wie ein Idiot, und erinnerte sich auch an ihr langes dunkles Haar, das wie ein Samtvorhang an ihrem Gesicht herunterfiel. Aber es kam ihm unwahrscheinlich vor, dass er kühn genug gewesen war, einen Raum voller Menschen zu durchqueren und Maureen für sich zu beanspruchen. Und genauso unwahrscheinlich kam es ihm vor, dass er sie so wahnsinnig zum Lachen gebracht hatte. Er fragte sich, ob sie ihn mit einem anderen verwechselte.

Sie sagte: »Ich will dich nicht länger stören. Ich weiß, wie beschäftigt du bist.«

Sie sprach im selben Ton wie beim Arzt, wenn sie ihm zu verstehen geben wollte, dass sie ihn nicht länger belästigen würde. Und dann sagte sie: »Ich wünschte, mir würde einfallen, was du an dem Abend gesagt hast. Es war unglaublich witzig.« Damit legte sie auf.

Den Rest des Tages stiegen lauter Erinnerungen an Maureen in ihm auf und wie es mit ihnen angefangen hatte. Ihm fielen die gemeinsamen Kinobesuche wieder ein. Wie er, als sie im Lyons Cornerhouse essen gingen, gedacht hatte, dass er noch nie jemanden so diskret hatte essen sehen: Maureen zerschnitt ihr Essen in winzige Stückchen, bevor sie es zum Mund führte. Schon damals hatte er begonnen, für ihre Zukunft zu sparen. Er arbeitete frühmorgens bei der Müllabfuhr, am Nachmittag in Teilzeit als Busschaffner. Zweimal die Woche machte er eine Nachtschicht im Krankenhaus, dann hatte er noch einen Samstagsjob in der Bücherei. Manchmal war er so erschöpft, dass er unter die Bücherregale kroch und schlief.

Maureen stieg oft in den Bus, der vor ihrem Haus hielt, und fuhr bis zur Endstation mit. Harold verkaufte Fahrscheine und klingelte als Signal für den Fahrer, aber er hatte nur Augen für Maureen in ihrem blauen Mantel, Maureen mit der Porzellanhaut und den strahlend grünen Augen. Sie gewöhnte es sich auch an, ihn zum Krankenhaus zu begleiten; dort schrubbte er die Böden und dachte an nichts anderes, als wo sie jetzt war und was sie sah, wenn sie davoneilte.

Auch in der Bücherei schaute sie öfter vorbei und blätterte in Kochbüchern, während er sie von der Theke aus beobachtete, schwindlig vor Begehren und vor Müdigkeit.

Die Hochzeit fand in kleinem Kreis statt; die Gäste, von denen er keinen kannte, trugen Hüte und Handschuhe. Auch sein Vater hatte eine Einladung erhalten, tauchte aber zu Harolds Erleichterung nicht auf.

Als Harold endlich mit seiner neuen Frau allein war, hatte er von der anderen Wand des Hotelzimmers aus zugesehen, wie sie ihr Kleid aufknöpfte. Er hatte ein irrsinniges Verlangen danach, sie zu berühren, und zitterte gleichzeitig vor Angst. Er zog die Krawatte und das Sakko mit den etwas zu kurzen Ärmeln aus, das er von einem Kollegen aus dem Busdepot geliehen hatte. Als er hochblickte, sah er sie im Slip auf dem Bett sitzen. Sie war so schön, dass es ihn überwältigte. Er musste ins Bad flüchten.

»Liegt es an mir?«, hatte sie nach einer halben Stunde durch die Tür gerufen.

Es tat weh, sich an diese Dinge zu erinnern, die nun so unerreichbar für ihn waren. Er blinzelte mehrmals, um die Bilder zu verjagen, aber sie trieben immer wieder zu ihm zurück.

Harold wanderte durch Städte, die vom Lärm anderer Menschen widerhallten, und übers Land auf Straßen, die diese Städte miteinander verbanden, und er begriff gewisse Momente seines Lebens, als hätten sie sich gerade erst ereignet. Manchmal glaubte er, er lebte mehr in der Erinnerung als in der Gegenwart. Er spielte Szenen aus seinem Leben noch einmal ab, als Zuschauer, der im Draußen gefangen blieb. Er sah die Fehler, die Widersprüche, die falschen Entscheidungen, und konnte doch nichts dagegen tun.

Er sah sich wieder den Anruf entgegennehmen, dass Maureens Mutter sehr plötzlich gestorben war, zwei Monate nach ihrem Vater. Er hatte Maureen fest in den Armen gehalten, als er es ihr mitteilte.

»Jetzt gibt es nur noch dich und mich«, schluchzte sie.

Er hatte die Hand auf die Rundung ihres wachsenden Bauchs gelegt und versprochen, dass alles gut würde. Er würde für sie sorgen, hatte er gesagt. Und es war ihm ernst damit gewesen. Er wünschte sich nichts mehr, als Maureen glücklich zu machen.

In jenen Tagen hatte sie ihm geglaubt. Sie hatte geglaubt, dass sie nichts weiter brauchte als Harold. Damals hatte er das nicht gewusst, aber jetzt wurde es ihm klar. Der wirkliche Test, an dem er dann scheiterte, war allerdings die Vaterrolle gewesen. Er fragte sich, ob er wohl den Rest seines Lebens im Gästezimmer verbringen musste.

Als Harold immer weiter nach Norden Richtung Gloucestershire lief, gab es Momente, in denen seine Schritte so sicher waren, dass sie mühelos zu fließen schienen. Er brauchte, wenn er erst den einen Fuß hob und dann den anderen, das Denken nicht einzuschalten. Gehen war einfach die Erweiterung seiner Gewissheit, dass er Queenie zum Weiterleben verhelfen konnte; sein Körper trug das Seine wie von selbst dazu bei. In diesen Tagen kostete es ihn sehr wenig Anstrengung, die Hügel hochzulaufen; vermutlich wurde er fit.

An manchen Tagen war er von dem, was er sah, zutiefst gebannt. Er versuchte, für jede kleinste Veränderung die treffenden Worte zu finden; dass seine Eindrücke sich vermischten wie die Menschen, denen er begegnet war, geschah nur selten. Freilich gab es Tage, an denen er weder sich selbst noch sein Laufen oder das Land bewusst wahrnahm. Dann dachte er an gar nichts, zumindest an nichts, was an Worte gebunden war. Er *war* einfach. Er spürte die Sonne auf den Schultern, beobachtete einen Turmfalken auf lautlosen Schwingen, und die ganze Zeit stieß sein Fußballen die Ferse vom Boden ab, sein Gewicht verlagerte sich von einem Bein aufs andere, und das war alles.

Nur die Nächte quälten ihn. Er suchte weiter nach bescheidenen Unterkünften, aber die Innenwelten schienen sich als Hindernisse zwischen ihn und sein Ziel zu schieben. Sein Bauchgefühl drängte ihn nach draußen. Vorhänge, Tapeten, gerahmte Drucke, passende Hand- und Duschtücher – das alles war überflüssig und bedeutungslos geworden. Er riss die Fenster auf, damit er spüren konnte, dass Himmel und Luft immer noch gegenwärtig waren, aber er schlief schlecht. Immer öfter hielten ihn Bilder aus der Vergangenheit wach, oder er träumte, dass seine Füße sich hoben und senkten. Zwischen Nacht und Morgen stand er auf, beobachtete am Fenster den Mond und fühlte sich wie in einer Falle. Kaum wurde es hell, zahlte er mit seiner Kreditkarte und brach wieder auf.

Wenn er in die Morgendämmerung hineinlief, verfolgte er staunend, wie am Himmel kräftige Farben aufflammten und dann zu einem einheitlichen, fahlen Blau verblassten. Es war, als hätte er es mit einer völlig anderen Ausgabe des Tages zu tun, die frei war von allem Gewöhnlichen. Er wünschte, er könnte es Maureen beschreiben.

Im Lauf der Reise trat das Problem, wann und wie er Berwick erreichen würde, in den Hintergrund; Harold wusste ja, dass Queenie wartete, war sich dessen ebenso gewiss wie seines eigenen Schattens. Es machte ihm Freude, sich seine Ankunft auszumalen und wie sie dabei an ihrem Fensterplatz in einem sonnigen Sessel saß. Es gäbe so viel zu erzählen. So viel von früher. Er würde sie daran erinnern, dass sie einmal aus ihrer Handtasche ein Mars für den Heimweg hervorgeholt hatte.

»Sie mästen mich ja«, hatte er gesagt.

»An Ihnen ist doch gar nichts dran!«, hatte sie lachend erwidert.

Es war ein denkwürdiger Moment gewesen, nicht unangenehm oder gar unfreundlich, und von da an veränderte sich der Ton zwischen ihnen. Queenies Antwort verriet, dass sie Harold bemerkt hatte, und dass ihr an ihm lag. Seit diesem Tag hatte sie immer etwas Süßes für ihn dabei, und sie nannten sich beim Vornamen, auch wenn sie beim Sie blieben. Beim Fahren unterhielten sie sich ganz ungezwungen. Aber einmal hatten sie an einer Raststätte haltgemacht, und als sie sich an dem Laminattisch gegenübersaßen, versiegten die Worte.

»Wie nennt man zwei Küken?«, hörte er sie fragen. Da saßen sie wieder im Auto.

»Wie bitte?«

»Das ist ein Witz«, erklärte sie.

»Ach so. Schön. Ich weiß nicht. Wie denn?«

»Ein Paar Schlüpfer.« Sie schlug sich die Hand vor den Mund, schüttelte sich aber trotzdem vor unterdrücktem Lachen, dass ihr ein gewaltiger Pruster zwischen den Fingern entfuhr, und sie wurde puterrot. »Den mochte mein Vater besonders gern.«

Schließlich musste er anhalten, so sehr lachten sie. Er hatte die Scherzfrage am Abend David und Maureen gestellt, bei Spaghetti Carbonara, und sie hatten ihn bei der Pointe beide so ausdruckslos angestarrt, dass der Witz nicht lustig, sondern leicht geschmacklos erschien.

Harold und Queenie unterhielten sich oft über David. Ob

sie sich auch daran noch erinnerte? Da sie selbst weder Kinder noch Neffen oder Nichten hatte, interessierte sie sich sehr für Davids Fortschritte in Cambridge. Wie gefällt David die Stadt?, fragte sie oft. Hat er viele Freunde gefunden? Fährt er gern mit dem Stechkahn? Harold versicherte ihr, dass David sich herrlich amüsierte, obwohl sein Sohn in Wirklichkeit auf Maureens Briefe und Anrufe selten antwortete. Von Freunden und vom Studieren erwähnte er nie etwas, von Stechkähnen schon gar nichts.

Harold erzählte Queenie nichts von den leeren Wodkaflaschen, die sich nach den Ferien im Gartenschuppen stapelten. Und das Cannabis im braunen Umschlag verschwieg er auch. Davon erzählte er niemandem, nicht einmal seiner Frau. Er packte das Zeug in eine Schachtel und warf es auf dem Weg zur Arbeit weg.

»Sie und Maureen müssen beide so stolz sein, Harold«, sagte Queenie immer.

Er ließ ihre gemeinsame Zeit in der Brauerei Revue passieren. Sie hatten sich nie viel mit den Kollegen abgegeben. Ob Queenie sich an das irische Barmädchen erinnerte, das behauptete, von Mr Napier schwanger zu sein, und ganz plötzlich von der Bildfläche verschwand? Es hieß, Napier habe dafür gesorgt, dass das Mädchen das Kind wegmachen ließ, und dabei sei es zu Komplikationen gekommen. Ein andermal hatte sich einer der neuen jungen Vertreter fürchterlich betrunken, und als er wieder zu sich kam, fand er sich ans Tor der Brauerei gefesselt, nackt bis auf die Unterhose. Mr Napier tönte herum, er würde im Hof die Hunde auf ihn hetzen, das würde ein Spaß! Der junge Mann schrie schließlich vor Angst. Ein Rinnsal sickerte in braunen Streifen seine Beine herunter.

Als Harold die Szene von neuem durchlebte, wurde ihm

übel vor Scham. David hatte Napier ganz richtig eingeschätzt. Mut hatte hier nur Queenie bewiesen.

Er sah sie auf ihre typische Art lächeln – langsam, als hätten auch die fröhlichen Dinge etwas Trauriges.

Er hörte sie sagen: »In der Brauerei ist etwas passiert. In der Nacht.«

Er sah sie schwanken. Oder schwankte er selbst? Er glaubte schon, er würde gleich hinfallen. Ihre kleine Hand packte ihn am Ärmel und schüttelte ihn. Seit der Episode in der Büromaterialkammer hatte sie ihn nicht berührt. Ihr Gesicht war ganz weiß.

Sie fragte: »Hören Sie mich? Die Sache ist ernst, Harold. Sehr ernst. Das wird Napier nicht einfach so hinnehmen.«

Das war ihre letzte Begegnung gewesen. Er wusste, dass sie die Wahrheit erraten hatte.

Harold fragte sich, warum sie den Kopf für ihn hingehalten hatte, und ob sie wusste, wie sehr er seine Tat bedauerte. Wieder fragte er sich, warum sie vor all den Jahren nicht bei ihm vorbeigeschaut und sich verabschiedet hatte. Und während er kopfschüttelnd diesen Gedanken nachhing, ging er immer weiter nach Norden.

Queenie war auf der Stelle gefeuert worden. Napiers wüste Beschimpfungen hallten durch die ganze Brauerei. Es gab sogar Gerüchte, er hätte einen kleinen runden Gegenstand, vielleicht einen Aschenbecher, vielleicht aber auch einen Briefbeschwerer, durch das Zimmer geschleudert und Queenies Stirn knapp verfehlt. Mr Napiers Sekretärin bestätigte später vor einigen Vertretern, dass er die Frau nie hatte leiden können. Sie bestätigte auch, dass Queenie sich nicht hatte unterkriegen lassen. Durch die geschlossene Tür war nicht genau zu hören, was Queenie gesagt hatte, aber aus Napiers Gebrüll ließ sich auf etwas schließen wie: »Ich weiß nicht, wozu die ganze Aufregung. Ich habe nur zu helfen versucht.« Jemand sagte zu Harold: »Wäre sie ein Mann, hätte Napier ihr sämtliche Knochen gebrochen.« Da hatte Harold in einem Pub gesessen. Ihm war übel geworden, und er hatte nach seinem doppelten Brandy gegriffen und ihn in einem Zug heruntergekippt.

Bei der Erinnerung sackten Harold die Schultern nach unten. Er war unverzeihlich feig gewesen, aber wenigstens unternahm er jetzt etwas zur Wiedergutmachung.

Bath kam in Sicht. Die Straßen, von denen einige wie der berühmte *Royal Crescent* halbmondförmig angelegt waren, bissen wie kleine Zähne in den Hügel; der sahnefarbene Stein der Häuser leuchtete in der Morgensonne. Es würde ein heißer Tag werden.

»Dad! Dad!«

Er sah sich erschrocken um, hatte den klaren Eindruck, dass ihn jemand rief. Der Verkehr brachte das Laub der Bäume zum Rascheln, aber es war niemand da.

16
Harold, der hochberühmte Schauspieler und der Onkologe

Harold hatte die Absicht, seinen Besuch in Bath kurz zu halten. Er hatte in Exeter die Erfahrung gemacht, dass Städte seine Absichten verwässerten. Er musste seine Schuhe neu besohlen lassen, aber der Schuhmacher hatte wegen familiärer Umstände bis Mittag geschlossen. Harold wollte die Wartezeit nutzen, um nach weiteren Souvenirs für Queenie und Maureen zu suchen. Grelles Sonnenlicht fiel mit solcher Macht in den Hof der Kathedrale, dass Harold die Augen mit der Hand abschirmen musste, damit er nicht geblendet wurde.

»Dürfte ich Sie alle bitten, sich in einer geordneten Reihe aufzustellen?«

Harold warf einen Blick hinter sich und merkte, dass er in eine Gruppe ausländischer Touristen, die alle Stoffhüte trugen und die Römischen Bäder besichtigten, hineingeraten war. Geführt wurden sie von einer jungen Engländerin, die kaum zwanzig sein konnte; sie hatte ein zartes Gesicht und eine Stimme mit ausgeprägter Upper-Class-Färbung. Harold wollte erklären, dass er nicht zu der Gruppe gehöre, doch da gestand sie ihm, dies sei ihre erste offizielle Führung. »Keiner hat die leiseste Ahnung, wovon ich rede«, sagte sie. Sie klang so verblüffend wie die junge Maureen, dass er gebannt stehen blieb. Ihr Mund bebte, als würde sie gleich losweinen, was Harold völlig aus der Fassung brachte. Er versuchte, sich in den Hintergrund zu drücken und zu einer anderen Gruppe überzuwechseln, die fast am Ende der Führung angelangt war; aber jedes Mal, wenn er den Absprung beinahe geschafft hatte, fiel ihm wieder seine junge Frau in ihrem blauen Mantel ein, und er brachte es nicht fertig, die Stadtführerin im Stich zu lassen. Zwei Stunden später endete die Führung im Andenkenladen, wo er für Maureen und Queenie Schlüsselringe mit Mosaik-Anhängern und Postkarten kaufte. Besonders hätten ihm die Ausführungen zur Heiligen Quelle gefallen, sagte er zu der Stadtführerin; sie seien wirklich beispiellos klug gewesen, diese Römer.

Die junge Frau rümpfte kaum merklich die Nase, als hätte sie etwas Unangenehmes erschnuppert, und fragte, ob er an einen Besuch der nahegelegenen Thermalbäder gedacht habe, wo er einen malerischen Ausblick auf die Stadt und zugleich ein hochmodernes, reinigendes Badeerlebnis genießen könne?

Entsetzt eilte Harold auf dem kürzesten Weg dorthin. Er hatte immer darauf geachtet, sowohl sich selbst als auch seine Kleidung zu waschen, aber sein Hemd war am Kragen ausgefranst, und seine Fingernägel hatten schwarze Ränder. Erst als er bereits die Eintrittskarte und die Leihgebühr für die Handtücher bezahlt hatte, fiel ihm ein, dass er keine Badehose hatte. Er musste wieder gehen und ein Sportgeschäft in der Nähe aufsuchen, so dass der Tag zum teuersten der bisherigen Reise geriet. Die Verkäuferin schleppte ein ganzes Sortiment Badehosen und Schwimmbrillen an; als Harold erklärte, er sei mehr fürs Wandern als fürs Schwimmen, wollte sie ihm unbedingt wasserdichte Kompassüberzüge und eine Auswahl heruntergesetzter Allwetterhosen zeigen.

Als er den Laden verließ, drängte sich eine große Menschenmenge auf dem Gehweg. Harold wurde gegen die Kupferstatue eines viktorianischen Gentleman mit Zylinder gedrückt.

»Wir warten auf diesen berühmten Schauspieler«, erklärte eine Frau neben ihm. Ihr Gesicht war von der Hitze gerötet und verschwitzt. »Er signiert sein neues Buch. Wenn er mir in die Augen sieht, werde ich ohnmächtig.«

Der wahnsinnig berühmte Schauspieler war schwer zu sehen, und einen tiefen Blick in seine Augen konnte man schon gar nicht erhoffen, weil er anscheinend ziemlich klein war, außerdem bildeten Buchhändlerinnen in schwarzen Kostümen eine geschlossene Mauer um ihn herum. Aus der Menge stiegen Rufe und Applaus auf. Fotografen hielten ihre Kameras hoch, Blitzlichter gewitterten. Harold fragte sich, wie es sich wohl lebte, wenn man so erfolgreich war.

Die Frau neben ihm erzählte, sie habe ihren Hund nach dem Schauspieler benannt. Ein Cockerspaniel, erläuterte sie. Sie wünschte, sie könnte es dem Schauspieler erzählen. Sie hatte alles über ihn in den Zeitschriften gelesen und kannte ihn wie einen Freund. Harold versuchte sich an die Statue zu lehnen, damit er besser sehen konnte, aber da boxte die Statue ihn heftig in die Rippen. Der weißgebleichte Himmel warf blendendes Licht herab. Schweiß brach Harold im Nacken aus und rieselte seine Achseln herunter; das Hemd klebte ihm auf der Haut.

Als Harold es zurück in die Therme geschafft hatte, feierte dort eine Schar junger Frauen einen Junggesellinnenabschied und spritzte ausgelassen im Wasser herum. Harold wollte ihnen nicht in die Quere kommen, damit sie ihn nicht aufs Korn nahmen, deshalb ging er nur schnell ins Dampfbad und verließ die Therme schleunigst wieder. In der Trinkhalle fragte er, ob er eine Flasche des Heilwassers einer guten Freundin in Berwick upon Tweed mitbringen dürfe. Der Aufseher füllte ihm eine Flasche ab und verlangte fünf Pfund dafür, weil Harold seine Eintrittskarte für die Römischen Bäder verlegt hatte. Es war bereits früher Nachmittag, und er wollte dringend weiter.

Als Harold sich in der öffentlichen Toilette die Hände wusch, fand er den Schauspieler von der Signierstunde am Waschbecken nebenan stehen. Er trug eine Lederjacke und eine Lederhose, dazu Cowboystiefel mit einem kleinen Absatz. Er starrte sein Spiegelgesicht an und zog an seiner Haut herum, als untersuche er sie nach etwas verloren Gegangenem. Aus der Nähe war sein Haar so dunkel, dass es nach Plastik aussah. Harold wollte sich nicht aufdrängen. Er trocknete seine Hände ab und tat, als denke er an etwas anderes.

»Sagen Sie mir bloß nicht, dass Sie auch Ihren Hund nach mir genannt haben«, sagte der Schauspieler. »Heute bin ich nicht in der Stimmung.«

Harold beruhigte den Schauspieler, dass er gar keinen Hund besitze. Als Kind, fügte er hinzu, sei er oft von einem Pekinesen namens Chinky gebissen worden. Dieser Name sei für Chinesen wohl diskriminierend gewesen, aber die Tante, der der Hund gehörte, habe sich nicht um die Gefühle anderer Leute geschert. »Auf meinem Weg bin ich einigen netten Hunden begegnet.«

Der Schauspieler wandte sich wieder seinem Spiegelbild zu. Er führte das Thema Hundenamen weiter aus, als hätte Harold nie etwas dazu bemerkt. »Jeden Tag kommen Leute auf mich zu, erzählen mir von ihrem Hund und dass sie ihn nach mir genannt haben. Das sagen sie in einem Ton, als sollte ich mich darüber freuen. Die haben ja keine Ahnung.«

Harold stimmte ihm zu, dies sei in der Tat beklagenswert, aber insgeheim fand er es auch schmeichelhaft. Er konnte sich nicht vorstellen, dass jemand seinen vierbeinigen Liebling zum Beispiel Harold nannte.

»Da mache ich jahrelang ernsthafte Theaterarbeit. Ich habe eine ganze Saison am Pitlochry Festival Theatre gespielt. Dann drehe ich einen einzigen Historienschinken, und das war's dann. Jeder im Land findet es originell, seinen Hund nach mir zu nennen. Sind Sie wegen meines Buchs nach Bath gekommen?«

Harold musste zugeben, dass er nicht deshalb hier war. Er erzählte dem Schauspieler, so knapp es ging, von Queenie. Den Applaus der Krankenschwestern bei seiner Ankunft im Hospiz, den er sich ausgemalt hatte, verschwieg er lieber. Der Schauspieler schien ihm zuzuhören, doch am Ende des Berichts fragte er noch einmal, ob Harold sein Buch gekauft habe und es gern von ihm signiert haben wolle.

Harold nickte schließlich. Er dachte, das Buch wäre vielleicht ein schönes Mitbringsel für Queenie; sie hatte immer gern gelesen. Er wollte den Schauspieler schon fragen, ob es ihm etwas ausmache, kurz zu warten, während er das Buch kaufen ging, da kam ihm der Mann zuvor.

»Ach, machen Sie sich nicht die Mühe! Das Buch ist Scheiße. Ich habe kein Wort davon geschrieben. Ich habe es nicht einmal gelesen. Ich bin ein Serienficker und kokainsüchtig. Letzte Woche wollte ich eine Frau lecken und habe entdeckt, dass sie einen Schwanz hat. So was schreibt man nicht in einem Buch.«

»Nein.« Harold warf einen raschen Blick zur Tür.

»Ich bin in sämtlichen Talkshows. Sämtlichen Zeitschriften. Jeder hält mich für einen prima Kerl. Dabei hat keiner die leiseste Ahnung, wer ich wirklich bin. Es ist, als wäre ich zwei verschiedene Personen. Wahrscheinlich sagen Sie mir gleich, dass Sie Journalist sind.«

Er lachte, aber sein Lachen hatte etwas Unbarmherziges und Trostloses, das Harold an David erinnerte.

»Ich bin kein Journalist. Ich würde einen sehr schlechten Journalisten abgeben.«

»Erzählen Sie mir noch einmal, warum Sie nach Bradford laufen.«

Harold sagte leise etwas von Berwick und Wiedergutmachen der Vergangenheit. Das Bekenntnis des hochberühmten Schauspielers hatte ihn zermürbt, und er suchte immer noch nach einem Ort in sich, wo er es wegpacken konnte.

»Und woher wissen Sie, dass diese Frau auf Sie wartet? Hat sie Ihnen eine Nachricht geschickt?«

»Eine Nachricht?«, wiederholte Harold, obwohl er sehr gut gehört hatte. Es ging mehr darum, Zeit zu gewinnen.

»Hat sie Ihnen gesagt, dass sie bereit für Ihren Besuch ist?«

Harold machte den Mund auf und formulierte, was er sagen wollte, innerlich mehrmals um, aber er brachte keinen Ton heraus.

»Und wie funktioniert das nun genau?«, fragte der Schauspieler.

Harold fasste sich mit den Fingerspitzen an die Krawatte. »Ich schicke Postkarten. Ich weiß, dass sie wartet.«

Harold lächelte, der Schauspieler auch. Harold hoffte, dass seine Antwort den Mann überzeugt hatte, denn er hatte keine weiteren Argumente mehr auf Lager, und einen Augenblick lang wirkte der Schauspieler auch überzeugt. Aber dann verfinsterte sich sein Gesicht, als hätte er auf etwas Unangenehmes gebissen. »Wenn ich Sie wäre, würde ich ins Auto steigen.«

206

»Wie bitte?«

»Scheiß auf den Fußmarsch.«

Harolds Stimme zitterte. »Aber darauf kommt es doch gerade an. Das wird sie am Leben erhalten. John Lennon hat sich einmal aus Protest ins Bett gelegt. Mein Sohn hatte ein Bild von ihm an der Wand.«

»John Lennon hatte Yoko Ono und die ganze Weltpresse mit im Bett. Aber Sie latschen ganz allein nach Berwick upon Tweed. Das dauert doch noch Wochen. Angenommen, sie hat Ihre Nachricht nicht gekriegt? Vielleicht haben die vergessen, sie auszurichten.« Der Schauspieler verzog den Mund, als denke er über die Folgen eines solchen Fehlers nach. »Was spielt es denn für eine Rolle, ob Sie laufen oder fahren? Wie Sie vorankommen, ist doch egal. Wichtig ist nur, dass Sie sie sehen. Ich leihe Ihnen mein Auto. Meinen Fahrer. Sie könnten heute Abend noch dort sein.«

Die Tür ging auf, und ein Gentleman in Shorts steuerte das Urinal an. Harold wartete geduldig, bis er fertig war. Er wollte dem hochberühmten Schauspieler unbedingt noch mitteilen, dass man als ganz gewöhnlicher Mensch etwas Ungewöhnliches anpacken konnte, ohne es logisch erklären zu können. Aber er sah vor seinem inneren Auge nur ein Auto, das nach Berwick fuhr. Der Schauspieler hatte recht. Harold hatte eine Nachricht hinterlassen und Postkarten geschickt, aber er hatte keinen Beweis, dass Queenie ihn ernst nahm oder von seinem Anruf überhaupt gehört hatte. Er stellte sich vor, im warmen Auto zu sitzen. Wenn er das Angebot annahm, konnte er wirklich in ein paar Stunden dort sein. Er musste seine Hände umklammern, um sie am Zittern zu hindern.

»Ich habe Sie verunsichert, stimmt's?«, fragte der Schauspieler. Seine Stimme war plötzlich sanft geworden. »Ich hab

Ihnen doch gesagt, dass ich ein Arschloch bin.« Harold schüttelte den Kopf, blickte aber nicht hoch. Er hoffte, dass der Gentleman in Shorts nicht zuhörte.

»Ich muss weiterlaufen«, sagte er leise, obwohl er gar nicht mehr so sicher war.

Der Neuankömmling stellte sich an das Waschbecken zwischen Harold und den Schauspieler. Er lachte plötzlich auf, als erinnere er sich an etwas aus seinem Privatleben. Dann begann er: »Ich muss es Ihnen einfach sagen: Wir haben einen Hund …«

Harold machte, dass er auf die Straße hinauskam.

Der Himmel hatte sich zugezogen, eine dichte weiße Wolkenschicht drückte auf die Stadt herunter, als wolle sie alles Leben aus ihr herausquetschen. Bars und Cafés wucherten auf die Gehwege hinaus. Deren Gäste wie auch die Passanten hatten sich bis aufs Unterhemd ausgezogen, Haut, die seit Monaten keine Sonne mehr gesehen hatte, leuchtete krebsrot. Harold trug seine Jacke über dem Arm und wischte sich häufig mit dem Hemdsärmel das Gesicht trocken. Gefiederte Samen hingen wie Fusseln in der stehenden Luft. Als Harold beim Schuhmacher anlangte, hatte der immer noch zu. Seine Rucksackträger waren nass vor Schweiß und schnitten in die Schulterblätter. Es war zu heiß, um weiter herumzulaufen, er hatte nicht die Energie dazu.

Ihm fiel ein, er könnte sich in die Kathedrale flüchten. Dort wäre es hoffentlich kühl, und er könnte wieder Zuversicht finden, daran erinnert werden, was es bedeutete, an etwas zu glauben. Aber die Kathedrale war wegen einer Konzertprobe für Besucher geschlossen. Harold saß in einer kleinen Schattennische und beobachtete kurz die Kupferstatue, bis ein kleines Kind in Tränen ausbrach, weil sie ihm zugewinkt und ein klebriges Bonbon angeboten hatte. Da wollte er lieber in einem Café warten, wo er sich wohl ein kleines Kännchen Tee leisten konnte.

Die Bedienung machte ein mürrisches Gesicht. »Wir servieren nachmittags keine Getränke ohne Verzehr. Sie müssen wenigstens den Regency Bath Cream Tea bestellen, mit Scones und Buttersahne.« Harold setzte sich bereits. Ergeben bestellte er den Regency Bath Cream Tea.

Die Tische standen dicht an dicht, die Hitze staute sich so, dass man sie zu sehen glaubte. Die Gäste saßen mit geöffneten Beinen auf den Stühlen und fächelten sich mit den laminierten Speisekarten Luft zu. Als Harolds Bestellung gebracht wurde, schwamm ein kleiner Klacks Buttersahne in einem Fettsee. Die Bedienung wünschte guten Appetit.

Harold fragte sie, ob sie den kürzesten Weg nach Stroud kenne, aber sie zuckte nur mit den Achseln. »Es stört Sie doch nicht, wenn sich noch jemand dazusetzt?«, fragte sie. Nach einer Frage klang das allerdings nicht. Sie rief einen Mann, der an der Tür stand, und deutete auf den Stuhl gegenüber von Harold. Der Mann setzte sich mit einer Entschuldigung und zog ein Buch heraus. Er hatte ein Gesicht wie gemeißelt und kurzgeschnittenes helles Haar. Der aufgeknöpfte Kragen seines weißen Hemds enthüllte ein perfektes V karamellbrauner Haut. Als er Harold um den Zucker bat, fragte er auch, ob es ihm in Bath gefiele. Er sei Amerikaner, erklärte er, auf Englandtour. Seine Freundin sei gerade auf einer Jane-Austen-Erlebnistour. Harold konnte sich nichts Rechtes darunter vorstellen, hoffte aber um der Freundin willen, dass der hochberühmte Schauspieler nicht daran beteiligt wäre. Schweigen stellte sich ein, und Harold war erleichtert. Er brauchte keine weitere Begegnung wie die in Exeter oder wie gerade eben. Trotz allem, was er anderen Menschen schuldig war, hätte er im Moment am liebsten Mauern um sich gezogen.

Harold trank seinen Tee, aber die Scones waren ihm zu viel. Er fühlte sich von einer ähnlichen Trägheit betäubt wie damals in der Brauerei, in den Jahren nach Queenies Ausscheiden; da war er wie ein Hohlkörper im Anzug gewesen, der manchmal etwas sagte und hörte, der täglich ins Auto stieg und nach Hause zurückkehrte, aber keine Verbindung mehr zu anderen hatte. Napiers Nachfolger schlug Harold vor, er solle bis zur Pensionierung einen ruhigeren Posten übernehmen. Ablage, meinte er. Gelegentliche Beratungstätigkeit. Harold bekam einen eigenen Schreibtisch mit Computer und ein Ansteckschild mit seinem Namen, aber niemand war je an ihn herangetreten.

Er drapierte seine Serviette über seinen Teller und merkte, dass der Gemeißelte ihn von der anderen Tischseite ansah.

»Zum Essen ist es zu heiß«, sagte der Mann.

Harold stimmte ihm zu, was er auf der Stelle bedauerte. Der Gemeißelte fühlte sich nun anscheinend zu weiterer Konversation bemüßigt.

»Bath scheint eine nette Stadt zu sein«, sagte er und klappte sein Buch zu. »Machen Sie hier Urlaub?«

Widerstrebend erzählte Harold seine Geschichte, fasste sich aber kurz. Er ließ zum Beispiel das Tankstellenmädchen und die Rettung der Tante aus. Stattdessen fügte er hinzu, dass sein Sohn nach seinem Abschluss in Cambridge eine Wandertour im Lake District gemacht habe. Er wisse allerdings nicht, wie viel sein Sohn tatsächlich gelaufen sei; als er nach Hause kam, habe er wochenlang nur herumgelegen.

»Kommt Ihr Sohn nach?«, erkundigte sich der Mann.

Harold verneinte. Er fragte den Amerikaner, was er beruflich mache.

»Ich bin Arzt.«

»Mir ist eine Ärztin aus der Slowakei begegnet, die hier nur Putzarbeit bekommt. Was für ein Arzt sind Sie denn?«

»Onkologe.«

Harold spürte, wie sein Puls sich beschleunigte, als hätte er unversehens angefangen zu rennen. »Du liebes Bisschen«, sagte er. Es war unübersehbar, dass keiner der beiden Männer wusste, wie das Gespräch von hier aus weitergehen sollte. »Oje.«

Der Onkologe zog die Schultern hoch und lächelte bedauernd, als wünschte er, er könne etwas anderes sein. Harold sah sich verstohlen nach der Bedienung um, doch die brachte gerade einem anderen Kunden Wasser. Ihm war schwindlig vor Hitze, er wischte sich über die Stirn.

Der Onkologe fragte: »Wissen Sie, an welcher Art von Krebs Ihre Freundin leidet?«

»Ich bin nicht sicher. In ihrem Brief schreibt sie, man könne nichts mehr tun. Mehr sagt sie nicht.« Harold fühlte sich furchtbar nackt und schutzlos, als hätte der Onkologe mit seinem Skalpell an seiner Haut herumgeschabt. Er lockerte die Krawatte, dann den Kragen, und wünschte sich, die Bedienung würde sich beeilen.

»Lungenkrebs?«

»Ich weiß es wirklich nicht.«

»Darf ich den Brief sehen?«

Harold wollte ihn eigentlich nicht herzeigen, aber der Arzt streckte schon die Hand danach aus. Harold griff in seine Tasche und tastete nach dem Umschlag. Er drückte das Klebepflaster auf seiner Lesebrille wieder fester zusammen, aber sein Gesicht war so rutschig vor Schweiß, dass er das Gestell festhalten musste. Er wischte mit dem Ärmel über den Tisch, dann noch einmal mit seiner Serviette, bevor er das rosa Blatt

Papier darauf entfaltete und glattstrich. Die Zeit schien still-
zustehen. Als der Onkologe nach dem Brief griff und ihn behutsam näher zu sich heranzog, hielt Harold weiter die rechte
Hand über das Blatt.

Er las Queenies Worte noch einmal, gleichzeitig mit dem
Arzt. Er hatte das Gefühl, er müsse den Brief beschützen
und dürfe ihn dazu nicht aus den Augen lassen. Sein Blick
fiel auf das Postskriptum: *Sie müssen nicht antworten.* Darunter folgte ein zittriger Krakel, als hätte jemand mit der linken Hand versehentlich den Brief bekritzelt.

Der Onkologe lehnte sich zurück und stieß einen Seufzer
aus. »Was für ein bewegender Brief.«

Harold nickte. Er steckte die Lesebrille wieder in die Brust-
tasche seines Hemds. »Und so schön getippt«, sagte er. »Queenie war immer sehr ordentlich. Sie hätten ihren Schreibtisch
sehen sollen.« Endlich lächelte er. Es war schon in Ordnung.

Der Onkologe sagte: »Vermutlich hat ein Betreuer den
Brief für sie geschrieben?«

»Wie bitte?« Harolds Herz setzte aus.

»Es geht ihr sicher nicht so gut, dass sie in einem Büro
sitzen und Briefe tippen kann. Jemand im Hospiz wird das
für sie erledigt haben. Aber schön, dass sie die Adresse hin-
bekommen hat. Da können Sie sehen, dass sie sich wirklich
bemüht hat.« Das Lächeln des Onkologen war offensichtlich
beruhigend gemeint, aber es blieb an seinem Gesicht kleben,
als wäre es vergessen worden oder hätte sich sogar dorthin
verirrt.

Harold nahm den Umschlag in die Hand. Die Wahrheit traf
ihn wie ein Keulenschlag, alles ringsum schien von ihm weg-
zufliegen. Er wusste nicht mehr, ob ihm unerträglich heiß war
oder eiskalt. Wieder setzte er umständlich seine Lesebrille auf
und erkannte nun, was ihm vorher entgangen war, was ihn an

dem Brief immer gestört hatte. Wieso hatte er es nicht früher gesehen? Es war die kindliche, abwärts geneigte Handschrift, ihre fast komischen Unregelmäßigkeiten. Die von derselben Hand stammte wie der schlampige Krakel am Schluss des Briefes, der sich, wenn er genauer hinsah, als misslungener Versuch einer Unterschrift entpuppte.

Es war Queenies Handschrift. Die zeigte, was aus ihr geworden war.

Harold steckte den Brief wieder in den Umschlag, doch seine Finger zitterten so sehr, dass es ihm nicht gelang, ihn ganz in die Ecken zu schieben. Er musste ihn noch einmal herausziehen, neu zusammenfalten und wieder hineinschieben.

Nach einer langen Pause fragte der Onkologe: »Wie viel wissen Sie über Krebs, Harold?«

Harold gähnte, um die Gefühle zu ersticken, die sich auf seinem Gesicht abzeichnen wollten, während der Onkologe langsam erklärte, wie ein Tumor entsteht. Er nahm sich Zeit. Er wich nicht aus. Er beschrieb, wie sich eine Zelle unkontrolliert vermehren und eine abnorme Gewebsmasse erzeugen kann. Es gebe über zweihundert Krebsarten, sagte er, jede mit anderen Ursachen und Symptomen. Er erklärte den Unterschied zwischen Primär- und Sekundärkrebs und dass sich die Behandlung nach dem Primärkrebs richtet. Er erklärte, dass sich neue Tumore, die sich auf entfernten Organen bilden, genauso verhalten wie der ursprüngliche Tumor. Ein Brustkrebs, der sich in der Leber entwickelt, ist beispielsweise kein Leberkrebs, sondern ein sekundärer Brustkrebs in der Leber. Sobald weitere Organe befallen werden, können sich die Symptome verschlimmern. Und wenn sich der Krebs einmal über seinen Entstehungsort hinaus ausgebreitet hat, wird er schwieriger zu behandeln. Dringt er zum Beispiel in das

Lymphsystem ein, kommt das Ende rasch, allerdings kann bei dem derart geschwächten Immunsystem eine andere Infektion schon vorher zum Tode führen. »Eine Erkältung würde genügen«, sagte er.

Harold hörte reglos zu.

»Ich will nicht behaupten, dass sich Krebs nicht heilen lässt. Und wenn die Chirurgie am Ende ist, gibt es noch andere Behandlungsmethoden. Aber als Arzt würde ich einem Patienten niemals sagen, dass nichts mehr getan werden könne, wenn ich nicht absolut sicher wäre. Harold, Sie haben eine Frau und einen Sohn. Sie sehen müde aus, wenn ich das sagen darf. Ist es wirklich notwendig, dass Sie weiterlaufen?«

Harold hatte keine Worte mehr. Er stand auf, griff nach seiner Jacke und schlüpfte hinein, fand aber den einen Ärmel nicht, dass der Onkologe aufstehen und ihm helfen musste. »Viel Glück«, sagte er und streckte Harold die Hand hin. »Und lassen Sie mich bitte die Rechnung übernehmen. Das ist das Mindeste, was ich tun kann.«

Den Rest des Nachmittags lief Harold blind durch die Straßen, ohne zu wissen, wohin er ging. Er hätte dringend jemanden gebraucht, der den Glauben an seinen Weg mit ihm teilte, damit auch er wieder daran glauben konnte, aber er hatte kaum die Kraft für ein Gespräch. Schließlich schaffte er es, seine Schuhe neu besohlen zu lassen. Er kaufte eine Packung Pflaster, die bis Stroud reichen würden. Dann machte er an einem Kiosk Halt, wo er einen Becher Kaffee mitnahm und Berwick kurz erwähnte, ohne zu sagen, wie er dorthin gelangen wollte und warum. Niemand sagte die Worte, nach denen er sich so sehnte. Niemand sagte: Sie werden es schaffen, und Queenie wird leben. Niemand sagte: Sie werden einen Riesenapplaus bekommen, Harold, denn das ist die beste Idee aller Zeiten. Sie müssen Ihren Weg unbedingt zu Ende gehen.

Harold rief Maureen an und versuchte, mit ihr zu reden, aber er hatte Angst, ihre Zeit zu verschwenden. Es kam ihm vor, als hätte er alle normalen Wörter und Alltagsfragen verlegt, die zu einem geschmeidigen Austausch von Gemeinplätzen führen würden, und so verschärfte das Reden seinen Kummer nur. Er sagte, er käme prima voran. Dann brachte er den Mut auf anzudeuten, dass einige Menschen Zweifel geäußert hatten, und hoffte, Maureen würde diese Zweifel mit einem Lachen zerstreuen, aber stattdessen sagte sie: »Ja, das kann ich mir vorstellen.«

»Ich weiß nicht einmal, ob sie ...« Wieder verließen ihn die Worte.

»Ob sie – was?«

»Immer noch wartet.«

»Ich dachte, das wüsstest du.«

»Eigentlich nicht.«

»Hast du noch bei anderen Damen aus der Slowakei übernachtet?«

»Ich bin einem Arzt begegnet und einem sehr berühmten Schauspieler.«

»Du liebe Güte!« Maureen lachte. »Das muss ich Rex erzählen.«

Ein dicker Mann mit Glatze und geblümtem Kleid trottete am Kiosk vorbei. Die Leute verlangsamten ihren Schritt und deuteten lachend auf ihn. Die Knöpfe an seinem Kleid spannten über dem Bauch, und an einem Auge hatte er ein dickes Veilchen von einer Schlägerei, die noch nicht lange her sein konnte. Harold wünschte, er hätte den Mann nicht gesehen. Aber es war nun einmal passiert, und er wusste, dass er nun eine ganze Weile von unerträglichen Gedanken an diesen Mann heimgesucht würde, was sich aber nicht verhindern ließ.

»Geht's dir auch sicher gut?«, fragte Maureen.

Darauf folgte eine weitere Pause, und plötzlich hatte er Angst, gleich in Tränen auszubrechen, deshalb log er, es warte jemand an der Telefonzelle und er müsse Schluss machen. Der Himmel hatte im Westen einen roten Streifen, die Sonne ging langsam unter.

»Tschüss dann«, sagte Maureen.

Harold saß lange auf einer Bank vor der Kathedrale und überlegte, wohin er gehen sollte. Ihm war, als hätte er seine Jacke abgelegt, sein Hemd und dann mehrere Schichten Haut und Muskeln. Selbst die gewöhnlichsten Dinge gingen ihm nahe. Ein Verkäufer begann eine gestreifte Markise hochzukurbeln; das quietschte so sehr, dass Harold glaubte, sein Kopf würde zerspringen. Er blickte die leere Straße hinunter. Er kannte niemanden, gehörte nirgends hin. Da sah er am anderen Ende der Straße David.

Harold stand auf. Sein Puls fing an zu rasen, dass er ihn im Mund spüren konnte. Das konnte doch nicht sein Sohn sein; er konnte nicht in Bath sein. Und doch – als er die gebückte, an einer Zigarette ziehende Gestalt auf sich zuschreiten sah, die schwarzen, wie Flügel geblähten Mantelschöße, wusste Harold, dass es David war, dass sie sich gleich begegnen würden. Er zitterte so sehr, dass er nach der Banklehne greifen musste.

Sogar von seinem Standort aus konnte er sehen, dass David seine Haare wieder hatte wachsen lassen. Maureen würde sich sehr freuen. Sie hatte bitter geweint, als David sich eine Glatze rasiert hatte. Sein Gang war immer noch derselbe, schlenkernd und mit langen Schritten, der Blick zum Boden gerichtet, der Kopf gebeugt, als wären andere Menschen unbedingt zu meiden. Harold rief: »David! David!« Sie waren keine zwanzig Meter mehr voneinander entfernt.

Sein Sohn wankte, als hätte er das Gleichgewicht verloren oder wäre gestolpert. Vielleicht war er betrunken, aber das machte nichts. Harold würde ihn zu einem Kaffee einladen. Oder zu einem Drink, wenn ihm das lieber war. Sie könnten miteinander essen. Oder auch nicht. Sie könnten tun, worauf immer sein Sohn Lust hatte.

»David!«, rief er wieder. Er bewegte sich langsam auf ihn zu. Behutsam, um ihm zu zeigen, dass er keine bösen Absichten hatte. Nur noch ein paar Schritte.

Er erinnerte sich, dass David nach der Tour im Lake District dürr wie ein Gerippe gewesen war, erinnerte sich, wie sein Kopf auf dem Hals balancierte, als habe sich sein Körper von der Welt abgewandt und wolle nur noch sich selbst verzehren.

»David!«, rief er noch einmal, ein bisschen lauter, damit er den Blick hob.

Sein Sohn sah ihn an, aber er lächelte nicht. Er sah Harold an, als wäre sein Vater nicht da, oder als wäre er ein Teil der Straße, jedenfalls nichts, was er wiedererkannte. Harold drehte sich das Herz um. Er hoffte, er würde nicht zu Boden gehen.

Es war nicht David. Es war jemand anderer. Der Sohn eines anderen Mannes. Harold hatte sich ein paar kurze Augenblicke erlaubt zu glauben, dass David an einem Ende der Straße erscheinen könnte, während er am anderen Ende saß. Der junge Mann bog scharf nach rechts und ging rasch davon, wurde immer kleiner und undeutlicher, bis er mit einer zackigen Bewegung um eine Ecke verschwand. Harold sah ihm immer noch nach und wartete, falls der junge Mann es sich anders überlegte und sich doch entschloss, David zu sein, aber dieser Fall trat nicht ein.

Es war schlimmer, als seinen Sohn zwanzig Jahre lang nicht zu sehen. Es war, als hätte er ihn wiedergewonnen und von neuem verloren, alles noch einmal von vorn. Harold kehrte zu der Bank vor der Kathedrale zurück. Ihm war klar, dass er einen Platz zum Schlafen finden musste, doch er war zu keiner Bewegung fähig.

Er landete schließlich in der Nähe des Bahnhofs, in einem stickigen Zimmer, das zur Straße hinausging. Er zerrte das Schiebefenster hoch, damit Luft hereinkam, aber der Verkehr ließ nicht nach, und die Züge hielten mit kreischenden Bremsen an den Bahnsteigen. Hinter der Wand telefonierte jemand laut. Harold lag auf einem Bett, das zu weich war, in dem zahllose Unbekannte vor ihm geschlafen hatten; er hörte der Stimme zu, die er nicht verstand, und hatte Angst. Er stand wieder auf und lief im Raum auf und ab, die Wände waren zu nah, die Luft zu stickig; der Verkehr und die Züge rauschten unablässig ihren Zielen entgegen.

Die Vergangenheit ließ sich nicht ändern. Inoperabler Krebs ließ sich nicht heilen. Harold rief sich das Bild des Fremden zurück, der als Frau gekleidet war und einen Schlag aufs Auge abbekommen hatte. Er erinnerte sich, wie David am Tag seiner Abschlussfeier ausgesehen hatte und auch in den Monaten danach, als schliefe er mit offenen Augen. Es war zu viel. Es ging über seine Kräfte, er konnte nicht mehr.

Als der Morgen dämmerte, war Harold schon auf der A367, aber er orientierte sich weder an seinem Kompass noch an seinen Reiseführern. Er brauchte seine ganze Kraft und seinen ganzen Willen, um einen Fuß vor den anderen zu setzen. Erst als drei junge Mädchen auf Pferden ihn nach dem Weg nach Shepton Mallet fragten, merkte er, dass er einen ganzen Tag verloren hatte, weil er in die falsche Richtung gelaufen war.

Er setzte sich an den Straßenrand und blickte über das Feld, das von gelben Blüten loderte. Er konnte sich an den Namen dieser Pflanzen nicht erinnern und hatte keine Lust, seinen Pflanzenführer hervorzuholen. Er musste der Tatsache ins Auge blicken, dass er viel zu viel Geld ausgab. Nachdem er drei Wochen gelaufen war, lag Kingsbridge immer noch näher als Berwick. Die ersten Schwalben flogen ihre Auf- und Abwärtsbögen und spielten in der Luft wie Kinder.

Harold wusste nicht, wie er jemals wieder aufstehen sollte.

17
Maureen und der Garten

»Ja, David«, sagte Maureen, »er läuft immer noch. Er ruft fast jeden Abend an. Und Rex ist sehr nett. Irgendwie komisch, aber ich bin beinahe stolz auf Harold. Ich wünschte, ich könnte ihm das sagen.«

Sie lag auf dem Doppelbett, das sie einmal mit Harold geteilt hatte, und betrachtete das Rechteck des hellen, hinter den Gardinen gefangenen Morgenlichts. In einer Woche war so viel passiert, dass sie manchmal das Gefühl hatte, sie wäre in die Haut einer anderen Frau geschlüpft. »Er schickt Postkarten und ab und zu ein Geschenk. Er scheint ein Faible für Schreibgeräte zu haben.« Sie machte eine Pause; sie fürchtete, sie habe David irgendwie verprellt, weil er keine Antwort gab. »Ich hab dich lieb«, sagte sie. Ihre Worte versickerten ins Nichts; er antwortete immer noch nicht. »Dann stör ich dich nicht weiter«, sagte sie schließlich.

Sie war nicht gerade erleichtert, als sie das Gespräch beendete, aber zum ersten Mal war ihr nicht ganz wohl dabei gewesen, als sie mit ihrem Sohn redete. Eigentlich hatte sie gedacht, jetzt, wo Harold weg war, würde eine größere Nähe zwischen ihnen entstehen. Wenn sie wollte, könnte sie sich nun stundenlang mit ihm unterhalten, doch immer kam etwas dazwischen, so beschäftigt war sie. Oder sie redete zwar mit ihm, spürte aber immer deutlicher, dass er nicht zuhörte. Sie fand Ausflüchte, sein Zimmer nicht mehr saubermachen. Sie hörte sogar auf zu hoffen, dass sie ihn wiedersehen würde.

Diese Wende hatte mit der Fahrt nach Slapton Sands begonnen. Nachdem sie Rex über den Zaun noch ein Dankeschön zugerufen hatte, traf sie erst nach einigem Gefummel mit dem Hausschlüssel ins Türschloss. Dann stieg sie die Treppe hoch, ohne die Schuhe auszuziehen, und steuerte direkt auf das große Schlafzimmer zu. Voll bekleidet ließ sie sich aufs Bett fallen und schloss die Augen. Mitten in der Nacht merkte sie, wo sie war, und erschrak erst, aber gleich darauf überkam sie ein befreiendes Gefühl. Es war vorbei. Sie konnte nicht genau festmachen, was da vorbei war – eine nicht näher zu bestimmende, quälende Last war von ihr abgefallen. Sie zog die Bettdecke über sich und schmiegte sich in Harolds Kissen. Es roch nach Pears-Seife und nach ihm. Als sie später noch einmal aufwachte, spürte sie wieder dieselbe Leichtigkeit, die durch sie hindurchfloss wie warmes Wasser.

Danach schleppte sie einen Armvoll ihrer Kleidung nach der anderen aus dem Gästezimmer herein und hängte sie in den Schrank, Harolds Sachen gegenüber, an das andere Ende der Kleiderstange. Sie stellte sich selbst eine herausfordernde Aufgabe: Solange Harold nicht da war, würde sie jeden Tag etwas Neues anpacken. Sie trug den Stapel ungeöffneter Rechnungen zum Küchentisch, holte das Scheckbuch heraus und bezahlte eine nach der anderen. Sie rief die Krankenversicherung an, ob Harolds Versicherungsschutz noch auf dem neuesten Stand sei. Sie fuhr das Auto zur Tankstelle und ließ den Luftdruck in den Reifen prüfen. Sie band sich sogar wieder wie früher einen Seidenschal um die Haare. Als Rex unerwartet am Gartenzaun auftauchte, zerrte sie den Knoten hastig wieder auf.

»Ich sehe albern aus«, sagte sie.

»Gar nicht, Maureen.«

Er schien etwas im Schilde zu führen. Sie hatten im Garten darüber spekuliert, wo Harold gerade sein könnte, als er plötzlich still wurde. Als sie ihn fragte, ob ihm etwas fehle, schüttelte er beruhigend den Kopf. »Wart's ab«, sagte er, »mir ist gerade was eingefallen.« Ihr schwante, dass dieser Einfall mit ihr zu tun hatte.

Letzte Woche, als sie im Schlafzimmer das Fensterbrett hinter den Gardinen abgestaubt hatte, hatte sie bemerkt, wie der Postbote an Rex' Tür eine Papprolle ablieferte. Einen Tag später spionierte sie vom selben Aussichtspunkt aus Rex nach, wie er sich mit einem fenstergroßen Brett, das er mit der karierten Decke aus dem Rover getarnt hatte, den Gartenweg hinaufkämpfte. Maureen platzte vor Neugier. Sie lauerte Rex im Garten auf, ging sogar mit einem Korb trockener Wäsche hinaus und hängte sie noch einmal auf die Leine, aber er kam den ganzen Nachmittag nicht aus dem Haus.

Sie klopfte und fragte ihn, ob er genug Milch habe, und er brummte durch den Türspalt, ja, habe er, und im Übrigen sei er gerade dabei, ins Bett zu gehen. Aber als sie um elf Uhr nachts noch einmal hinausging und über die hintere Gartentür spähte, war das Licht in seiner Küche noch an, und sie konnte ihn herumwirtschaften sehen.

Am nächsten Tag rappelte es am Briefschlitz, und als Maureen in die Diele stürzte, sah sie hinter der Riffelglasscheibe ein merkwürdiges Rechteck, auf dem ein kleiner Kopf zu schwimmen schien. Als sie die Tür öffnete, entdeckte sie hinter einem riesigen flachen, in braunes Packpapier eingeschlagenen, mit Schnur zusammengebundenen Paket Rex. »Darf ich reinkommen?«, schnaufte er. Kaum, dass er die Worte herausbekam.

Maureen konnte sich nicht erinnern, wann sie das letzte Mal außer der Reihe – also nicht an Weihnachten oder zum Geburtstag – ein Geschenk bekommen hatte. Sie führte Rex ins Wohnzimmer und fragte, was sie ihm anbieten dürfe, Kaffee oder Tee. Er drängte sie, sich weder mit dem einen noch dem anderen aufzuhalten, sondern sofort ihr Geschenk aufzumachen. »Reiß das Papier einfach runter, Maureen«, sagte er.

Das brachte sie nicht über sich. Es war zu aufregend. Sie schälte eine Ecke Packpapier ab, unter der ein harter Holzrahmen zum Vorschein kam. Dann schälte sie die andere Ecke Papier ab und entdeckte darunter dasselbe. Rex saß da und hielt seine Hände im Schoß umklammert, und jedes Mal, wenn Maureen einen neuen Papierstreifen abriss, zuckten seine Füße in die Höhe, als spränge er über ein unsichtbares Seil, und er stieß einen kleinen Japser aus.

»Schneller, schneller«, rief er.

»Was kann das bloß sein?«

»Na, mach schon, Maureen. Schau's dir an. Das hab ich extra für dich gemacht.«

Es war eine Riesen-Englandkarte, auf eine Pinnwand aufgezogen. Hinten hatte er zwei kleine Spiegelhalterungen befestigt, damit man die Karte aufhängen konnte. Er deutete auf Kingsbridge, wo Maureen eine Reißzwecke fand, an der ein blauer Faden befestigt war. Der Faden spannte sich weiter nach Loddiswell, von dort nach South Brent, von dort nach Buckfast Abbey. Harolds bisherige Route war mit blauem Faden und Reißzwecken abgesteckt und endete südlich von Bath. Am oberen Ende Englands hatte Rex Berwick upon Tweed mit grünem Leuchtstift und einer kleinen selbstgebastelten Flagge markiert. Er hatte sogar eine Schachtel Reißzwecken beigelegt, damit Maureen auch Harolds Postkarten aufhängen konnte.

»Ich dachte, du könntest sie über die Teile Englands pinnen, die er nicht besucht«, sagte Rex. »Zum Beispiel Norfolk und South Wales. Da kommt er sicher nicht hin.«

Rex schraubte in der Küche Haken für die Karte in die Wand, und sie hängten sie über den Tisch, damit Maureen immer sehen konnte, wo Harold war, und seine Reise etappenweise abstecken konnte. Die Pinnwand hing ein wenig schief, weil Rex Probleme mit dem Bohrer hatte und der erste Dübel von der Wand verschluckt wurde. Aber wenn Maureen den Kopf leicht schräg hielt, bemerkte man die Schieflage kaum. Außerdem sei es egal, sagte sie zu Rex, wenn nicht alles so perfekt war.

Auch das waren bei Maureen ganz neue Töne.

Nachdem Rex Maureen die Landkarte geschenkt hatte, machten sie jeden Tag einen Ausflug. Sie begleitete ihn zum Krematorium, mit Rosen für Elizabeth, danach tranken sie Tee in Hope Cove, einem idyllisch an einer Bucht gelegenen Dörfchen. Sie besuchten Salcombe und machten einen Bootsausflug über den Meeresarm, an einem anderen Nachmittag fuhr Rex mit Maureen nach Brixham, Krebse kaufen. Sie liefen auf der Küstenstraße nach Bigbury und aßen im Oyster Shack frische Schalentiere. Rex sagte, ein bisschen Szenenwechsel täte ihm gut, er hoffe nur, er falle ihr nicht lästig, und Maureen versicherte ihm, auch ihr würden die Unternehmungen helfen, aus dem Grübeln herauszukommen. Sie saßen vor den Dünen bei Bantham, und Maureen erzählte, wie Harold und sie, frisch verheiratet, vor fünfundvierzig Jahren nach Kingsbridge gekommen waren. Voller Hoffnungen, damals.

»Wir kannten niemanden, aber das war uns egal. Wir brauchten nur einander. Harold hatte eine schwierige Kindheit. Ich glaube, er hat seine Mutter sehr geliebt. Und sein Vater muss nach dem Krieg einen Zusammenbruch erlitten haben. Ich wollte alles für ihn sein, was er nie gehabt hatte. Ich wollte ihm ein Zuhause und eine Familie schenken. Ich habe kochen gelernt. Vorhänge genäht. Ich habe aus Obstkisten einen Sofatisch zusammengezimmert. Harold hat mir vor dem Haus Gemüsebeete angelegt, und ich habe alles angepflanzt. Kartoffeln, Bohnen, Möhren.« Sie lachte. »Wir waren sehr glücklich.« Es war ein solches Vergnügen, diese Dinge auszusprechen, und sie wünschte, sie fände noch mehr Worte dafür. »Sehr glücklich«, wiederholte sie.

Es war Ebbe, das Meer hatte sich weit zurückgezogen, der Sand glänzte unter der Sonne wie glasiert. Die kleine Insel Burgh war mit dem Ufer durch einen Sandstreifen verbunden. Die Leute hatten bunte Windschutzplanen und kleine Igluzelte aufgestellt. Hunde tollten über den Strand, jagten Stöcken und Bällen nach; Kinder liefen mit Schaufeln und Eimern hin und her, und weit draußen glitzerte das Meer. Es fiel Maureen wieder ein, wie sehr sich David einen Hund gewünscht hatte. Sie suchte nach ihrem Taschentuch und bat Rex, sie nicht zu beachten. Vielleicht lag es daran, dass sie nach all den Jahren wieder nach Bantham gekommen war. Wie oft hatte sie Harold sein Verhalten vorgeworfen, als David beinahe ertrunken wäre.

»Ich sage so viel, was ich gar nicht meine. Sogar wenn ich etwas Freundliches über Harold denke, verwandelt es sich auf dem Weg zum Mund in etwas Bitteres. Er will mir etwas erzählen. ›Das glaube ich nicht‹, fahre ich dazwischen, noch bevor er ausgeredet hat.«

»Ich habe mich immer über Elizabeth aufgeregt, weil sie die

Zahnpastatube nicht wieder zugeschraubt hat. Jetzt schmeiße ich die Kappe weg, sobald ich eine neue Tube anbreche. Ich stelle fest, dass ich das Ding überhaupt nicht brauche.«

Maureen lächelte. Seine Hand lag nahe bei der ihren. Sie hob die Hand und strich über ihr Schlüsselbein, wo die Haut noch zart war. »Als ich jung war, habe ich mir andere Leute unseres Alters angesehen und fand, dass wir unser Leben gut geregelt hatten. Ich hätte mir nicht träumen lassen, dass ich mit dreiundsechzig in einem so fürchterlichen Schlamassel stecken würde.«

Maureen wünschte sich, sie hätte so vieles anders gemacht. Sie lag im Morgenlicht im Bett, gähnte und streckte sich, tastete mit Händen und Füßen die ganze Länge und Breite der Matratze ab, bis in die kalten Ecken hinein. Dann ließ sie ihre Finger über sich selbst wandern. Sie strich über ihre Wangen, ihren Hals, die Umrisse ihrer Brüste. Sie stellte sich Harolds Hände um ihre Taille vor, seinen Mund auf dem ihren. Ihre Haut war nun schlaff, ihre Fingerkuppen nicht mehr so empfindsam wie die einer jungen Frau, trotzdem bekam sie heftiges Herzklopfen, und ihr Blut geriet in Wallung. Da hörte sie draußen Rex' Haustür ins Schloss fallen. Mit einem Ruck setzte sie sich auf. Einen Augenblick später ließ er sein Auto an und fuhr weg. Sie rollte sich wieder im Bett zusammen und schlang die Arme um die Decke wie um einen anderen Körper.

Die Schranktür stand einen Spalt offen, und Maureens Blick fiel auf den Ärmel eines von Harolds Hemden. Der alte Schmerz stach wieder zu. Sie schlug die Decke zurück und suchte nach Ablenkung. Als sie am Schrank vorbeiging, fiel ihr die passende Arbeit ein.

Jahrelang hatte Maureen nach dem Vorbild ihrer Mutter

die Kleidung nach Jahreszeiten geordnet. Wintersachen kamen an das eine Ende der Kleiderstange, zusammen mit den dicken Pullovern, die Sommerkleidung an das andere Ende, neben leichten Jacken und Strickjacken. Sie hatte ihre eigenen Sachen mit einer solchen Hast zurückgehängt, dass sie das Durcheinander in Harolds Kleidung gar nicht bemerkt hatte – die hingen im Schrank wie Kraut und Rüben, ohne Rücksicht auf Wetter oder Stoffdicke. Sie würde alles durchgehen, wegwerfen, was er nicht mehr brauchte, und Ordnung schaffen.

Da waren seine Anzüge, die er zur Arbeit getragen hatte; die Hosen fransten an den Aufschlägen schon aus. Maureen nahm sie aus dem Schrank und legte sie aufs Bett. Dann gab es mehrere Wolljacken, alle an den Ellbogen abgewetzt, da würde sie Flicken aufnähen. Nach einigen Hemden, manche weiß, manche kariert, kam sie zu dem Tweed-Sakko, das er eigens für Davids Abschlussfeier in Cambridge gekauft hatte. Da hämmerte etwas gegen ihre Brust, als wäre es darin eingesperrt. Sie hatte dieses Sakko jahrelang nicht mehr gesehen.

Sie nahm es behutsam vom Bügel und hielt es vor sich hoch, auf Harolds Höhe. Zwanzig Jahre schnurrten zusammen, und sie sah sich selbst und Harold wieder in Cambridge vor der King's Chapel stehen, am Treffpunkt, den sie mit David verabredet hatten. In ihren neuen Sachen fühlten sie sich beide nicht besonders wohl. Maureen sah sich selbst in einem Satinkleid mit wattierten Schultern, dessen Farbe sie heute an gekochten Hummer erinnerte, wahrscheinlich passend zu ihren Wangen damals. Sie sah Harold mit gebeugten Schultern; seine Arme hingen steif herunter, als wären die Jackenärmel aus Holz und nicht aus Stoff.

Er sei schuld, hatte sie sich damals beklagt; er hätte noch einmal nachfragen müssen. Aus Nervosität hackte sie auf ihm herum. Sie hatten über zwei Stunden gewartet, aber wohl doch am falschen Ort. Hatten die ganze Zeremonie verpasst. Dann liefen sie David zufällig über den Weg, als er aus einem Pub kam (dass er sein Examen begoss, war ihm schließlich nicht vorzuwerfen). Er entschuldigte sich zwar, versetzte sie dann aber auch bei der versprochenen Kahnfahrt. Stumm legte das Paar den langen Heimweg von Cambridge nach Kingsbridge zurück.

»Er hat gesagt, er will einen Wanderurlaub machen«, sagte sie schließlich.

»Gut.«

»Nur um die Zeit zu überbrücken. Bis er eine Stelle findet.«

»Gut«, sagte er wieder.

Sie schluckte Tränen der Enttäuschung hinunter, die in ihrem Hals stecken blieben wie ein harter Kloß. »Wenigstens hat er einen Abschluss«, ging sie auf Harold los. »Wenigstens kann er etwas aus seinem Leben machen.«

David kam zwei Wochen später unerwartet nach Hause zurück. Er erklärte seine vorzeitige Rückkehr nicht, aber in seiner braunen Reisetasche klirrte etwas, als er damit ans Treppengeländer stieß. Er nahm seine Mutter öfter beiseite und bat sie um Geld. »Das Studium hat ihn geschlaucht«, entschuldigte sie ihn, wenn er nicht aufstand. Oder: »Er muss nur erst die richtige Stelle finden.« Er versäumte Vorstellungsgespräche oder ging hin und vergaß, sich vorher zu waschen und zu kämmen. »David ist eben zu clever«, sagte sie. Harold machte es sich wieder einmal einfach und nickte bloß dazu; sie hätte ihn am liebsten angeschrien, weil er ihr zu glauben schien. In Wahrheit konnte ihr Sohn die meiste Zeit kaum gerade stehen. Es gab Momente, wenn sie einen verstohlenen Blick auf ihn warf und insgeheim bezweifelte, dass er sein Studium überhaupt beendet hatte. Wenn man zurückblickte, hatte es bei David im Lauf der Jahre so viele Ungereimtheiten gegeben, dass sogar das Wenige, das man zu wissen glaubte, wegzubröckeln begann. Dann wieder bekam Maureen Schuldgefühle, weil sie an ihrem Sohn zweifelte, und ließ sie an Harold aus. Wenigstens hat dein Sohn Aussichten, sagte sie. Wenigstens hat er seine Haare noch. Was auch immer, Hauptsache, sie konnte Harold eins reinwürgen. Aus ihrem Geldbeutel verschwand Geld. Erst Münzen, dann Scheine. Maureen tat, als wäre nichts gewesen.

Im Lauf der Jahre hatte sie David oft gefragt, ob sie mehr hätte tun können; aber er hatte sie beruhigt. Schließlich war sie es gewesen, die geeignete Stellenangebote in der Zeitung markiert hatte. Sie war es gewesen, die einen Arzttermin für ihn gemacht und ihn hingefahren hatte. Maureen erinnerte sich, wie er das Rezept in ihren Schoß fallen ließ, als hätte es nichts mit ihm zu tun. Dosulepin gegen die Depression, Diazepam gegen die Angstzustände, Temazepam, wenn er dann immer noch nicht schlafen konnte.

»Das ist ja eine Menge!«, rief sie und sprang auf. »Was hat der Arzt denn gesagt? Was meint er denn?«

Er hatte nur mit den Achseln gezuckt und sich die nächste Zigarette angesteckt.

Aber danach war wenigstens eine Verbesserung eingetreten. Maureen lauschte in der Nacht, aber er schien zu schlafen. Er stand nicht mehr um vier Uhr morgens auf und frühstückte. Er ging nicht mehr im Morgenmantel zu nächtlichen Spaziergängen aus dem Haus oder verbreitete den widerlichsüßlich Geruch seiner Selbstgedrehten. David war sicher, dass er einen Job finden würde.

Sie sah ihn wieder am Tag seines Entschlusses, sich bei der Armee zu bewerben und dafür seine Haare abzurasieren. Das ganze Bad war voll von seinen langen Locken. Wo seine Hand gezittert hatte oder die Klinge abgerutscht war, hatte er sich Schnitte beigebracht. Maureen hätte am liebsten aufgeschrien angesichts der Barbarei an diesem armen, von ihr abgöttisch geliebten Kopf.

Maureen sank aufs Bett und schlug die Hände vors Gesicht. Was hätten sie denn noch tun können?

»Ach, Harold.« Sie strich über den rauen Tweed seines Sakkos. Das Sakko eines englischen Gentleman.

Dann kam ihr eine ganz andere Idee. In einem plötzlichen Energieschub sprang sie wieder auf. Sie nahm das hummerrote Kleid, das sie zur Abschlussfeier getragen hatte, und hängte es in die Mitte der Stange. Dann nahm sie Harolds Sakko und hängte es neben das Kleid. Die Kleidungsstücke sahen immer noch einsam aus, zu weit voneinander entfernt. Sie hob einen Ärmel des Sakkos und drapierte ihn über die hummerrote Schulter.

Danach ordnete sie alle ihre Kleider mit je einem Kleidungsstück von Harold zu Paaren. Sie steckte die Manschette ihrer Bluse in die Tasche seines blauen Anzugs. Sie legte einen Rocksaum um sein Hosenbein. Ein anderes Kleid ließ sie von seiner blauen Strickjacke umarmen. Es war, als hielten sich eine Menge unsichtbarer Maureens und Harolds in dem Schrank auf und warteten nur darauf, herauszusteigen. Maureen lächelte erst darüber, dann weinte sie, aber sie trennte die Paare nicht wieder.

Rex' Rover, der draußen vorfuhr, riss sie aus ihren Gedanken. Es dauerte nicht lange, da hörte sie aus ihrem Vorgarten ein Scharren. Maureen lupfte die Gardinen und sah, dass Rex auf dem Rasen mit Schnur und Pflöcken Rechtecke abgesteckt hatte und mit einem Spaten aushob.

Er winkte zu ihr hoch. »Wenn wir Glück haben, sind wir noch rechtzeitig für die Stangenbohnen dran.«

Maureen schlüpfte in ein altes Hemd von Harold, pflanzte zwanzig kleine Setzlinge und band sie an Bambusstäbe, ohne die zarten grünen Stängel zu beschädigen. Sie klopfte die Erde um die Wurzeln fest und goss die Pflänzchen an. Erst beobachtete sie sie mit Sorge, ob sie nicht von Möwen angepickt oder im Maifrost erfrieren würden. Aber nachdem sie sie ein, zwei Tage gehütet hatte wie ihren Augapfel, legte sich ihre Sorge wieder. Zu gegebener Zeit wurden die Stängel kräftiger, neue Blätter trieben aus. Maureen pflanzte Reihen von Salat, Roter Beete und Möhren. Sie räumte den Zierteich von Ablagerungen frei.

Es tat gut, Erde unter ihren Fingernägeln zu spüren und wieder etwas zu hegen und zu pflegen.

18
Harold und die Entscheidung

»Guten Tag. Ich rufe wegen einer Patientin namens Queenie Hennessy an. Sie hat mir vor gut vier Wochen einen Brief geschrieben.«

Am sechsundzwanzigsten Tag beschloss Harold neuneinhalb Kilometer südlich von Stroud, nicht mehr weiterzulaufen. Er war die acht Kilometer nach Bath zurückgelaufen und von dort aus noch vier Tage der A46 gefolgt, aber es verstörte ihn zutiefst, dass er sich in der Richtung geirrt hatte, und das Gehen kam ihn hart an. Die Hecken wichen Gräben und Trockenmauern. Das Land wurde flach, dehnte sich weit nach allen Seiten. Riesige Strommasten marschierten in einer langen Reihe, so weit das Auge reichte. Er vermerkte diese Dinge, hatte aber kein Interesse daran zu ergründen, warum sie da waren. Irgendwie hörte die Straße nie auf, löste ihr Versprechen nie ein. Da er tief im Innersten überzeugt war, dass er nie ankommen würde, musste er den letzten Rest Entschlusskraft zusammenkratzen, um in Bewegung zu bleiben.

Warum hatte er so viel Zeit damit verschwendet, den Himmel und die Hügel zu betrachten, sich mit Leuten zu unterhalten, über das Leben nachzudenken und seinen Erinnerungen nachzuhängen, wenn er die ganze Zeit in ein Auto hätte steigen können? Natürlich würde er es in diesen Segelschuhen nicht schaffen. Natürlich konnte Queenie nicht weiterleben, nur weil er sie dazu aufgefordert hatte. Tag für Tag drückten die weißen Wolken tief nach unten, hier und da von einem silbrigen Sonnenstrahl aufgehellt. Harold senkte den Kopf, damit er die Vögel nicht sah, die über ihm durch die Luft flitzten, oder die Autos, die wie der Blitz vorbeischossen. Er fühlte sich einsamer und verlassener als oben auf einem fernen Berg.

Bei seinem Beschluss dachte er nicht nur an sich selbst, sondern auch an Maureen. Er vermisste sie täglich mehr. Er wusste, dass er ihre Liebe verloren hatte, aber es war falsch, einfach davonzulaufen und ihr die Scherben zu hinterlassen; er hatte ihr schon viel zu viel Kummer gemacht. Und da war auch David. Seit Bath fühlte sich Harold schmerzlich weit von ihm entfernt. Er vermisste sie beide.

Nicht zuletzt spielte auch das Geld eine Rolle. Die Pensionen waren billig gewesen, trotzdem konnte er es sich nicht leisten, auf die Dauer so weiterzureisen. Er hatte auf der Bank nach dem Kontostand gesehen und war erschrocken. Wenn Queenie noch lebte und an seinem Besuch interessiert war, dann würde er in den nächsten Zug steigen. Er könnte noch am Abend in Berwick sein.

Die Frau am anderen Ende der Leitung fragte: »Haben Sie schon einmal angerufen?« Harold überlegte, ob er beim ersten Mal wohl mit derselben Frau gesprochen hatte. Ihre Stimme klang jedenfalls schottisch oder irisch. Er war jetzt zu müde, um die feinen Unterschiede herauszuhören.

»Könnte ich mit Queenie sprechen?«

»Es tut mir sehr leid, aber ich fürchte, das ist nicht möglich.«

Da war ihm, als wäre er gegen eine Wand gelaufen, die er

234

nicht gesehen hatte. »Ist sie …?« Die Brust wollte ihm zerspringen. Er konnte es nicht aussprechen.

»Sind Sie der Gentleman, der zu Fuß kommen wollte?«

Harold schluckte schwer, es war, als schlucke er etwas Scharfkantiges hinunter. Ja, das sei er, sagte er. Er entschuldigte sich.

»Mr Fry, Queenie hatte keine Familie, keine Freunde. Wenn die Menschen niemanden haben, für den es sich zu bleiben lohnt, geht es meist schnell dem Ende zu. Wir haben auf Ihren Anruf gehofft.«

»Aha.« Er konnte kaum sprechen. Nur zuhören. Sogar sein Blut war wie gefroren.

»Nach Ihrem Anruf haben wir alle die Veränderung an Queenie bemerkt. Es war sehr deutlich.«

Er sah einen leblosen, steifen Körper auf einer Bahre. Schmerzhaft spürte er, wie es war, wenn man zu spät kam und nichts mehr ändern konnte. Er flüsterte rau: »Ja.« Und dann, nachdem die Frau nichts mehr sagte: »Natürlich.« Er stützte sich mit der Stirn, dann auch mit der Schulter an die Glasscheibe der Telefonzelle und schloss die Augen. Wenn man seine Gefühle doch einfach abschalten könnte.

Die Frau gab ein vibrierendes Geräusch von sich, einem Lachen nicht unähnlich, aber da hatte er sich wohl verhört. »Wir haben noch nie so etwas gesehen. An manchen Tagen setzt sie sich auf. Sie zeigt uns alle Ihre Postkarten.«

Harold schüttelte den Kopf, ohne zu begreifen. »Wie bitte?«

»Sie wartet auf Sie, Mr Fry. Wie Sie es ihr nahegelegt haben.«

Er zuckte unter seinem eigenen Freudenschrei zusammen. »Sie lebt? Es geht ihr besser?« Er lachte, ohne es zu wollen, sein Lachen wurde immer schallender, brach in Wellen hervor, während ihm die Tränen über die Wangen liefen. »Sie wartet auf mich?« Er stieß die Tür der Telefonzelle auf und boxte in die Luft.

»Als Sie uns angerufen und von Ihrem Plan erzählt haben, habe ich befürchtet, dass Ihnen der Ernst der Lage nicht ganz klar ist. Aber ich habe mich getäuscht. Ihre Heilmethode ist ziemlich alternativ; ich weiß nicht, wie Sie darauf gekommen sind. Aber vielleicht braucht die Welt ja genau das: ein bisschen weniger Vernunft und ein bisschen mehr Glauben.«

»Ja! Ja!« Harold lachte immer noch, er konnte nicht aufhören.

»Darf ich fragen, wie Sie vorankommen?«

»Gut. Sehr gut. Gestern, oder vielleicht auch vorgestern, habe ich in Old Sodbury übernachtet. Ich bin auch an Dunkirk vorbeigekommen. Und jetzt bin ich wohl in Nailsworth.« Harold fand die Ortsnamen unglaublich komisch. Und auch die Stimme am anderen Ende gluckste leise.

»Man fragt sich, wo diese Namen alle herkommen. Wann dürfen wir Sie erwarten?«

»Lassen Sie mich kurz überlegen.« Harold putzte sich die Nase und wischte die letzten Tränenspuren weg. Er sah auf die Uhr und fragte sich, wann der nächste Zug gehen würde, wie oft er umsteigen müsste. Dann malte er sich wieder die räumliche Entfernung zwischen sich und Queenie aus, die Hügel, die Straßen, die Menschen, den Himmel. Er sah sie wie an jenem ersten Nachmittag, mit einem Unterschied: Jetzt stellte er sich selbst mitten hinein. Er war ein bisschen kaputt, ein bisschen müde, hatte sich abgewandt von der Welt, aber er würde Queenie nicht enttäuschen. »In ungefähr drei Wochen. Vielleicht ein paar Tage mehr oder weniger.«

»Du liebe Güte!« Die Frau lachte. »Ich werd's ihr sagen.«

»Und richten Sie ihr auch aus, dass sie nicht aufgeben soll.

Sagen Sie ihr, ich laufe weiter.« Auch er musste wieder lachen; sie hatte ihn angesteckt.

»Gut.«

»Selbst wenn sie Angst hat: Sie muss warten. Sie muss weiterleben.«

»Ich glaube, das wird sie auch. Gott segne Sie, Mr Fry.«

Den Rest des Nachmittags lief Harold weiter, bis in die Dämmerung hinein. Die schweren Zweifel, die er vor dem Anruf gehabt hatte, waren verflogen. Er war einer großen Gefahr entkommen. Wunder gab es tatsächlich! Wenn er in einen Zug oder in ein Auto gestiegen wäre, dann wäre er zwar schon unterwegs in der Annahme, das Richtige zu tun, trotzdem wäre es falsch. Er hätte beinahe alles hingeworfen, aber dann war etwas geschehen, was ihn zum Durchhalten anspornte. Er würde kein zweites Mal in Versuchung kommen aufzugeben.

Die Straße von Nailsworth führte an einer alten Mühle vorbei in die Außenbezirke von Stroud. Auf dem Weg hinunter ins Zentrum kam er an einer Zeile Reihenhäuschen aus roten Ziegeln vorbei; vor einem der Häuschen stand ein Gerüst mit Leitern, auf der Straße ein Container mit Bauschutt. Darin leuchtete etwas Buntes. Harold wurde darauf aufmerksam, schob ein paar Sperrholzstücke beiseite und fand einen Schlafsack. Er schüttelte den Staub aus ihm heraus; zwar quoll aus einem Riss die Füllung wie eine weiche, weiße Zunge, aber der Riss war nur oberflächlich und der Reißverschluss intakt. Harold rollte den Schlafsack zu einem Bündel zusammen und ging zu dem Haus. Im Erdgeschoss brannten schon die Lampen.

Als der Besitzer Harolds Geschichte hörte, rief er seine Frau, dann boten sie ihm einen Klappstuhl, einen Teekocher und eine Yogamatte an. Harold versicherte ihnen, der Schlafsack sei mehr als genug.

Die Frau sagte: »Ich hoffe, Sie passen gut auf sich auf. Erst letzte Woche wurde unsere Tankstelle von vier bewaffneten Männern überfallen.«

Harold versprach, wachsam zu sein, obwohl er inzwischen auf den guten Kern vertraute, der in jedem Menschen steckte. Es wurde dunkler, die Dämmerung legte sich wie eine Fellschicht über die Umrisse von Dächern und Bäumen.

Harold betrachtete die buttergelben Lichtvierecke in den Häusern, in denen die Menschen ihren Beschäftigungen nachgingen und sich später ins Bett legen würden, versuchen würden zu schlafen, auch wenn sie schlecht träumten. Wieder fiel ihm auf, wie sehr ihm am Wohl der anderen lag, wie sehr es ihn erleichterte, dass sie an einem warmen, sicheren Ort aufgehoben waren, er aber die Freiheit besaß, weiterzulaufen. Schließlich war es immer so gewesen – er hatte immer ein wenig abseitsgestanden. Der Mond ging auf, stand voll und hoch am Himmel wie eine Silbermünze, die aus dem Wasser hervorschimmerte.

Er versuchte es an der Tür eines Schuppens, doch sie war mit einem Vorhängeschloss versperrt. Er streifte auf einem Sportplatz herum, fand dort aber keinen Unterschlupf; dann kam er zu einer Baustelle, aber die Fenster und Türen des Rohbaus waren mit Plastikfolie abgedichtet. Er wollte nirgendwo eindringen, wo er nicht willkommen war. Wolkenbänder leuchteten am Himmel wie schwarz-silberne Makrelen. Die Straße und die Dächer badeten im sanftesten Blau.

Harold ging einen steilen Hügel hinauf, auf einem Lehmweg, der an einer Scheune endete. Hier gab es keine Hunde, keine Autos. Das Dach wie auch drei der Wände waren aus Wellblech, die vierte Seite der Scheune war mit einer Plane verhängt, die das Mondlicht hell zurückwarf. Er hob einen Zipfel hoch, bückte sich und trat hinein. Die Luft roch trocken und mild, die Stille war wie gepolstert.

Heuballen waren aufeinandergeschichtet; manche Stapel waren niedrig, andere reichten bis zu den Deckenbalken. Harold kletterte nach oben; seine Füße fanden im Dunkeln leichter Halt als erwartet. Das Heu knisterte unter seinen Segelschuhen und fühlte sich unter seinen Händen weich an. Oben entrollte Harold seinen Schlafsack und kniete sich hin, um den Reißverschluss aufzuziehen. Er lag ganz still da, machte sich aber Sorgen, dass er später an Kopf und Nase frieren würde. Er wühlte seinen Rucksack durch, bis er die weiche Wolle von Queenies Strickmütze ertastete. Queenie hätte sicher nichts dagegen, dass er sie auslieh. Von der anderen Seite des Tals zitterten die Lichter der Häuser herüber.

Harold wurde innerlich ganz klar und durchsichtig; sein Körper schien sich aufzulösen. Regen begann auf das Dach und gegen die Plane zu tropfen, aber es war ein weiches, geduldiges Geräusch, das ihn daran erinnerte, wie Maureen den kleinen David in den Schlaf gesungen hatte. Als der Regen verstummte, vermisste er ihn wie einen alten Bekannten. Er hatte das Gefühl, es gäbe nun nichts mehr von Gewicht, was ihn von Himmel und Erde trennte.

Er wachte in den frühen Morgenstunden auf, noch bevor es dämmerte. Auf einen Ellbogen gestützt, beobachtete er durch die Ritzen, wie der Tag gegen die Nacht anrannte und Licht in den Horizont sickerte, so fahl, dass es keine Farbe hatte. Als die Dinge an räumlicher Tiefe gewannen und der Tag an Selbstsicherheit, zwitscherten die Vögel los; der Himmel durchlief die Skala Grau, Sahnefarben, Pfirsich, Indigo bis hin zum Blau. Eine weiche Nebelzunge schob sich den Talgrund entlang, dass die Hügelkuppen und Häuser wie aus Wolken herauswuchsen. Die Mondscheibe war schon durchsichtig wie ein Gespinst.

Er hatte es geschafft. Er hatte seine erste Nacht draußen verbracht. Das ungläubige Gefühl verwandelte sich rasch in Freude. Er stampfte mit den Füßen, blies in die hohlen Hände und wünschte, er könnte David von diesem Erfolg erzählen. Die Luft war getränkt von Vogelzwitschern und von Leben, es war, als prasselte Regen auf ihn herunter. Er rollte seinen Schlafsack fest zusammen und nahm seinen Fußmarsch wieder auf.

Er lief den ganzen Tag, bückte sich, wenn er eine Quelle fand, und schöpfte mit den Händen Wasser, das kalt und sauber schmeckte. An einem Stand am Straßenrand kaufte er Kaffee und einen Döner. Als er dem Verkäufer von seinem Weg erzählte, wollte der Mann kein Geld von ihm annehmen. Auch seine Mutter erhole sich gerade von einer Krebserkrankung, und es sei ihm ein Vergnügen, Harold eine Mahlzeit zu spendieren. Harold schenkte ihm dafür das Heilwasser aus Bath. Er würde unterwegs etwas anderes finden. Harold ging durch Slad, wo ihm eine Frau mit einem freundlichen Gesicht vom Obergeschoss aus zulächelte, und von dort nach Birdlip. In den Wäldern von Cranham funkelte die Sonne durch das Laub und malte ein bewegtes Lichtfiligran auf den Buchenblätterteppich. Harold verbrachte die zweite Nacht im Freien, in einem leeren Brennholzschuppen, und machte sich am nächsten Tag auf den Weg nach Cheltenham. Zu seiner Linken wölbte sich die Gloucester-Senke nach unten wie eine riesige Schüssel.

Am Horizont in der Ferne kauerten die Black Mountains und die Malvern Hills. Harold konnte Fabrikdächer und die dunstigen Umrisse der Kathedrale von Gloucester erkennen; die winzigen Formen mussten Häuser und Autos sein. So viel Leben gab es da draußen, das seinem täglichen Geschäft nachging, sich durchschlug, litt und kämpfte, ohne zu wissen, dass er hier oben saß und zusah. Wieder spürte er tief im Inneren, dass er sich sowohl innerhalb als auch außerhalb dessen befand, was sich vor seinen Augen ausbreitete, dass er damit verbunden war, aber gleichzeitig nur ein Passant. Harold begann zu begreifen, dass dasselbe für seinen Weg galt. Er war ein Teil der Dinge und auch wieder nicht.

Um ans Ziel zu kommen, musste er dem Gefühl treu bleiben, das ihn als Erstes inspiriert hatte. Es machte nichts, dass andere Menschen anders an die Sache herangehen würden, ja, es musste sogar so sein. Harold würde sich weiter an die Straßen halten, weil er sich dort trotz gelegentlicher Raser sicherer fühlte. Es machte nichts, dass er kein Handy hatte. Es machte nichts, dass er seine Route nicht geplant und keine Straßenkarte mitgenommen hatte. Er besaß eine Karte anderer Art, eine Karte im Kopf, die sich aus den Menschen und Orten zusammensetzte, an denen er vorbeigekommen war. Er würde auch bei seinen Segelschuhen bleiben, denn abgenutzt, wie sie waren, gehörten sie doch zu ihm. Er erkannte, dass für einen Menschen, der sich von Altem löst und weiterzieht, Neues, Fremdes Bedeutung bekommt. Und da schien es ihm besonders wichtig, dass er sich weiter an seine ureigenen Instinkte hielt, an diese innersten Regungen, die ihn, Harold, ausmachten und von anderen unterschieden.

Alle diese Gedankengänge leuchteten ihm vollständig ein. Warum dann immer noch dieser Rest innerer Unruhe? Er schob die Hände in die Taschen und klimperte mit den Münzen herum.

Er erinnerte sich wieder an die Freundlichkeit der Frau mit den Apfelschnitzen, an die Freundlichkeit Martinas. Sie hatten ihm Schutz und Ruhe angeboten, auch wenn er vor ihren Angeboten erst zurückgeschreckt war. Doch als er sie annahm, lernte er damit auch etwas Neues. Empfangen war nicht weniger ein Geschenk als geben, denn es verlangte sowohl Mut als auch Demut. Er dachte an den Frieden, den er gefunden hatte, als er mit dem Schlafsack in der Scheune lag. Harold beschwor das alles noch einmal herauf, während unter ihm Land und Himmel verschwammen. Und plötzlich wurde es ihm klar. Plötzlich wusste er, was er tun musste, wenn er nach Berwick kommen wollte.

In Cheltenham schenkte Harold sein Waschpulver einem Studenten, der gerade einen Waschsalon betrat. Als er in Prestbury an einer Frau vorbeiging, die ihren Schlüssel in der Handtasche nicht finden konnte, bot er ihr seine Kurbeltaschenlampe an. Am nächsten Tag drückte er der Mutter eines heulenden Kindes, das sich das Knie aufgeschlagen hatte, seine Pflaster, seine antiseptische Salbe und aus Versehen auch seinen Kamm in die Hand. Den Großbritannienführer trat er einem verblüfften deutschen Paar ab, das sich am Cleeve Hill verirrt hatte, und da er sein Wildpflanzenlexikon inzwischen auswendig konnte, bekamen sie es noch als Dreingabe. Er wickelte die Geschenke für Queenie neu ein, das Glas Honig, den Rosenquarzkristall, den Briefbeschwerer mit dem Glitzergestöber, den römischen Schlüsselanhänger und die Wollmütze. Er packte die kürzlich erworbenen Souvenirs für Maureen in einen Karton und brachte sie zur Post. Den Kompass und den Rucksack behielt er; da sie ihm nicht gehörten, durfte er sie auch nicht verschenken.

Nun würde er über Winchcombe nach Broadway gehen, von dort nach Mickleton, nach Clifford Chambers und schließlich nach Stratford upon Avon.

242

Als Maureen zwei Tage später ihre Bohnenpflanzen an den Stäben hochband, wurde sie zum Gartentor gerufen: Der Postbote hatte ein Päckchen für sie. Drinnen fand sie ein neues Geschenksortiment, dazu Harolds Brieftasche, seine Armbanduhr und eine Postkarte mit einem wolligen Cotswold-Schaf.

Er hatte geschrieben:

Liebe Maureen,
beiliegend meine Kreditkarte usw. Ich werde ohne diese vielen Dinge weiterlaufen. Wenn ich möglichst einfach lebe, dann schaffe ich es bis Berwick, das weiß ich. Ich denke oft an dich. H.

Maureen stieg den Hang bis zur Haustür hinauf, ohne zu bemerken, dass sie Füße hatte.

Sie verstaute die Brieftasche in Harolds Nachttischschublade, unter den Fotos von sich und David. Das Schaf pinnte sie an Rex' Englandkarte.

»Ach, Harold«, sagte sie leise. Und fragte sich, ob er sie trotz der zunehmenden Entfernung nicht doch irgendwie hören konnte.

19
Harold und der Weg

Der Mai war noch nie so schön gewesen. Tag für Tag strahlte der wolkenlose Himmel in einem Blau ohnegleichen. Und schon quollen die Gärten über von Lupinen, Rosen, Rittersporn, Geißblatt und dem limettengrünen Gewölk des Frauenmantels. Insekten zirpten, schwebten, summten, schwirrten. Harold ging an Wiesen voller Butterblumen, Mohn, Margeriten, Klee, Wicken und Leimkraut vorbei. Die nickenden Dolden der Holunderblüten verströmten ihren Duft in den Hecken, die von Waldreben, Hopfen und Hundsrosen durchwoben waren. Auch die Schrebergärten grünten und blühten. Zwischen Erbsen-Wigwams marschierten Kolonnen von Salat, Spinat, Mangold, Roten Beeten und Frühkartoffeln auf. Die ersten Stachelbeeren hingen wie haarige grüne Schoten an den Zweigen. Gärtner stellten Kisten mit Zetteln *Bitte mitnehmen* hinaus, damit sich die Passanten an der Ernteschwemme bedienten.

Harold wusste, dass er seinen Weg gefunden hatte. Er erzählte die Geschichte von Queenie und dem Tankstellenmädchen und bat Fremde, ob sie so gut wären, ihm zu helfen. Als Gegenleistung hörte er zu. Ihm wurde vielleicht ein Sandwich, eine Flasche Wasser, eine Packung frische Pflaster angeboten. Er nahm nie mehr, als er brauchte, und lehnte Angebote, ihn im Auto mitzunehmen, ebenso freundlich ab wie Wanderausrüstung und Zusatzproviant. Dafür zwickte er gelegentlich eine Erbsenschote von ihrer Stängelarabeske und aß sie gierig wie eine Süßigkeit. Die Menschen, denen er begegnete, die Orte, die er durchquerte, waren Schritte auf seiner Reise, und jedem einzelnen von ihnen räumte er einen Platz in seinem Herzen ein.

Nach der Nacht in der Scheune schlief Harold weiterhin draußen. Er suchte sich einen trockenen Platz und achtete immer darauf, keine Unordnung anzurichten. Er wusch sich in öffentlichen Toiletten, Brunnen und Bächen. Er spülte seine Kleider aus, wo niemand ihn beobachtete. Er dachte an jene halb vergessene Welt, in der die Menschen in Häusern wohnten und im Auto auf den Straßen herumfuhren, regelmäßig duschten, drei Mahlzeiten am Tag aßen, nachts schliefen und einander Gesellschaft leisteten. Er freute sich, dass sie in dieser Sicherheit lebten, und freute sich nicht weniger, dass er sich schließlich aus ihrem Leben hinausbegeben hatte.

Harold nahm Bundesstraßen, Landstraßen, schmale Nebenstraßen und Wege. Der Kompass wies zitternd nach Norden, und er folgte ihm. Er ging tagsüber oder auch nachts, ganz nach Lust und Laune, Meile um Meile um Meile. Wenn es mit den Blasen schlimm wurde, klebte er sie mit Isolierband ab. Er schlief, wenn er das Bedürfnis danach hatte, dann stand er wieder auf und lief weiter. Er ging unter den Sternen und dem sanften Licht des Mondes, wenn er wie eine Wimper am Himmel hing und die Baumstämme wie Knochen schimmerten. Er ging durch Wind und Wetter, ging unter sonnengebleichtem Himmel. Es kam Harold vor, als hätte er sein ganzes Leben darauf gewartet, zu laufen. Er wusste nicht mehr, wie weit er gekommen war, nur, dass er vorankam. Der helle Stein der Cotswolds wich in Warwickshire roten Ziegeln, und das Land wurde wieder flach, als er die großen Ebenen Mittelenglands erreichte. Harold hob die Hand zum Mund, um eine Fliege wegzuwischen, und griff in dichte Bartbüschel. Queenie würde leben. Er wusste es.

Aber am Allerseltsamsten fand er, dass Fahrer, die ihn überholten, kurz einen alten Kerl in Hemd und Krawatte erblickten, vielleicht fielen ihnen auch noch die Segelschuhe auf. Sie sahen nichts weiter als einen Mann, der am Straßenrand entlanglief. Das fand Harold so komisch, und er war so glücklich, so eins mit dem Boden unter seinen Füßen, dass er die ganze Zeit hätte lachen können, weil es so einfach war.

Von Stratford ging er nach Warwick. Südlich von Coventry begegnete er einem lustigen jungen Mann mit sanften blauen Augen und Koteletten, die sich bis unter seine Wangenknochen lockten. Er stellte sich Harold als Mick vor und kaufte ihm eine Limonade. Dann stieß er mit seinem Bierglas mit Harold an und trank auf seinen Mut. »Sie liefern sich also der Gnade wildfremder Leute aus?«, fragte er.

Harold lächelte. »Nein. Und ich passe gut auf. Ich hänge nachts nicht in Stadtzentren herum. Ich gehe Schwierigkeiten aus dem Weg. Im Großen und Ganzen sind die Leute, die stehen bleiben, um mich anzuhören, auch hilfsbereit. Es gab ein, zwei kritische Momente, als ich Angst hatte. Auf der A439 dachte ich einmal, ein Mann will mich ausrauben, aber in Wirklichkeit wollte er mich nur umarmen. Er hatte seine Frau durch Krebs verloren. Ich hatte ihn falsch eingeschätzt, weil ihm die Schneidezähne fehlten.« Sein Blick fiel auf seine Finger, die das Limonadenglas umfassten: Sie waren dunkel, die Nägel abgebrochen und braun.

»Und Sie glauben wirklich, dass Sie es bis nach Berwick schaffen?«

»Ich hetze nicht, und ich bummle nicht. Wenn ich immer einen Fuß vor den anderen setze, besteht durchaus Grund zu der Annahme, dass ich dort ankomme. Ich glaube langsam, wir sitzen viel mehr herum, als uns guttut.« Er lächelte. »Wozu sonst haben wir Füße?«

Der junge Mann leckte sich über die Lippen, als koste er schon den Geschmack von etwas aus, was er noch gar nicht im Mund hatte. »Was Sie da machen, ist der Pilgerweg des einundzwanzigsten Jahrhunderts. Phantastisch! Genau solche Geschichten wollen die Leute hören.«

»Dürfte ich Sie darum bitten, mir ein Päckchen *Salt & Vinegar*-Chips zu spendieren? Ich habe seit Mittag nichts gegessen.«

Bevor sie auseinandergingen, fragte Mick, ob er mit seinem Handy ein Foto von Harold machen dürfe, »nur zur Erinnerung«. Da er besorgt war, das Blitzlicht könne die Darts-Spieler im Pub stören, bat er: »Könnten wir das Foto draußen machen, wo ich Sie allein aufnehmen kann?«

Er forderte Harold auf, sich unter ein Verkehrsschild zu stellen, das nach Nordwesten, nach Wolverhampton zeigte. »Dort gehe ich doch gar nicht hin«, wandte Harold ein, aber Mick meinte, das kleine Detail wäre im Dunkeln sowieso nicht zu sehen.

»Schauen Sie mich an, als wären Sie völlig fertig«, forderte Mick ihn auf.

Das fiel Harold sehr leicht.

Bedworth. Nuneaton. Twycross. Ashby de la Zouch. So ging es durch Warwickshire und die westlichen Randgebiete von Leicestershire nach Derbyshire hinein, und Harold lief weiter und weiter. Es gab Tage, an denen er über zwanzig Kilometer zurücklegte, an anderen verwirrte ihn die dichte Bebauung und er schaffte nicht einmal neun. Der Himmel färbte sich von Blau zu Schwarz und zu Blau zurück. Sanfte Hügel wogten zwischen Industriestädten und kleinen Orten.

In Ticknall überraschten ihn zwei Wanderer, die ihn unverhohlen angafften. Südlich von Derby fuhr ein Taxifahrer an Harold vorbei und streckte den Daumen in die Luft, und ein Straßenmusiker mit einer lila Narrenkappe unterbrach sein Akkordeonspiel und grinste ihm zu. In Little Chester bot ihm ein Mädchen mit goldenen Haaren einen kleinen Tetrapack mit Obstsaft an und umschlang in unbändiger Freude seine Knie. Einen Tag später stellte in Ripley eine Gruppe Moriskentänzer ihre Biergläser ab und jubelte ihm zu.

Alfreton. Clay Cross. Die Silhouette der Kirche von Chesterfield verkündete mit ihrer krummen Turmspitze, dass nun der Peak District begann. Als Harold in Dronfield zu einem morgendlichen Kaffee in eine Imbissstube ging, bot ihm ein Mann seinen Spazierstock an und drückte ihm die Schulter. Elf Kilometer weiter drängte ihn eine Verkäuferin in Sheffield, ihr Handy zu benutzen, damit er zu Hause anrufen könnte. Maureen versicherte ihm, es gehe ihr gut, obwohl es ein kleines Problem gegeben hatte: Der Duschkopf sei undicht geworden. Anschließend fragte sie ihn, ob er die Nachrichten gesehen habe.

»Nein, Maureen. Ich habe seit dem Tag, als ich losgelaufen bin, in keine Zeitung mehr geguckt. Was gibt's denn für Sensationen?«

Sicher war er nicht, aber er glaubte ein leises Schluchzen zu hören. Dann antwortete sie: »Na, die Sensation bist du, Harold. Du und Queenie Hennessy. Anscheinend weiß ganz England davon.«

20
Maureen und die PR-Frau

Nachdem Harolds Geschichte im *Coventry Telegraph* erschienen war, gab es in der Fossebridge Road keinen Tag mehr, der
ereignislos verstrich. Die Meldung fiel in eine Nachrichten-
flaute, wurde in einer Anrufsendung erwähnt und von mehreren Lokalzeitungen aufgegriffen, einschließlich der *South
Hams Gazette*, der sie die ersten drei Seiten wert war. Dann
gelangte sie in ein, zwei überregionale Zeitungen, und plötzlich konnte niemand genug davon bekommen. Harolds Weg
wurde zum Thema des »Tagesgedankens« auf Radio 4 und
speiste Leitartikel, die sich mit der Natur modernen Pilgerns
befassten, mit dem Wesen des Urenglischen und der Cou-
rage der 50-plus-Generation. In Läden, auf Spielplätzen und
Partys, in Parks, Pubs und Büros redeten die Leute darüber.
Wie Mick es seinem Redakteur garantiert hatte, entzündete
die Geschichte die Phantasie der Menschen, und je weiter sie
sich ausbreitete, desto blühender die Details. Manche Leute
berichteten, Harold sei in den Siebzigern, andere wussten
von Lernschwierigkeiten. Er wurde in Cornwall und in Inver-
ness ebenso gesichtet wie in Kingston upon Thames und im
Peak District. Auf Maureens Mosaikpflaster wartete stets eine
Handvoll Journalisten, und das Drehteam eines lokalen TV-
Senders nistete sich hinter Rex' Ligusterhecke ein. War man

technisch entsprechend gerüstet, dann konnte man seine Reise sogar auf Twitter verfolgen. Maureen war technisch nicht gerüstet.

Wenn sie sein Foto in der Lokalzeitung betrachtete, schockierte es sie am meisten, wie sehr er sich verändert hatte. Vor kaum mehr als sechs Wochen war er zum Briefkasten aufgebrochen; jetzt wirkte er unglaublich groß und fühlte sich in seiner Haut sichtlich wohl. Er trug immer noch die regendichte Jacke und seine Krawatte, aber Maureen musste lange hinschauen, um an diesem braungebrannten Wanderer mit wirrem Wuschelkopf und graumeliertem Bart Spuren des Mannes zu finden, den sie zu kennen glaubte.

DIE UNGLAUBLICHE PILGERREISE DES HAROLD FRY, lautete die Schlagzeile. Der Artikel erläuterte, wie ein Rentner aus Kingsbridge (auch der Heimatort der Miss South Devon), der zu Fuß und ohne Geld, Handy oder Landkarte nach Berwick lief, zum Helden des einundzwanzigsten Jahrhunderts wurde. Unten war ein kleineres Foto abgedruckt, unter dem stand: *Die Füße, die achthundert Kilometer laufen.* Es zeigte ein Paar Segelschuhe, wie Harold sie trug. Anscheinend schnellten die Verkaufszahlen in Rekordhöhe.

Auf Rex' Karte rückte der blaue Faden von Bath aus immer weiter nach Norden vor, an Sheffield vorbei. Maureen rechnete aus, dass Berwick in diesem Tempo innerhalb weniger Wochen zu erreichen wäre. Doch trotz Harolds Erfolg, trotz des prächtig gedeihenden Gartens und der Freundschaft mit Rex, ganz zu schweigen von den Briefen mit guten Wünschen, auch von Krebskranken, die Maureen täglich bekam – trotz alledem gab es Momente, in denen Maureen an schmerzlichen Verlustgefühlen litt. Sie schienen sie aus dem Nichts zu überfallen. Vielleicht kochte sie sich gerade einen Tee und hätte plötzlich schreien können über die Einsamkeit ihrer einzelnen Tasse. Sie erzählte Rex nie, dass sie sich in solchen Momenten ins Schlafzimmer verkroch, die Vorhänge schloss, die Bettdecke über den Kopf zog und laut schluchzte. Es wäre so einfach, nicht mehr aufzustehen. Sich nicht mehr zu waschen. Nicht mehr zu essen. Was für eine ständige Anstrengung das Alleinsein erforderte!

Aus heiterem Himmel rief eine junge Frau an, die Maureen ihre PR-Dienste anbot. Sie sagte, die Leute wollten auch ihre Seite der Geschichte hören.

»Aber ich habe keine«, sagte Maureen.

»Was halten Sie von dem Projekt Ihres Mannes?«

»Ich glaube, es muss sehr mühsam sein.«

»Stimmt es, dass Sie Eheprobleme haben?«

»Entschuldigen Sie – wer, sagten Sie, sind Sie?«

Die junge Frau wiederholte, sie sei im Bereich Öffentlichkeitsarbeit tätig. Es sei ihre Aufgabe, ihre Klienten der Öffentlichkeit von der positivsten Seite zu präsentieren und sie gleichzeitig zu schützen. Maureen unterbrach sie und fragte, ob es ihr etwas ausmache, einen Moment zu warten. Ein Fotograf stand in ihren Bohnen, und sie musste scharf ans Fenster klopfen.

»Es gibt viele Möglichkeiten, wie ich Ihnen helfen kann«, sagte die junge Dame. Sie erwähnte emotionale Unterstützung, Interviews im Frühstücksfernsehen und Einladungen zu B-Promi-Partys. »Sie brauchen nur zu sagen, was Sie möchten, und ich arrangiere es.«

»Das ist sehr freundlich von Ihnen, aber ich war noch nie das große Partytier.« Manchmal wusste Maureen nicht, was verrückter war, die Welt in ihrem Kopf oder die der Zeitungen und Zeitschriften. Sie dankte der jungen Frau für ihr großzügiges Angebot. »Aber ich bin nicht sicher, ob ich Hilfe brauche. Außer natürlich, Sie bügeln auch?«

Als sie Rex davon erzählte, lachte er. Sie erinnerte sich, dass die PR-Frau nicht gelacht hatte. Sie tranken Kaffee bei ihm im Wohnzimmer, weil Maureen die Milch ausgegangen war; vor Maureens Garten wartete eine kleine Fangemeinde auf Neuigkeiten. Die Leute hatten Früchtekuchen und selbstgestrickte Socken mitgebracht; Maureen hatte schon mehreren Wohlmeinenden erklärt, dass sie leider keine Adresse zum Weiterleiten hatte.

»Ein Journalist hat es *die perfekte Liebesgeschichte* genannt«, sagte Maureen leise.

»Harold ist nicht in Queenie Hennessy verliebt. Darum geht es bei seinem Weg nicht.«

»Die PR-Frau wollte wissen, ob wir Probleme haben.«

»Du musst Harold vertrauen, Maureen, und auch deiner Ehe. Er wird zurückkommen.«

Maureen studierte ihren Rocksaum. Ein paar Stiche waren aufgegangen, er hing an einer Stelle herunter. »Aber es ist so schwer, das Vertrauen nicht zu verlieren, Rex. Es tut richtig weh. Ich weiß nicht, ob er mich noch liebt. Ich weiß nicht, ob er Queenie liebt. Manchmal denke ich, es wäre leichter für mich, wenn er tot wäre. Wenigstens wüsste ich dann, woran ich bin.« Sie warf Rex einen flüchtigen Seitenblick zu und wurde blass. »Da habe ich ja etwas Furchtbares gesagt.«

Er zuckte mit den Achseln. »Schon in Ordnung.«

»Ich weiß, wie sehr du Elizabeth vermisst.«

»Ich vermisse sie die ganze Zeit. Ich weiß im Kopf, dass sie nicht mehr ist, aber ich halte immer noch nach ihr Ausschau. Geändert hat sich nur eines: Ich gewöhne mich an den Schmerz. Es ist, wie wenn sich im Boden ein großes Loch auftut. Anfangs vergisst man, dass es da ist, und stolpert dauernd rein. Nach einer Weile ist das Loch zwar noch da, aber man hat gelernt, außen herum zu gehen.«

Maureen biss sich auf die Lippe und nickte. Schließlich hatte sie selbst Kummer genug erlebt. Ihr wurde aufs Neue bewusst, wie leicht sich das menschliche Herz immer wieder aus dem Gleichgewicht bringen lässt. Ein junger Mensch, der Rex auf der Straße begegnete, würde ihn als hilflosen, verbrauchten alten Mann wahrnehmen, der den Kontakt zur Realität längst verloren hatte. Doch unter seiner wächsernen Haut schlug das Herz in seinem fülligen Körper noch immer mit der Leidenschaft eines Teenagers.

Er fragte: »Weißt du, was ich am meisten bedaure?«

Sie schüttelte den Kopf.

»Dass ich nicht dagegen angekämpft habe.«

»Aber Elizabeth hatte doch einen Hirntumor, Rex. Wie hättest du gegen den ankämpfen können?«

»Als die Ärzte uns sagten, dass sie sterben würde, habe ich ihre Hand gehalten und aufgegeben. Wir haben beide aufgegeben. Ich weiß, dass es letzten Endes nichts an den Tatsachen geändert hätte, aber ich wünschte, ich hätte ihr gezeigt, wie sehr ich an ihr hänge und dass ich sie nicht verlieren will. Ich hätte toben sollen, Maureen.«

Er saß über seine Teetasse gebeugt, wie ins Gebet versunken. Er blickte nicht auf. Er wiederholte seine Worte mit einer Eindringlichkeit, die sie an ihm noch nicht erlebt hatte. Seine Tasse klirrte auf dem Unterteller, seine Fingerknöchel waren weiß. »Ich hätte toben sollen.«

Das Gespräch hallte in Maureen nach. Sie fiel wieder in ein Tief und tat wenig anderes, als stundenlang aus Fenstern zu starren und in die Vergangenheit abzudriften. Sie dachte wieder an die junge Frau, die sie einmal gewesen war, überzeugt, dass sie alles für Harold sein könnte, und verglich damit die Frau, die sie geworden war. Nicht einmal eine Ehefrau. Sie nahm die beiden Fotos wieder aus Harolds Schublade, das eine von ihr selbst nach der Hochzeit, als sie lachend im Garten stand, und das Foto von David mit seinem ersten Paar Schuhe.

Etwas an dem zweiten Foto ließ sie stutzen. Sie musste noch einmal hinsehen. Es war die Hand. Die Hand, die David stützte, als er auf einem Bein balancierte. Eine Gänsehaut lief ihr über den Rücken. Es war nicht ihre Hand, sondern die von Harold.

Sie hatte das Foto ja gemacht. Klar. Jetzt erinnerte sie sich. Harold hatte David an der Hand gehalten, während sie die Kamera holte. Wie hatte sie dieses Bruchstück Vergangenheit so vollständig ausblenden können? Jahrelang hatte sie Harold vorgeworfen, ihren Sohn nie angefasst zu haben. Ihm nicht die Liebe zu geben, die ein Kind braucht.

Maureen ging ins Wohnzimmer und zog die Fotoalben heraus, die nie jemand ansah. Der Schnitt war mit einer filzigen Staubschicht überzogen, die sie einfach mit dem Rock wegwischte. Sie trocknete ihre Tränen und studierte Seite für Seite. Die meisten Fotos zeigten sie mit David, aber dazwischen gab es auch andere. Als Baby lag David in Harolds Schoß, während Harold auf ihn heruntersah, die Hände erhoben, als würde er es sich verbieten, sein Kind zu berühren. Auf einem anderen Foto saß David auf Harolds Schultern, und Harold streckte den Kopf vor, damit sein Sohn nicht nach hinten kippte. Ein Teenager-David stand neben Harold, der junge Mann langhaarig und ganz in Schwarz, der Vater in Anzug und Krawatte; beide spähten in den Goldfischteich. Sie lachten. Sie hatten sich um Nähe bemüht. Nicht sehr offensichtlich. Nicht täglich. Aber Harold hatte sich Nähe gewünscht, und David gelegentlich auch.

Maureen saß mit dem aufgeschlagenen Album im Schoß

da und starrte in die Luft; sie sah die Gardinen nicht, sondern nur die Vergangenheit.

Sie erlebte wieder den Tag in Bantham, als David der Strömung entgegengeschwommen war. Sie sah Harold an seinen Schnürsenkeln herumzerren und dachte an die vielen Jahre, in denen sie ihm deswegen Vorhaltungen gemacht hatte. Und dann sah sie die Szene aus einer neuen Perspektive, als hätte die Kamera einen Schwenk gemacht und sich auf Maureen selbst gerichtet. Da wurde ihr flau im Magen. Sie sah eine Frau am Wassersaum, die schrie und mit den Armen fuchtelte, sich aber keineswegs ins Meer stürzte. Eine Mutter, die halb verrückt war vor Angst, aber nichts unternahm. Wenn David in Bantham fast ertrunken wäre, dann traf sie daran genauso viel Schuld.

Die nächsten Tage waren noch schlimmer. Die Fotoalben lagen im Wohnzimmer kreuz und quer über den Boden verstreut, weil Maureen es nicht fertigbrachte, sie wieder aufzuräumen. Morgens setzte sie eine Ladung weißer Wäsche in Gang, die sie dann den ganzen Tag in der Trommel liegen ließ, bis sie muffelte. Sie aß nur noch Käse und Cracker, weil es ihr schon zu viel war, einen Topf Wasser heiß zu machen. Sie bestand nur noch aus Erinnerungen.

Wenn Harold es schaffte anzurufen, konnte sie nicht mehr tun als zuhören. »Du liebe Güte«, murmelte sie vielleicht, oder: »Wer hätte das gedacht.« Er erzählte ihr von seinen Schlafplätzen – aus Baumstämmen gezimmerte Unterstände, Werkzeugschuppen, Hütten, Bushäuschen, Scheunen. Seine Worte überschlugen sich geradezu, mit einer Kraft, dass sie sich steinalt vorkam.

»Ich achte darauf, dass ich keine Unordnung hinterlasse. Und ich breche nie ein Schloss auf«, sagte er. Er kannte den Namen jeder Wildpflanze und ihre Verwendung. Er zählte mehrere auf, aber Maureen kam gar nicht mit. Jetzt lernte er gerade, sich an der Natur zu orientieren. Er beschrieb die Menschen, denen er begegnet war, wie sie ihm zu essen gegeben und seine Schuhe hatten reparieren lassen – sogar Drogensüchtige, Trinker und Aussteiger. »Die Leute sind gar nicht so zum Fürchten, wenn man sich die Zeit nimmt und ihnen zuhört, Maureen.« Er schien Zeit für alle zu haben. Sie fand diesen Mann, der allein durch das Land ging und Fremde grüßte, so beunruhigend, dass sie etwas spitz von Dingen wie entzündeten Fußballen oder dem Wetter redete, was sie gleich darauf bereute. Sie sagte nie: »Harold, ich habe dir Unrecht getan.« Sie sagte nie, dass es ihr in Eastbourne gefallen hatte oder dass sie wünschte, sie wäre damals dafür gewesen, einen Hund anzuschaffen. Sie fragte nie: »Ist es wirklich zu spät?« Sie dachte es nur, dachte die ganze Zeit daran, während sie zuhörte.

Wenn sie wieder aufgelegt hatte, saß sie im kalten Mondlicht und weinte, wie ihr schien, stundenlang, als wären sie und der einsame Mond die Einzigen, die einander verstünden. Sie konnte sich nicht einmal dazu aufraffen, mit David zu reden.

Maureen starrte auf die Straßenlampen, die Lichtlöcher in die Dunkelheit über Kingsbridge brannten. Die sichere Welt des Schlafs hatte keinen Platz für sie. Und immer wieder musste sie an Rex denken, und wie verzweifelt er sich immer noch nach Elizabeth sehnte.

21
Harold und der Mitläufer

Hinter Harold war jemand. Harold spürte es im Rücken. Er ging schneller, aber wer immer ihm auf dem Randstreifen folgte, ging ebenfalls schneller, und obwohl dieser Jemand noch nicht nahe genug herangekommen war, um als Schatten fassbar zu werden, würde es ihm bald gelingen. Harold hielt auf der Straße nach Hilfe Ausschau, aber alles war menschenleer. Abrupt blieb er stehen und drehte sich um. Das Asphaltband streckte sich zwischen gelben Rapsfeldern bis zum Horizont, von der Nachmittagssonne erhitzt, dass es flirrte. Autos rasten so schnell vorbei, dass man ihre Insassen nicht sehen konnte; es war, als kämen sie aus dem Nichts und verschwänden genauso schnell wieder dorthin. Aber es gab keinen Fußgänger. Auf dem Randstreifen war sonst niemand.

Doch als Harold weiterging, spürte er auf der Haut bis hinauf in den Nacken und die Haarwurzeln, dass ihm ganz sicher jemand auf den Fersen war. Harold wollte nicht wieder stehen bleiben oder sich umsehen, deshalb wartete er eine Lücke im Verkehr ab, flitzte diagonal über die Straße und warf währenddessen einen Blick nach links. Niemand war zu sehen, doch Minuten später wusste Harold, dass sein Verfolger ebenfalls die Straße überquert hatte. Er ging schneller, keuchend und mit heftigem Herzklopfen. Am ganzen Körper brach ihm der Schweiß aus.

So lief er eine halbe Stunde weiter, blieb immer wieder stehen, blickte sich um, konnte niemanden entdecken und wusste doch, dass er nicht allein war. Nur einmal, als er sich umwandte, sah er einen niedrigen Busch zittern, trotz Windstille. Zum ersten Mal seit Wochen vermisste er sein Handy. In dieser Nacht fand er Zuflucht in einem unversperrten Werkzeugschuppen, wo er reglos in seinem Schlafsack lag und lauschte, denn die Gewissheit, dass da draußen jemand wartete, saß ihm tief in den Knochen.

Am nächsten Morgen hörte Harold nördlich von Barnsley auf der anderen Straßenseite seinen Namen rufen. Ein schmächtiger junger Mann mit verspiegelter Sonnenbrille und Baseballmütze sprang, Haken schlagend, durch den Verkehr zu ihm herüber. Atemlos erklärte er, er sei gekommen, um sich Harold anzuschließen. Er redete schnell. Seine Wangenknochen waren wie gespitzte Bleistifte. Er heiße Lf. Harold runzelte die Stirn. »Ilf«, wiederholte der Junge. Dann noch einmal: »Wilf.« Er wirkte unterernährt und wie kaum zwanzig, seine Sportschuhe hatten neongrüne Schnürsenkel.

»Ich werde ein Pilger sein, Mr Fry. Ich werde Queenie Hennessy auch retten.« Er hob eine Sporttasche hoch und hielt sie Harold hin. Sie war sichtlich neu, wie die Sportschuhe auch. »Ich habe meinen Schlafsack und alles dabei.«

Es war, als redete David. Sogar die Hände des jungen Mannes zitterten.

Harold hatte gar keine Zeit zu protestieren, weil der junge Mann namens Wilf schon mit ihm in Schritt gefallen war und nervös plappernd neben ihm herlief. Harold versuchte ihm zuzuhören, aber jedes Mal, wenn er ihn ansah, fand er weitere Spuren seines Sohns. Bis aufs Fleisch abgekaute Fingernägel. Die Art, wie er seine Worte hervornuschelte, als wären sie gar nicht dazu bestimmt, gehört zu werden. »Ich hab Ihr Foto in der Zeitung gesehen. Und dann hab ich um ein Zeichen gebeten. Ich hab gesagt, Gott, wenn ich zu Mr Fry gehen soll, dann gib mir ein Signal. Und raten Sie mal, was Er gemacht hat?«

»Ich weiß es nicht.« Ein vorbeifahrender Lieferwagen bremste ab. Der Fahrer streckte sein Handy aus dem Fenster, wohl, um ein Foto von Harold zu machen.

»Er hat mir eine weiße Taube geschickt.«

»Eine was?« Der Lieferwagen fuhr weiter.

»Na ja, ganz weiß war sie vielleicht nicht. Aber der springende Punkt ist, sie war ein Zeichen. Gott ist gut. Fragen Sie Ihn nach dem Weg, Mr Fry, und Er wird ihn Ihnen zeigen.«

Dass der junge Mann ihn mit seinem Nachnamen ansprach, verwirrte Harold noch mehr – es war, als wüsste Wilf etwas über ihn oder hätte irgendwelche Ansprüche auf ihn, aber Harold bekam es nicht genau zu fassen. Sie liefen auf dem Grünstreifen weiter, der allerdings ab und zu so schmal wurde, dass man schlecht nebeneinander gehen konnte. Wilfs Schritte waren kürzer als Harolds, in leichtem Trab eilte er schräg hinter Harold her.

»Ich wusste nicht, dass Sie einen Hund haben.«

»Ich habe auch keinen.«

Der junge Mann machte ein erstauntes Gesicht und warf einen Blick über die Schulter. »Wem gehört der dann?«

Er hatte recht. Auf der anderen Straßenseite war ein Hund stehen geblieben; hechelnd sah er zum Himmel hoch, die Zunge hing ihm seitlich herunter. Ein kleines Tier, herbstblätterfarben, mit struppigem Fell. Es musste die ganze Nacht vor dem Werkzeugschuppen gewartet haben.

»Der Hund hat nichts mit mir zu tun«, sagte Harold.

Als er mit dem jungen Mann weiterging, der, um mitzuhalten, immer wieder ein paar Laufschritte einlegen musste, sah er aus den Augenwinkeln, dass der Hund die Straße überquert hatte und nun ebenfalls hinterhertrottete. Immer, wenn Harold stehen blieb und sich umschaute, drückte sich der Hund mit gesenktem Kopf in die Hecke, als wäre er nicht da oder wäre etwas anderes. Eine Hundestatue zum Beispiel.

»Geh weg«, rief Harold. »Geh nach Hause.«

Der Hund legte den Kopf schief, als hätte Harold ihm etwas Interessantes erzählt. Dann trabte er auf Harold zu und legte sorgfältig einen Stein neben seinem Schuh ab.

»Vielleicht hat er kein Zuhause«, sagte Wilf.

»Natürlich hat er ein Zuhause.«

»Na, vielleicht mag er sein Zuhause nicht. Vielleicht wird er geschlagen oder so. Das kommt vor. Er hat kein Halsband.« Der Hund nahm den Stein wieder ins Maul und legte ihn neben Harolds anderen Schuh. Dann setzte er sich auf die Hinterbeine und sah geduldig zu ihm hoch, ohne zu blinzeln oder den Kopf zu bewegen. Am Horizont ragten die dunklen Kuppen des Peak District auf.

»Ich kann nicht für einen Hund sorgen. Ich habe nichts zu fressen für ihn. Und ich gehe auf verkehrsreichen Straßen nach Berwick. Das ist zu gefährlich. Geh nach Hause, Hund.«

Sie versuchten ihn zu überlisten, warfen den Stein in einen Acker und versteckten sich hinter einer Hecke, aber der Hund holte den Stein, setzte sich neben die Hecke und wedelte mit dem Schwanz. »Das Problem ist wohl, dass er Sie mag«, flüsterte Wilf. »Er will auch mit.« Sie krochen hinter der Hecke hervor und liefen weiter, und nun zockelte der Hund ganz ungeniert neben Harold her. Auf der A61 zu bleiben, war zu riskant. Harold bog in die ruhigere B6132 ab, obwohl sie

262

dort langsamer vorankamen. Wilf musste auch immer wieder stehen bleiben, um seine Sportschuhe auszuziehen und auszuschütteln. Sie legten nur etwas über einen Kilometer zurück.

Dann wartete die nächste Überraschung auf Harold: Er wurde von einer Frau erkannt, die in ihrem Garten welke Rosenblüten abknipste. »Sie sind der Pilger, stimmt's?«, fragte sie. »Ich muss schon sagen, ich finde es absolut großartig, was Sie da machen.« Sie öffnete ihren Geldbeutel und zückte einen Zwanzig-Pfund-Schein. Wilf wischte sich mit der Mütze über die Stirn und stieß einen Pfiff aus.

»Das kann ich auf keinen Fall annehmen«, sagte Harold. Er spürte die bohrenden Blicke des jungen Mannes in seinen Rippen. »Aber über eine Runde Sandwiches würden wir uns freuen. Und vielleicht eine Kerze und Streichhölzer für die Nacht. Und ein bisschen Butter. Das wäre schön.« Er sah in Wilfs nervöses Gesicht. »Ja, das könnten wir gut gebrauchen.«

Die Frau bedrängte Harold, bei ihr etwas zu Abend zu essen, und schloss Wilf in ihre Einladung ein. Außerdem bot sie den Männern an, das Bad und das Telefon zu benutzen.

Seine Frau ließ es siebenmal klingeln, bis sie abhob. Sie klang angespannt. »Doch nicht schon wieder diese Public-Relations-Dame?«

»Nein, Maureen. Ich bin's.«

»Die Lage gerät völlig außer Kontrolle«, erzählte sie ihm. »Manchmal fragen die Leute, ob sie reinkommen können. Rex hat einen jungen Mann dabei ertappt, wie er einen Kiesel aus der vorderen Mauer herauszuschlagen versuchte.«

Als Harold aus der Dusche kam, waren schon ein paar Freunde da, die seine Gastgeberin zu einer improvisierten Sherry-Party auf dem Rasen eingeladen hatte. Sie begrüßten ihn mit erhobenen Gläsern und stießen auf Queenies Gesundheit an. Harold hatte noch nie so viele hochtoupierte blaugraue Haare auf einmal gesehen, so viele Cordhosen in Senf-, Gold- und Rosttönen. Unter einem Tisch, auf dem Häppchen und kalter Braten angerichtet waren, saß der Hund und kaute an etwas herum, das er zwischen den Pfoten hielt. Gelegentlich warf jemand den Stein, und der Hund apportierte ihn und wartete auf den nächsten Wurf.

Die Männer erzählten Geschichten von ihren eigenen Abenteuern, bei denen Jachten und Jagden eine große Rolle spielten, und Harold hörte geduldig zu. Er beobachtete Wilf, der sich angeregt mit der Gastgeberin unterhielt. Ihr Gelächter hatte etwas Schrilles, ein Ton, den Harold fast vergessen hatte. Er fragte sich, ob es jemandem auffallen würde, wenn er sich davonmachte.

Er schwang seinen Rucksack auf die Schultern, da löste sich Wilf aus der Gruppe der Frauen und kam zu ihm. »Ich hatte keine Ahnung, dass es so ist«, sagte er und stopfte sich mit allen fünf Fingern eine Räucherlachsblini in den Mund, als wäre sie lebendig und zappelte. »Warum gehen wir schon?«

»Ich muss weiter. Und normalerweise ist es auch nicht so. Sondern ich suche mir einen Platz für meinen Schlafsack, und keiner merkt etwas davon. Ich habe tagelang von Brötchen gelebt und was ich so finde. Aber bleib ruhig da, wenn du gern möchtest. Ich bin sicher, du bist hier sehr willkommen.«

Wilf sah Harold an, hörte ihm aber nicht richtig zu. Er sagte: »Die Leute fragen dauernd, ob ich Ihr Sohn bin.« Plötzlich lächelte Harold, Zärtlichkeit stieg in ihm hoch. Mit dem Gefühl, er und Wilf seien irgendwie miteinander verbunden, als hätten sie durch ihre Außenseiterrolle mehr gemeinsam, als tatsächlich der Fall war, drehte er sich noch einmal zu den Partygästen um und winkte ihnen zum Abschied zu.

»Du bist zu jung, um mein Sohn zu sein«, sagte er und klopfte Wilf auf den Arm. »Wir machen uns jetzt lieber auf die Socken, wenn wir noch einen Schlafplatz finden wollen.«

»Viel Glück!«, riefen die Gäste. »Queenie wird leben!«

Der Hund war schon am Gartentor, und die drei gingen in einem gemütlichen Tempo weiter. Ihre Schatten wanderten wie Säulen die Straße entlang; in der schwerer werdenden Luft lag süß der Duft von Holunder- und Ligusterblüten. Wilf erzählte Harold von seinem Leben – dass er vieles ausprobiert, aber nichts sonderlich gut hingekriegt habe. Wenn es Gott nicht gäbe, sagte er, säße er längst im Knast. Manchmal hörte Harold zu, manchmal beobachtete er die Fledermäuse, die durch die Dämmerung schwirrten. Er fragte sich, ob der junge Mann ihn wirklich bis nach Berwick begleiten würde und was er wegen des Hunds unternehmen sollte. Er fragte sich, ob es auch David mit Gott versucht hatte. Ferne Fabriken rülpsten in einem fort Rauchwolken in den Himmel.

Schon nach einer Stunde hinkte Wilf merklich. Sie hatten kaum zwei Kilometer zurückgelegt.

»Brauchst du eine Pause?«

»Mir geht's gut, Mr Fry.« Aber er humpelte.

Harold suchte nach einem geschützten Platz; die Tagesetappe wurde früh beendet. Wilf tat es Harold gleich und breitete seinen Schlafsack neben einer vom Sturm gefällten Ulme aus. Auf dem toten Stamm wuchs in großen Tellern ein Baumschwamm, der Schuppige Porling mit seiner gefiederähnlichen Zeichnung. Harold löste einiges davon ab, während Wilf laut aufjaulend von einem Fuß auf den anderen hüpfte und die Schwämme eklig nannte. Dann suchte Harold nach abgebrochenen, aber noch belaubten Zweigen und nach samtigen Moospolstern, die er in die Mulde am Fuß des Baums schichtete, die die herausgerissenen Wurzeln hinterlassen hatten. Seit Tagen hatte Harold nicht mehr so viel Mühe an einen Schlafplatz verwendet. Während er arbeitete, folgte ihm der Hund, schnappte Steine auf und ließ sie ihm zu Füßen fallen.

»Ich werde sie nicht werfen«, warnte er den Hund, aber ein-, zweimal tat er es doch.

Harold forderte Wilf auf, seine Füße nach Blasen abzusuchen. Es sei wichtig, sie richtig zu versorgen; später würde er ihm zeigen, wie man den Eiter abließ. »Kannst du Feuer machen, Wilf?«

»Da können Sie mich genauso gut fragen, ob ich scheißen kann, Mr Fry. Wo ist der Spiritus?«

Harold erklärte wieder, dass er kein unnötiges Gepäck mit sich herumschleppe. Er schickte den Jungen los, noch mehr Feuerholz sammeln, während er die Pilze mit den Fingernägeln in grobe Streifen riss. Sie waren zäher, als ihm lieb war, aber er hoffte, er könne trotzdem damit Eindruck schinden. Er briet sie in der Butter über dem Feuer, in einer alten Blechdose, die er eigens für diesen Zweck in seinem Rucksack mittrug; dann mischte er zerpflückte Knoblauchsraukenblätter darunter. Es duftete nach gebratenem Knoblauch.

»Iss«, forderte er Wilf auf und hielt ihm die Blechdose hin.

»Womit?«

»Mit den Fingern. Wenn du willst, kannst du sie nachher an meiner Jacke abwischen. Vielleicht finden wir morgen Kartoffeln.«

Mit einem Lachen, das wie ein Aufschrei klang, lehnte Wilf ab. »Woher weiß ich, dass die nicht giftig sind?«

»Schau mich an: Ich esse sie. Und etwas anderes gibt es heute Abend nicht.«

266

Wilf schob sich ein kleines Stück in den Mund und aß mit spitzen Zähnen, als hätte er Angst, gestochen zu werden.

»Scheiße«, kreischte er immer wieder. »Scheiße!« Harold lachte, und der Junge aß weiter.

»So schlecht schmeckt's auch wieder nicht«, sagte Harold. »Oder?«

»Es schmeckt verdammt nach Knoblauch. Und nach Senf.«

»Das sind die Blätter. Die meisten Wildpflanzen schmecken scharf. Daran gewöhnt man sich. Wenn sie nach nichts schmecken, kann man froh sein. Wenn sie gut schmecken, ist das ein Grund zum Feiern. Vielleicht finden wir Johannisbeeren. Oder Walderdbeeren. Wenn die richtig reif sind, schmecken sie köstlich. Eine richtige Leckerei.«

Sie hockten mit angezogenen Knien auf dem Boden und schauten in die Flammen. Weit hinter ihnen strahlte Sheffield schwefelgelb am Horizont, und wenn man die Ohren spitzte, konnte man immer Autos hören; trotzdem hatte Harold das Gefühl, sie seien weit von anderen Menschen entfernt. Er erzählte dem Jungen, wie er gelernt hatte, über offenem Feuer zu kochen, und wie er sich aus einem kleinen Buch, das er in Bath gekauft hatte, vieles über Wildpflanzen beigebracht hatte. Es gebe gute Pilze und gefährliche, sagte er, die müsse man unterscheiden lernen. Man müsse zum Beispiel sicher sein, dass man anstatt des Rillstieligen Seitlings keinen Grünblättrigen Schwefelkopf erwische. Ab und zu beugte sich Harold über das Feuer und blies hinein, dass das verglimmende Holz aufglühte. Die Luft vibrierte vom Gesang der Grillen.

»Kriegen Sie keine Angst?«, fragte Wilf.

»Als ich klein war, wollten mich meine Eltern nicht. Später habe ich meine Frau kennengelernt, und wir haben ein Kind bekommen. Auch das ist schiefgegangen. Seit ich unter freiem Himmel bin, kommt es mir vor, als müsste ich mich vor viel weniger fürchten.« Er wünschte, David könnte ihn hören.

Als Harold später die Blechdose mit einem Stück Zeitungspapier auswischte und wieder im Rucksack verstaute, vertrieb sich der Junge die Zeit damit, für den Hund Steine ins Unterholz zu werfen. Mit wildem Gekläff raste das Tier los in die Dunkelheit, kehrte mit dem Stein zurück und legte ihn zu Wilfs Füßen ab. Harold fiel auf, wie sehr er sich sowohl an Einsamkeit als auch an Stille gewöhnt hatte.

Sie lagen in ihren Schlafsäcken, und Wilf fragte, ob sie beten könnten. Harold antwortete: »Es stört mich nicht, wenn andere beten, aber wenn du nichts dagegen hat, bete ich nicht mit.«

Wilf verknotete die Hände ineinander und kniff die Augen zu. Weil seine Nägel so weit abgekaut waren, sah die Haut an den Fingerkuppen furchtbar wund aus. Er beugte den Kopf wie ein Kind und flüsterte Worte, die Harold lieber nicht hören wollte. Harold hoffte, dass es außer ihm tatsächlich jemanden oder etwas gab, das diese Worte vernahm. Der Himmel war noch nicht ganz dunkel, als sie in den Schlaf hinüberdämmerten. Die Wolken hingen tief; es ging kein Lüftchen. Harold war sicher, dass es nicht regnen würde.

Trotz seiner Gebete wachte Wilf mitten in der Nacht weinend auf; er zitterte und war schweißgebadet. Harold nahm ihn in die Arme, beunruhigt, ob er mit dem Baumschwamm nicht doch einen Fehler gemacht hatte, aber bisher war ihm das nie passiert.

»Was sind denn das für Geräusche?«, fragte Wilf bibbernd.

»Nur Füchse. Vielleicht Hunde. Und auch Schafe. Ich höre eindeutig Schafe.«

»Wir sind doch gar nicht an Schafen vorbeigekommen.«

»Nein. Aber nachts hört man mehr von der Umgebung.

Daran gewöhnt man sich schnell. Keine Angst. Dir wird nichts passieren.«

Er rieb ihm über den Rücken und redete ihm gut zu, weiterzuschlafen, wie Maureen es mit David bei seinen Panikattacken gemacht hatte, mit denen er aus dem Lake District zurückgekehrt war. »Es ist gut. Es ist gut«, wiederholte er wie sie damals. Er wünschte, er hätte für Wilfs erste Nacht einen besseren Platz gefunden; vor ein paar Tagen war er auf ein unverschlossenes, verglastes Gartenhaus gestoßen, wo er bequem auf einem Weidensofa geschlafen hatte. Sogar unter einer Brücke wäre es besser gewesen als hier, obwohl man dort immer Angst haben musste, entdeckt zu werden.

»Es ist scheißgruselig«, sagte Wilf. Ihm klapperten die Zähne. Harold holte Queenies Strickmütze aus dem Rucksack und zog sie dem Jungen über den Kopf.

»Ich hatte früher oft Albträume, aber nachdem ich eine Weile gelaufen war, haben sie aufgehört. Dir wird's genauso gehen.«

In dieser Nacht schlief Harold nicht, zum ersten Mal seit Wochen. Er saß da und passte auf den Jungen auf, erinnerte sich an die Vergangenheit und fragte sich, warum David solche Entscheidungen getroffen hatte. Ob er als Vater den Keim von Anfang an hätte sehen sollen. Wäre es genauso gewesen, wenn David einen anderen Vater gehabt hätte? Solche Fragen hatten ihn schon lange nicht mehr gequält. Der Hund lag an seiner Seite.

Als der Morgen dämmerte, leuchtete der Mond blassgelb in der Morgensonne, bevor er sich ihr ergab. Sie gingen durch den Tau, die fiedrigen rosa Blütenstände der Seggen und die Walzen des Spitzwegerichs streiften nass und kalt gegen ihre Beine. Tröpfchen hingen wie Edelsteine an den Stängeln,

Spinnen hatten zwischen den Grashalmen flaumige Kissen gewebt. Die aufgehende Sonne war so tief und grell, dass sie alle Formen und Farben vor ihnen verwischte; es war, als gingen sie in Nebel hinein. Harold zeigte Wilf die flache Spur, die ihre Füße auf dem Grünstreifen hinterließen. »Das sind wir«, sagte er.

Wilfs neue Sportschuhe machten weiter Beschwerden, und der Schlafmangel ließ auch Harold erlahmen. In den nächsten beiden Tagen kamen sie nicht weiter als bis Wakefield, aber Harold schaffte es nicht, den jungen Mann zurückzulassen. Die Panikattacken oder Albträume kehrten immer wieder. Wilf beteuerte, es wäre vorher genauso schlimm gewesen, aber der Herr würde ihn retten.

Harold war sich da nicht so sicher. Der Junge war bedenklich untergewichtig und litt an starken Stimmungsschwankungen. Einmal lief er ausgelassen voraus, rannte mit dem Hund um die Wette, um den Stein vor ihm zu erwischen, dann wieder war kaum ein Wort aus ihm herauszukriegen. Um ihn abzulenken, erzählte Harold ihm alles, was er über Wildpflanzen und den Himmel gelernt hatte. Er wies ihn auf die Unterschiede zwischen den niedrighängenden Schichtwolken und den fasrigen Cirruswolken in großer Höhe hin und zeigte ihm die hochaufgetürmten Cumuluswolken, die wie Felsbrocken dahinzogen. Er zeigte Wilf, wie er aus der Beobachtung der Schatten und des Pflanzenwuchses ringsum die Himmelsrichtung ableiten konnte. Zeigte zum Beispiel eine Pflanze auf einer Seite verstärktes Wachstum, empfing sie dort offensichtlich mehr Sonnenlicht. Daraus ließ sich schließen, dass diese Pflanzenseite nach Süden gewandt war und dass sie in die entgegengesetzte Richtung gehen mussten. Wilf schien lernbegierig, doch manchmal verrieten seine Fragen, dass er sich überhaupt nicht konzentrierte. Sie saßen unter einer Pappel und hörten zu, wie ihre Blätter im Wind rauschten.

»Die Zitterpappel«, sagte Harold. »Die erkennt man leicht. Sie zittert so stark, dass sie von weitem aussieht wie mit kleinen Lichtern übersät.«

Er erzählte Wilf von den Menschen, denen er anfangs begegnet war, und von anderen, die er erst vor kurzem getroffen hatte. Da war eine Frau, die in einer Strohhütte lebte, ein Paar, das mit einer Ziege im Auto herumfuhr, und ein pensionierter Zahnarzt, der jeden Tag zehn Kilometer zurücklegte, um frisches Wasser aus einer natürlichen Quelle zu schöpfen. »Er hat mir viel darüber erzählt. Er sagte, wir sollten annehmen, was die Erde uns großzügig schenkt. Das sei ein Akt der Gnade. Seither bleibe ich bei jeder Quelle stehen und trinke daraus.«

Erst als er von diesen Dingen sprach, wurde Harold bewusst, wie weit er gekommen war. Es machte ihm Vergnügen, für Wilf Wasser in kleinen Portionen über einer Kerze zu erhitzen und Lindenblüten zu pflücken, um daraus Tee zu kochen. Er zeigte Wilf, dass man die jungen Triebe von Margeriten, Strahlenloser Kamille, Leinkraut und Hopfen essen konnte. Er hatte das Gefühl, er hole jetzt alles nach, was er bei David versäumt hatte. Es gab so vieles, was er Wilf beibringen wollte.

»Das sind Wickenschoten. Die sind süß, aber zu viel davon tut nicht gut. Genauso wie zu viel Wodka.«

Wilf nahm die winzige Schote, knabberte ein wenig daran und spuckte sie wieder aus. »Wodka wäre mir lieber, Mr Fry.«

Harold tat, als hätte er nicht gehört. Sie kauerten sich auf eine Böschung und belauerten eine Gans, die gerade dabei war, ein Ei zu legen. Als das Ei zum Vorschein kam und feucht, weiß und riesig ins Gras rutschte, tanzte der Junge kreischend herum. »Scheiße, ist das geil. Das kam direkt aus ihrem Arsch raus. Soll ich was nach ihr werfen?«

»Nach der Gans? Nein. Wirf einen Stein für den Hund.«

»Ich würde lieber auf die Gans zielen.«

Harold zog Wilf davon und tat, als hätte er auch das nicht gehört.

Sie unterhielten sich über Queenie Hennessy und die kleinen Freundlichkeiten, die sie Harold erwiesen hatte. Er erklärte, dass sie rückwärts singen konnte und Scherzfragen liebte. »Ich glaube nicht, dass das sonst noch jemand von ihr weiß«, sagte er. »Wir haben uns Dinge erzählt, die wir anderen Leuten wahrscheinlich nicht erzählten. Wenn man unterwegs ist, fällt einem das Reden leichter.« Er zeigte Wilf die Geschenke für Queenie, die er im Rucksack hatte. Besonders gefiel dem Jungen der Briefbeschwerer mit der Kathedrale von Exeter, in dem der Glitzer wirbelte, wenn man ihn schüttelte. Manchmal musste Harold feststellen, dass Wilf den Briefbeschwerer aus seinem Rucksack genommen hatte und damit spielte, und er musste ihn ermahnen, vorsichtig damit umzugehen. Wilf schleppte seinerseits weitere Souvenirs an. Ein Stück Feuerstein, eine gepunktete Perlhuhnfeder, einen gebänderten Kiesel. Einmal brachte er einen kleinen angelnden Gartenzwerg an, den er, wie er beteuerte, aus einer Mülltonne gezogen hatte. Ein anderes Mal erschien er mit drei Flaschen Milch und versicherte, sie seien umsonst gewesen. Harold warnte ihn davor, zu hastig zu trinken, aber der Junge hörte nicht auf ihn und musste sich zehn Minuten später übergeben.

Seine Gaben nahmen so überhand, dass Harold sie zurücklassen musste, wenn Wilf nicht hinsah; er gab sich auch Mühe, sie vor dem Hund zu verstecken, der zumindest die

Steine gern wieder apportierte und Harold zu Füßen legte. Manchmal drehte der Junge sich um und rief begeistert, er habe etwas Neues gefunden, und Harold zerriss es fast das Herz. Es hätte so leicht David sein können.

22
Harold und die Pilger

Liebe Queenie,
du wärst überrascht, wie sich die Ereignisse überstürzen. So
viele Menschen fragen nach dir.
Alles Gute,
Harold.
PS: Am Schalter auf der Post war eine nette Frau, die für die
Briefmarke kein Geld von mir verlangt hat. Auch sie lässt dich
grüßen.

Am siebenundvierzigsten Tag bekam Harold weitere Gesellschaft: eine Frau mittleren Alters und einen Vater zweier Kinder. Kate gab zu verstehen, sie habe vor kurzem etwas Schlimmes durchgemacht, wolle es aber hinter sich lassen. Die
kleine, ganz in Schwarz gekleidete Frau reckte beim Gehen
das Kinn nach vorn und nach oben, als schiele sie angestrengt
unter der Krempe eines Schlapphuts hervor. An ihrem Haaransatz reihten sich Schweißperlen, unter ihren Achseln hingen nasse Halbmonde.

»Sie ist fett«, sagte Wilf.

»Ich finde, so etwas solltest du nicht sagen.«

»Sie ist trotzdem fett.«

Der Mann nannte sich Rich, kurz für Richard; mit Nachnamen hieß er Lion. Er hatte in der Finanzbranche gearbeitet, war aber mit Ende dreißig entlassen worden, seither »wurstelte er sich so durch«. Als er von Harolds Reise gelesen hatte, erfüllte ihn eine Hoffnung, wie er sie seit seiner Kindheit nicht mehr gespürt hatte. Er hatte nur einiges Unentbehrliche eingepackt und war losgelaufen. Wie Harold war er ein großer Mann, hatte aber eine selbstsichere, leicht näselnde Stimme. Er trug richtige Wanderschuhe, eine Hose mit Tarnmuster und einen Trekkinghut aus Känguruleder, online gekauft. Er hatte ein Zelt, einen Schlafsack und für den Notfall ein Schweizer Armeemesser dabei.

»Ich will ganz offen sein«, vertraute er sich Harold an. »Ich habe mein Leben verpfuscht. Ich habe meinen Arbeitsplatz verloren und bin dann total aus dem Tritt gekommen. Meine Frau hat mich verlassen und die Kinder mitgenommen.« Er hieb die Klinge in die Erde. »Es geht mir um die Jungs, Harold. Ich vermisse sie wahnsinnig. Sie sollen sehen, dass ich etwas zustande bringe, verstehst du? Ich möchte, dass sie stolz auf mich sind. Hast du schon mal daran gedacht, querfeldein zu gehen?«

Als die neuformierte Gruppe sich nach Leeds aufmachte, gab es Meinungsverschiedenheiten, welche Route man nehmen sollte. Rich wollte die Städte meiden und durch die Heide laufen. Kate wollte auf der A61 weitergehen. Was Harold dazu meine, fragten sie. Harold, der Konflikte scheute, meinte, beides sei gut, solange sie nur nach Berwick gelangten. Er war so lange allein gewesen, dass er die ständige Gesellschaft anderer ermüdend fand. Ihre Fragen und ihre Begeisterung rührten ihn, bremsten ihn aber auch. Doch da sich diese Leute entschlossen hatten, mit ihm mitzulaufen und Queenies Sache zu unterstützen, fühlte er sich für die kleine Gruppe verantwortlich, als hätte er selbst sie zum Mitkommen aufgefordert, müsse sich folglich um ihrer aller Bedürfnisse kümmern und für ihre Sicherheit sorgen. Rich sagte, sie seien zu langsam. Kate sagte, sie bräuchten richtige Pausen. Wilf latschte schmollend neben Harold, die Hände in die Taschen vergraben, und jammerte, seine Schuhe seien zu klein. Harold fühlte sich mit ihm genauso wie damals mit David: Er wünschte, er könnte umgänglicher sein, und fürchtete, seine Unsicherheit könne als Arroganz missverstanden werden. Sie brauchten über eine Stunde, um sich auf einen Schlafplatz zu einigen, der allen bequem genug war.

Innerhalb von zwei Tagen war Rich mit Kate verkracht. Nicht wegen einer bestimmten Äußerung von ihr, erzählte er Harold, sondern wegen ihrer ganzen Art. Sie benahm sich, als hielte sie sich für was Besseres, nur weil sie dreißig Minuten vor ihm dazugestoßen war. »Und weißt du, was?«, sagte Rich, der sich in ein Gebrüll hineinsteigerte. Harold wusste nicht, was; er fühlte sich nur in die Zange genommen. »Sie ist hierher *gefahren*!« In Harrogate schlug Kate vor, sie sollten die Königlichen Bäder besuchen, um sich frisch zu machen. Rich grinste höhnisch, räumte aber ein, dass er neue Klingen für sein Messer gebrauchen konnte. Harold wollte weder das eine noch das andere, sondern setzte sich in den Stadtpark, wo ihn bald etliche Fans umringten und nach Queenie löcherten. Wilf schien gänzlich abhandengekommen.

Bis die Gruppe wieder zusammenfand, hatte sich ein junger Witwer zu Harold gesetzt, dessen Frau an Krebs gestorben war. Der Mann erklärte, er wolle in einem Gorilla-Anzug mitlaufen, um auf Queenies Sache aufmerksam zu machen. Bevor Harold ihm das ausreden konnte, tauchte Wilf wieder auf, der erhebliche Schwierigkeiten mit dem aufrechten Gang zu haben schien.

»Und Jesus weinte«, sagte Rich.

Sie gingen langsam weiter. Wilf fiel zweimal hin. Es stellte sich heraus, dass der Gorilla-Mann mit Hilfe eines Strohhalms ernährt werden musste und regelmäßig Trauerschübe bekam, die durch überhitzungsbedingte Erschöpfung noch verschärft wurden. Nach einem Kilometer schlug Harold vor, sie sollten haltmachen, um zu übernachten.

Er entzündete das Lagerfeuer und rief sich ins Gedächtnis, dass er selbst mehrere Tage gebraucht hatte, um seinen Rhythmus zu finden. Es wäre unhöflich, einfach allein weiterzulaufen, wo die anderen doch zu ihm gekommen waren und sich so sehr für Queenie engagierten. Er fragte sich sogar, ob Queenies Überlebenschancen nicht stiegen, je mehr Menschen an sie glaubten und seinen Weg mitgingen.

Von da ab schlossen sich immer mehr Leute an, manche nur für ein, zwei Tage. Bei sonnigem Wetter strömten richtige Massen herbei. Aktivisten, Spaziergänger, Familien, Aussteiger, Touristen, Straßenmusikanten. Es gab Transparente, Lagerfeuer, Diskussionen, Aufwärmübungen und Musik. Die Leute erzählten Erschütterndes über geliebte Menschen, die sie durch Krebs verloren hatten, und auch so manches aus ihrer Vergangenheit, was sie bedauerten. Je größer die Menge, desto langsamer das Tempo. Die weniger erfahrenen Wanderer mussten nicht nur untergebracht, sondern auch verpflegt werden. Es gab Kartoffeln aus dem Feuer, Knoblauch am Spieß, Rote Beete in Folie. Rich besaß ein Buch über Nahrungsammeln in der Wildnis und bestand darauf, Wiesenkerbelpfannkuchen zu machen. Die Tagesstrecke schrumpfte immer weiter zusammen, manchmal kamen sie kaum auf fünf Kilometer.

Trotz ihrer Langsamkeit schien die Gruppe von einer Sicherheit getragen, die neu für Harold war. Man versicherte einander, man sei keine Ansammlung von Leibern, Füßen, Köpfen und Herzen, sondern eine einzige, geballte Energie, die ganz Queenie Hennessy verpflichtet war. Der Weg nach Berwick war so lange eine Idee ganz allein in Harolds Kopf gewesen, dass es ihn sehr rührte, wenn andere Menschen ihren Glauben daran bekannten. Mehr noch, er wusste, dass es funktionieren konnte. Vielleicht hatte er es auch schon vorher gewusst, doch jetzt ging die Überzeugung tiefer. Sie stellten Zelte auf, entrollten ihre Schlafsäcke und schliefen unter freiem Himmel. Sie versprachen einander, dass Queenie leben würde. Zu ihrer Linken erhoben sich die dunklen Hügel von Keighley Moor.

Doch innerhalb weniger Tage kamen Spannungen auf. Kate hatte für Rich nichts übrig, nannte ihn einen Egomanen. Im Gegenzug beschimpfte er sie als verbiesterte Zicke. Dann schliefen in einer Nacht sowohl der Gorilla-Mann als auch ein Student, der nur besuchsweise mitlief, mit derselben Grundschullehrerin, und Richs Beschwichtigungsversuche endeten fast in einer Schlägerei. Wilf konnte es nicht lassen, ständig alle bekehren zu wollen oder Gebete für Queenie zu fordern, was zu weiterem Ärger führte. Als eine fremde Wandergruppe für die Nacht ihr Lager bei ihnen errichtete, gab es weitere Auseinandersetzungen. Manche gaben zu bedenken, Zelte entsprächen nicht dem wahren Geist von Harolds Marsch, andere wollten Straßen ganz meiden und zu dem Pennine-Wanderweg hinüberwechseln, der höhere Anforderungen stellte. Und was war mit überfahrenen Tieren? Dürfen wir die essen, fragte Rich und löste damit eine weitere Diskussionsrunde aus. Harold hörte mit wachsendem Unbehagen zu. Ihm war es egal, wo die Leute schliefen, wie sie gingen oder was sie aßen. Er wollte einfach nach Berwick.

Aber jetzt waren diese Menschen nun einmal bei ihm.

Schließlich hatten auch sie auf die eine oder andere Weise gelitten. Wilf bekam in der Nacht immer noch Zitteranfälle, und Kate saß oft mit tränenglänzenden Wangen am Feuer. Sogar Rich musste, wenn er von seinen Jungs sprach, ein Taschentuch auseinanderschütteln und so tun, als hätte er Heuschnupfen. Auch wenn Harold es noch so sehr bedauerte, dass sich die anderen ihm angeschlossen hatten, war er nicht fähig, sie zu enttäuschen. Manchmal seilte er sich ab, wusch sich an einem Bach oder atmete einfach tief durch. Er machte sich klar, dass es für seinen Weg keine Regeln gab. Ein-, zweimal hatte er geglaubt, er hätte etwas begriffen, doch dann musste er entdecken, dass er rein gar nichts begriffen hatte. Vielleicht war es mit den Pilgern auch so? Vielleicht waren sie einfach der nächste Abschnitt auf seinem Weg? Es gab Zeiten, so viel hatte er erkannt, wenn die höchste Wahrheit das Nicht-Wissen war, mit dem man sich begnügen musste.

Die Nachrichten über die Pilger verselbständigten sich immer mehr, als wohne ihnen eine eigene Dynamik inne. Sobald sich das Gerücht verbreitete, die Pilger seien am Anrücken, machte sich alles, was über einen Herd verfügte, ans Backen. Kate wurde fast von einer Frau im Landrover überfahren, die wild entschlossen war, ein Tablett mit Ziegenkäsescheiben bei den Pilgern abzuliefern. Rich schlug beim Lagerfeuer vor, Harold solle jede Mahlzeit mit ein paar Worten einleiten, was es bedeute, Pilger zu sein. Als Harold ablehnte, erbot sich Rich, dies für ihn zu übernehmen. Ob jemand Aufzeichnungen machen wolle? Der Gorilla-Mann kam der Bitte gern nach, doch der Fellhandschuh erschwerte das Schreiben, und der Protokollant musste Rich immer wieder unterbrechen, damit er mitkam.

Inzwischen brachte die Presse immer weitere Zeugenaussagen über Harolds Herzensgüte. Er selbst las keine Zeitung, aber Rich hatte offenbar seine eigenen Quellen und war informiert. Ein Spiritist aus Clitheroe behauptete, der Pilger besitze eine goldene Aura. Ein junger Mann, der drauf und dran gewesen war, von der historischen Hängebrücke in Bristol zu springen, erzählte mit bewegenden Worten, wie Harold ihn davon abgebracht habe.

»Aber ich bin doch gar nicht in Bristol gewesen«, widersprach der. »Ich bin nach Bath gelaufen, und von da nach Stroud. Daran erinnere ich mich ganz deutlich, weil ich dort beinahe aufgegeben hätte. Nie bin ich jemandem auf einer Brücke begegnet. Und habe ganz bestimmt niemandem etwas ausgeredet.«

Rich meinte, das sei nebensächlich. Belanglos sogar. »Vielleicht hat er nicht gesagt, dass er sich das Leben nehmen will. Aber die Begegnung mit dir hat ihm Hoffnung gegeben. Du hast es wahrscheinlich vergessen.« Wieder erinnerte er Harold, dass er das Gesamtbild im Auge haben müsse; keine Publicity sei schlechte Publicity. Obwohl Rich vom Alter her sein Sohn hätte sein können, beschlich Harold das Gefühl, dass der Mann mit ihm redete wie mit einem Kind. Er sagte, Harold erschließe einen Riesenmarkt. Man müsse das Eisen schmieden, solange es heiß sei. Und die Rosinen herauspicken. Außerdem müssten alle ins selbe Horn stoßen. Doch von solchem Gerede bekam Harold Kopfschmerzen; in seinem Gehirn wimmelte es von zusammenhanglosen Bildern von Rosinen, Jagdhörnern und zischendem Eisen, dass er immer wieder stehen bleiben und überlegen musste, was Rich eigentlich meinte. Er wünschte, der Mann würde die Worte in ihrer echten Bedeutung benutzen und nicht als Munition.

Es war schon Anfang Juni, und Wilfs von der Familie getrennt lebender Vater sprach in einem erschütternden Interview über den Mut seines Sohnes (»der hat mich noch nie in seinem Leben gesehen«, sagte Wilf). Die Kommune von Berwick upon Tweed gab Plakate und Wimpel mit den Namen der Pilger in Auftrag, um sie bei ihrer Ankunft willkommen zu heißen. Der Besitzer eines Tante-Emma-Ladens in Ripon warf den Pilgern vor, mehrere Waren gestohlen zu haben, einschließlich einer Flasche Whiskey.

Rich berief eine Versammlung ein, auf der er Wilf mit Worten, die an Deutlichkeit nichts zu wünschen übrigließen, des Diebstahls bezichtigte; er wollte ihn nach Hause schicken. Da stand Harold ausnahmsweise einmal auf und legte Widerspruch ein, aber die offene Konfrontation quälte ihn und er merkte, dass er kein zweites Mal dazu in der Lage wäre. Rich hörte mit schmalen Augen zu, dass Harold schließlich mitten im Satz die Worte im Hals steckenblieben. Rich gestand Wilf widerwillig eine zweite Chance zu, ging Harold aber den Rest des Nachmittags aus dem Weg. Dann verwechselte Wilf essbare Pilze mit einer täuschend ähnlich aussehenden, giftigen Sorte, und die halbe Gruppe lag mit Magenkrämpfen und Fieber danieder. Als die Betroffenen sich gerade wieder erholten, löste die große Menge Johannisbeeren, Kirschen und Stachelbeeren in der täglichen Ernährung eine peinigende Durchfallwelle aus. Der Gorilla-Mann erlitt böse Stiche, als er Richards Worte notierte; in seinen Handschuh hatte sich eine Wespe verirrt. Die Pilger mussten zwei Tage lang pausieren.

Am Horizont zog sich eine Reihe von blauen Gipfeln. Harold hatte große Sehnsucht, sie zu besteigen. Die Sonne, die im Osten schon hoch am Himmel stand, ließ den Mond zu einem runden Wölkchen verblassen. Wenn diese Leute nur weggehen würden. Sollten sie doch etwas anderes finden, woran sie glauben konnten. Er schüttelte den Kopf und schalt sich selbst, weil er so wenig loyal war.

Rich informierte die Gruppe, dass sie etwas bräuchten,

um die echten Pilger von den bloßen Mitläufern zu unterscheiden. Er hatte bereits die Lösung. Er hatte mit einem alten Freund aus der Werbebranche gesprochen, der ihm einen Gefallen schuldete. Der Freund wiederum hatte die Hersteller eines Fitnessdrinks kontaktiert, die sich gern bereit erklärten, alle offiziellen Teilnehmer mit T-Shirts auszustatten, die vorn und hinten den Aufdruck PILGER trugen. Die T-Shirts wären weiß und würden in drei Größen geliefert.

»Weiß?«, schnaubte Kate verächtlich. »Und wo werden wir die Dinger waschen?«

»Weiß fällt auf«, entgegnete Rich. »Und ist das Symbol der Reinheit.«

»Auf so was kann auch nur ein Mann kommen. Völliger Schwachsinn!«, schnaubte Kate.

Die Firma würde außerdem gesunde Fruchtgetränke in unbegrenzter Menge zur Verfügung stellen. Als Gegenleistung würde lediglich erwartet, dass sich Harold so oft wie möglich mit einem solchen Getränk zeigte. Bei der Lieferung der T-Shirts würde eine Pressekonferenz anberaumt. Harold sollte auf der A617 zu einem Fotoshooting mit der Miss South Devon zusammentreffen.

Harold sagte: »Ich finde, die anderen sollten auch dabei sein. Sie haben sich diesem Weg genauso verpflichtet wie ich.«

Rich sagte, das würde die Botschaft über den Glauben im einundzwanzigsten Jahrhundert nur verwässern und wäre auch der Queenie-Romanze abträglich.

»Aber ich wollte die Sache niemals breittreten, und außerdem liebe ich meine Frau«, widersprach Harold.

Rich reichte ihm ein Fruchtgetränk und erinnerte ihn daran, die Flasche mit dem Etikett zur Kamera zu drehen. »Ich verlange ja gar nicht, dass du das trinkst. Du brauchst das Zeug bloß in der Hand zu halten. Und habe ich schon erwähnt, dass du zu einem Abendessen mit dem Bürgermeister eingeladen bist?«

»Ehrlich gesagt habe ich keinen großen Hunger.«

»Du musst den Hund mitnehmen. Seine Frau hat etwas mit dem Tierschutzverein zu tun.«

Die Leute waren beleidigt, wenn die Pilger ihre Stadt links liegenließen. Der Bürgermeister eines Ferienorts in North Devon nannte Harold in einem Interview einen »elitären Vertreter der weißen Mittelschicht«. Harold war so erschüttert, dass er sich am liebsten sofort entschuldigt hätte. Er überlegte sogar, ob er zu Fuß nach Hause zurücklaufen und alle Orte abklappern sollte, durch die er auf dem Hinweg nicht gekommen war. Er gestand Kate, dass die Fruchtgetränke seine Verdauung vollkommen durcheinanderbrachten.

»Aber Rich hat es dir doch gesagt – du brauchst sie nicht zu trinken. Sobald das Foto im Kasten ist, kannst du das Zeug wegschütten.«

Er lächelte traurig. »Das kann ich eben nicht – die Flasche halten, den Deckel abschrauben und dann den Saft nicht trinken. Ich bin ein Nachkriegskind, Kate. Wir brüsten uns nicht mit unseren Leistungen, und wir werfen nichts weg. So sind wir eben erzogen worden.«

Kate streckte die Arme zu ihm hoch und drückte ihn an sich.

Er hätte ihre Umarmung gern erwidert, stand aber nur ziemlich steif und hilflos da. War vielleicht auch das eine Eigenart seiner Generation? Er sah sich unter den Leuten in ihren T-Shirts und Shorts um und fragte sich, ob er zum Auslaufmodell geworden war.

»Wo drückt der Schuh?«, fragte Kate. »Du streunst immer wieder davon.«

Er richtete sich auf. »Ich kann mir nicht helfen – ich habe das Gefühl, das stimmt alles nicht. Der Lärm. Der ganze Wirbel. Ich habe Respekt davor, wie viel alle hier leisten. Aber ich sehe nicht, wie das Queenie helfen soll. Wir sind gestern nur neun Kilometer gelaufen. Und vorgestern elf. Ich frage mich, ob ich nicht lieber gehen sollte.«

Kate fuhr so plötzlich herum, als hätte er ihr einen Kinnhaken verpasst. »Gehen?«

»Auf die Straße zurückkehren.«

»Ohne uns?« Panik flackerte in ihren Augen. »Das kannst du doch nicht machen. Du kannst uns doch nicht verlassen. Nicht jetzt.«

Harold nickte.

»Das musst du mir versprechen.« Sie packte ihn am Arm. Ihr goldener Ehering blitzte in der Sonne auf.

»Natürlich gehe ich nicht ohne euch«, sagte Harold. Schweigend liefen sie nebeneinander her. Er wünschte, er hätte ihr nichts von seinen Zweifeln gesagt. Es war doch klar, dass sie damit nicht zurechtkäme.

Trotz seines Versprechens legte sich Harolds Unruhe nicht. Etappenweise kamen sie gut voran, aber wegen Erkrankungen, Verletzungen und des ganzen öffentlichen Rummels brauchten sie für fünfundneunzig Kilometer fast zwei Wochen; da waren sie noch nicht einmal in Darlington. Harold stellte sich vor, dass Maureen Fotos von ihm in der Zeitung sah, und schämte sich. Er fragte sich, was sie wohl dachte, wenn sie ihn da abgelichtet sah. Ob sie ihn wohl für einen Trottel hielt.

Als Fans und Getreue an einem Abend ihre Gitarren herausholten und am Lagerfeuer zu singen begannen, nahm Harold seinen Rucksack und schlich davon. Der Himmel war so klar und schwarz und sternfunkelnd; der Mond war ein weiteres Mal am Abnehmen. Harold dachte an die Nacht zurück, als er bei Stroud in der Scheune geschlafen hatte. Niemand kannte den wahren Grund, warum er zu Queenie ging. Sie stellten ihre Vermutungen an. Sie dachten an eine Liebesgeschichte, an ein Wunder, an Edelmut oder gar Tapferkeit, aber damit hatte es nichts zu tun. Seine wirklichen Beweggründe standen in erschreckendem Widerspruch zu allem, was die anderen glaubten. Und so fühlte er sich, wenn er auf das Lager blickte, mitten unter ihnen als Unbekannter. Das Feuer warf seinen Lichtschein in die Dunkelheit. Stimmen und Gelächter wehten zu ihm – die Stimmen und das Lachen von Fremden.

Er könnte jetzt einfach weiterlaufen. Nichts hielt ihn zurück. Er hatte zwar Kate ein Versprechen gegeben, aber seine Loyalität gegenüber Queenie war größer. Er hatte alles dabei, was er brauchte: seine Schuhe. Den Kompass. Queenies Geschenke. Er könnte eine weniger direkte Route nehmen, über die Hügel vielleicht, und den Menschen aus dem Weg gehen. Sein Herz schlug schneller, als ihn seine Füße immer weiter davontrugen. Er könnte wieder nachts laufen. In der Morgendämmerung. Er könnte in wenigen Wochen in Berwick sein.

Da hörte er, dünn in der Nachtluft, Kates Stimme nach ihm rufen; zu ihren Füßen bellte der Hund. Dann riefen weitere Stimmen »Harold« ins Dunkel – manche erkannte er, andere nicht. Er fühlte sich ihnen weit weniger verpflichtet als Queenie, aber sie verdienten doch Besseres, als sang- und klanglos verlassen zu werden. Mit schleppenden Schritten kehrte er zurück.

Im selben Moment, als Harold im Lichtkreis des Lagerfeuers erschien, trat auch Rich aus dem Schatten. Er sah den alten Mann, lief auf ihn zu und riss ihn in seine Arme. Vielleicht hatte er getrunken. Er roch jedenfalls danach. Er drückte Harold so fest an sich, dass der das Gleichgewicht verlor und fast zu Boden ging.

»Na, na – nicht umfallen!« Rich lachte. Es war einer der seltenen Momente, in denen er, wenn auch unbeholfen, seine Zuneigung zeigte. Doch Harold rang nach Luft, ihm war, als würde er in Richs Umklammerung langsam ersticken.

Am nächsten Tag erschien in den Zeitungen ein Foto mit der Unterschrift: WIRD HAROLD FRY ES SCHAFFEN? Harold sah darauf aus, als bräche er zusammen und würde von Rich aufgefangen.

23
Maureen und Harold

Maureen hielt es nicht mehr aus. Sie vertraute Rex an, dass sie Harold entgegen Davids Rat nachfahren wolle. Sie hatte mit ihrem Mann telefoniert; er hoffte, die Pilger würden am nächsten Nachmittag Darlington erreichen. Es war zu spät, um Vergangenes wiedergutzumachen. Aber sie wollte wenigstens einen letzten Anlauf unternehmen, ihn zum Heimkommen zu bewegen.

Mit dem ersten Morgenlicht nahm sie die Autoschlüssel vom Dielentisch und steckte einen korallenroten Lippenstift in die Handtasche. Als sie dabei war, die Haustür zuzusperren, fuhr sie überrascht herum – Rex hatte sie gerufen. Gerüstet mit Sonnenhut und Sonnenbrille, schwenkte er einen Straßenatlas der Britischen Inseln.

»Ich dachte, du brauchst vielleicht jemanden zum Kartenlesen«, sagte er. »Ich hab im Internet nachgeguckt: Bis zum späten Nachmittag sollten wir dort sein.«

Die Meilen flogen vorbei, Maureen nahm es kaum wahr. Sie sagte dies und das, aber es ergab keinen Zusammenhang, als wären ihre Worte nur die Spitze des riesigen Eisbergs ihrer Gefühle. Wenn Harold sie gar nicht sehen wollte? Wenn er ständig von den anderen Pilgern umringt war?

»Und wenn du dich täuschst, Rex?«, sagte sie. »Wenn er

doch in Queenie verliebt ist? Vielleicht sollte ich ihm schreiben? Was meinst du? Ich habe das Gefühl, in einem Brief könnte ich alles besser ausdrücken.«

Da Rex keine Antwort gab, sah sie kurz zu ihm hinüber und merkte, dass er leicht grün um die Nase war. »Alles in Ordnung?«

Er nickte kaum wahrnehmbar, als hätte er Angst vor der kleinsten Bewegung. »Du hast drei Sattelschlepper und einen Bus überholt«, murmelte er. »Auf einer einspurigen Straße.« Da sei es wohl das Beste, wenn er ganz still sitzen bliebe und aus dem Seitenfenster schaue.

Harold und die Pilger waren leicht zu finden. Jemand hatte für das Fremdenverkehrsamt ein Fotoshooting auf dem Marktplatz organisiert, mitten in der Fußgängerzone; dort stieß Maureen auf eine Menschentraube. Ein großer Mann kümmerte sich um die Fotografen. Des Weiteren gab es einen Gorilla, der sichtlich einen Stuhl benötigte, eine stämmige Frau, die ein Sandwich verzehrte, und einen jungen Mann, dessen Augen unstet herumschweiften. Und dann erblickte Maureen Harold, aus der Warte einer Fremden. Sie war überwältigt. Er war ja im Lokalteil der Zeitung abgebildet gewesen; die ausgeschnittenen Artikel steckten in ihrer Handtasche, hatten sie aber nicht im Entferntesten darauf vorbereitet, ihn »im richtigen Leben« zu sehen, wie David immer sagte. Harold konnte schlecht größer oder breitschultriger geworden sein, aber wenn sie diesen wettergegerbten Piraten ansah, diesen Hünen mit lockigem Haupt und einer Haut wie dunkles Leder, dann hatte sie das Gefühl, sie selbst wäre ganz flach geworden, vom kleinsten Windstoß umzublasen. Sie erzitterte vor seiner sehnigen Vitalität; er wirkte, als wäre er endlich der Mann geworden, der er die ganze Zeit hätte sein sollen. Sein Pilger-T-Shirt war fleckig und am Hals ausgefranst. Seine Segelschuhe waren ausgeblichen, seine Füße kamen durch das abgewetzte Leder praktisch schon durch. Da fing er Maureens Blick auf und hielt abrupt inne. Er sagte etwas zu dem großen Mann und löste sich aus der Gruppe.

Mit einem unglaublich offenen Lachen kam er auf sie zu. Maureen musste die Augen senken; es war ihr unmöglich, seinem strahlenden Blick frei zu begegnen. Sie wusste nicht, ob sie ihm die Lippen oder die Wange entgegenhalten sollte, und überlegte es sich in letzter Sekunde anders, so dass sein Kuss ihre Nase traf und sein Bart ihr übers Gesicht kratzte. Die Leute sahen zu.

»Hallo, Maureen.« Seine Stimme war tief und selbstsicher. Ihr wurde ganz schwach in den Knien. »Was führt dich den weiten Weg bis nach Darlington?«

»Ach …« Sie zuckte mit den Achseln. »Rex und ich hatten Lust auf einen Ausflug.«

Er sah sich mit einem breiten Lächeln um. »Du meine Güte! Ist er mitgekommen?«

»Er ist in den Schreibwarenladen gegangen. Er braucht Büroklammern. Danach wollte er ins Eisenbahnmuseum. Da ist die *Locomotion* ausgestellt.«

Er stand wie ein Turm vor ihr und sah ihr unverwandt ins Gesicht. Maureen fühlte sich wie unter einem Scheinwerfer. »Das ist eine alte Dampflok«, erklärte sie, weil er immer noch herumstand und nichts tat, außer zu lächeln. Immer wieder musste sie auf seinen Mund starren. Trotz des Barts fiel ihr auf, dass seine ganze Kinnpartie alles Steife, Verbissene verloren hatte. Seine Lippen waren weich.

Ein alter Kerl rief durch ein Megaphon in die Menge: »Kauft, was ihr könnt! Hört das Wort des Herrn! Shoppen gibt eurem Dasein Sinn! Jesus kam auf die Erde, um zu shoppen!« Er ging barfuß.

Damit war das Eis gebrochen. Harold und Maureen lächelten einander an, und sie fühlte sich mit ihm verschworen, als wären sie die einzigen Menschen auf der Welt, die den Alten richtig verstanden. »Leute gibt's.« Sie schüttelte wissend den Kopf.

»Solche und solche«, sagte Harold.

Seine Bemerkung klang weder herablassend noch vorwurfsvoll, sondern vor allem großzügig, als wäre die Seltsamkeit der anderen etwas Herrliches. Maureen kam sich fürchterlich kleinkariert vor. Sie fragte: »Hast du Zeit für ein Tässchen?« Noch nie im Leben hatte sie eine Kanne Earl Grey als »Tässchen« verniedlicht. Und überhaupt – da wollte sie ihr hausbackenes, grundenglisches Benehmen ausgerechnet mit dem Vorschlag wettmachen, miteinander Tee zu trinken!

»Das wäre wunderbar, Maureen«, antwortete Harold.

Sie gingen in das Café im Erdgeschoss eines Kaufhauses, denn Maureen vertraute dem am meisten, was sie kannte. Die junge Frau hinter der Theke starrte Harold an, als versuche sie ihn einzuordnen, und Maureen fühlte sich gleichzeitig stolz und überflüssig. Sie hatte in letzter Minute brandneue Sportschuhe angezogen, die jetzt an ihren Füßen blinkten wie Leuchtturmsignale.

»So viel Auswahl«, sagte Harold, als er die ganzen Muffins und Kuchenstücke sah, jedes in seinem eigenen Papierförmchen. »Macht es dir auch bestimmt nichts aus, wenn du bezahlst, Maureen?«

Maureen konnte den Blick nicht von ihm wenden. Schon Jahre hatten diese blauen Augen nicht mehr so vor Leben gesprüht. Er zwirbelte mit Zeigefinger und Daumen an den Locken seines voluminösen Vollbarts herum, dass sie hervorstanden wie kleine Zacken auf einer Zuckerglasur. Sie fragte sich, ob die Bedienung hinter der Theke erkannte, dass sie Harolds Frau war.

»Was möchtest du denn?«, fragte sie. Darling, hätte sie gern hinzugefügt, aber das Wort war zu schüchtern und schaffte es nicht ins Freie.

Er fragte, ob er ein Stück von dem Marsriegel-Schichtkuchen und ein Erdbeerfrappé haben könne. Maureen stieß wieder ein schrilles Lachen aus, das klang, als hätte sie es gerade aus einer Schachtel geschüttelt.

»Und ich hätte gern einen Tee, bitte«, bestellte sie. »Mit Milch, ohne Zucker.«

Harold strahlte sein gütiges Lächeln auf die junge Frau in dem schwarzen T-Shirt ab, die über der linken Brust ein Namensschildchen stecken hatte. Zu Maureens Verblüffung errötete sie von der Halsgrube bis in die Haarwurzeln und grinste zurück.

»Sie sind der Mann aus den Nachrichten«, sagte sie. »Der Pilger. Mein Freund findet Sie super. Wären Sie so nett und würden mir ein Autogramm geben?« Sie streckte ihm ihren Arm und einen Stift hin, und Maureen staunte ein zweites Mal, als Harold, ohne mit der Wimper zu zucken, seinen Namen mit Permanentschreiber auf das weiche Fleisch oberhalb ihres Handgelenks schrieb. *Alles Gute – Harold.*

Die junge Frau wiegte ihren Unterarm und betrachtete ihn lange und nachdenklich. Dann richtete sie die Getränke und den Kuchen auf einem Tablett an und stellte noch einen Scone dazu. »Den spendier ich Ihnen«, sagte sie.

Maureen hatte so etwas noch nie erlebt. Sie ließ Harold vorangehen, und es war, als öffnete sich der Raum und verstummte, um ihm Platz zu machen. Sie bemerkte, wie die anderen Gäste Harold anstarrten und hinter vorgehaltener Hand tuschelten. An einem Ecktisch tranken drei Damen in Maureens Alter Tee. Sie fragte sich, wo ihre Männer waren: beim Golfspielen oder vielleicht schon tot? Oder hatten auch sie ihre Frauen sitzenlassen?

»Guten Tag«, sagte Harold munter, wildfremde Leute grüßend.

Er wählte einen Tisch am Fenster, damit er den Hund im Auge behalten konnte. Der lag draußen auf dem Gehweg und kaute an einem Stein herum, als fände er die Warterei höchst spannend. Maureen empfand sich dem Tier plötzlich wesensverwandt.

Maureen und Harold hatten sich nicht Seite an Seite, sondern einander gegenüber niedergelassen. Und obwohl sie mit ihm siebenundvierzig Jahre lang Tee getrunken hatte, zitterten ihre Hände beim Eingießen. Harolds Wangen wölbten sich nach innen, als er am Strohhalm sog, bis sein Frappé mit einem dumpfen Plopp in seinen Mundraum schwappte. Maureen wartete einen höflichen Moment, bis Harold hinuntergeschluckt hatte; allerdings wartete sie zu lange und setzte im selben Moment zum Sprechen an wie er.

»Es ist schön …«

»Toll, dich …«

Sie lachten auf wie zwei Menschen, die einander nicht sehr gut kannten.

»Nein, nein …«, sagte er.

»Nach dir«, sagte sie.

Es war wie ein weiterer Zusammenstoß, nach dem sich beide zu ihren Getränken zurückzogen. Maureen goss sich Milch nach, aber ihre Hand zitterte so, dass der ganze Inhalt des Kännchens in einem Schwall herauskam. »Passiert es oft, dass die Leute dich erkennen, Harold?« Sie klang wie eine Reporterin, die ihn fürs Fernsehen interviewte.

»Weißt du, was mir so zusetzt, Maureen? Dass alle so nett sind.«

»Wo hast du denn gestern Nacht geschlafen?«

»Auf einem Feld.«

Sie schüttelte bewundernd den Kopf, was er aber falsch auffasste, weil er hastig fragte: »Ich stinke doch nicht, oder?«

»Nein, nein«, erwiderte sie ebenso hastig.

»Ich habe mich in einem Bach gewaschen, und dann noch einmal an einem Trinkbrunnen. Aber ich habe keine Seife.« Er hatte seinen Kuchen schon verzehrt und schnitt nun den spendierten Scone auf. Er aß so schnell, dass er das Essen einzuatmen schien.

Sie sagte: »Ich könnte dir Seife kaufen. Wenn mich nicht alles täuscht, bin ich an einem Body Shop vorbeigelaufen.«

»Danke, sehr nett von dir. Aber ich möchte nicht zu viel mit mir herumtragen.«

Maureen schämte sich von neuem, dass sie nichts begriff. Sie hätte so gern alle ihre Farben vor ihm aufgespreizt, und jetzt saß sie da und hatte nichts vorzuweisen als ein langweiliges Vorortgrau. »Oh«, sagte sie und ließ den Kopf hängen. Schmerz stieg in ihr auf und hinderte sie am Weitersprechen.

Er reichte ihr ein zusammengeknülltes Stofftaschentuch, und sie drückte ihr Gesicht in die knittrige Wärme. Es roch nach ihm, nach früher. Das machte es auch nicht besser. Die Tränen flossen.

»Es liegt nur an unserem Wiedersehen«, sagte sie schließlich. »Du siehst so gut aus.«

»Du siehst auch gut aus, Maureen.«

»Nein, Harold. Ich sehe aus wie jemand Sitzengelassenes.«

Sie wischte sich das Gesicht ab, aber die Tränen liefen ihr immer noch durch die Finger. Bestimmt sah die Bedienung an der Theke zu ihnen herüber, und die anderen Gäste und die männerlosen Damen auch. Sollten sie doch. Sollten sie doch glotzen.

»Ich vermisse dich, Harold. Ich wünschte, du würdest nach Hause kommen.« Sie wartete, das Herz schlug ihr bis zum Hals.

Schließlich rieb sich Harold am Kopf, als täte ihm an dieser Stelle etwas weh oder als wolle er etwas wegrubbeln. »Du vermisst mich?«

»Ja.«

»Du möchtest, dass ich nach Hause komme?«

Sie nickte, brachte aber die Bitte kein zweites Mal über die Lippen. Harold kratzte sich noch einmal am Kopf und stellte sich dann ihrem Blick. Sie hatte das Gefühl, ihre Innereien drehten sich im Schleudergang.

Er sagte langsam: »Ich vermisse dich auch. Aber Maureen, ich habe mein ganzes Leben lang untätig verplempert. Jetzt tue ich endlich etwas. Ich muss meinen Weg zu Ende gehen. Queenie wartet. Sie glaubt an mich. Verstehst du das?«

»Ja, schon«, sagte sie. »Das verstehe ich schon. Natürlich.« Sie trank einen Schluck Tee. Er war kalt. »Aber ich – entschuldige, Harold – ich sehe nicht, wo ich da reinpasse. Ich weiß, dass du jetzt ein Pilger bist und alles. Aber ich muss immer denken: Und ich? Tut mir leid – ich bin nicht so selbstlos wie du.«

»Ich bin kein besserer Mensch als alle anderen. Wirklich nicht. Jeder kann tun, was ich tue. Aber man muss loslassen. Das wusste ich anfangs nicht, aber jetzt weiß ich es. Man muss die Dinge loslassen, von denen man glaubt, dass man sie unbedingt braucht, zum Beispiel Bankkarten, Handys, Landkarten und so.« Er sah sie mit seinem ruhigen Lächeln an, seine Augen glänzten.

Sie griff wieder nach ihrer Teetasse und erinnerte sich erst, dass der Tee schon kalt war, als sie den Schluck schon im Mund hatte. Sie hätte Harold gern gefragt, ob Pilger immer auch ihre Frauen loslassen, aber sie tat es nicht. Sie zwang sich wieder, eines jener vergnügten Gesichter aufzusetzen, die so weh tun, und dann sah sie zum Fenster hinaus, wo Harolds Hund noch immer wartete.

»Er frisst einen Stein.«

Harold lachte. »Das macht er immer. Man muss sich zusammenreißen, dass man den Stein ja nicht für ihn wirft. Sonst denkt er, man wirft gern Steine, und folgt einem. Er vergisst nichts.«

Sie lächelte wieder. Diesmal schmerzte das Lächeln nicht. »Hast du ihm einen Namen gegeben?«

»Nur Hund. Es kam mir unpassend vor, ihn anders zu nennen. Er ist ein sehr unabhängiges Tier und gehört nur sich allein. Ich hatte das Gefühl, ein Name klingt, als hielte ich mich für seinen Besitzer.«

Sie nickte; ihr fehlten die Worte.

»Weißt du was?«, sagte Harold plötzlich. »Du könntest doch mit uns laufen.«

Er griff nach ihren Fingern, und sie überließ sie ihm. Seine Handflächen waren so fleckig und verhornt und ihre eigenen so blass und glatt, dass sie nicht sah, wie diese Hände jemals zusammengepasst hatten. Ihre Hand lag in der ihres Mannes, ihr ganzer restlicher Körper war taub.

Momentaufnahmen aus ihrer Ehe wanderten ihr durch den Kopf wie eine Fotoserie. Sie sah ihn in der Hochzeitsnacht aus dem Bad schleichen, seine nackte Brust so schön, dass sie scharf die Luft einsog, für ihn das Signal, sich sofort das

Sakko überzuwerfen. Sie sah ihn im Krankenhaus, wie er seinen neugeborenen Sohn anstaunte und den Finger nach ihm ausstreckte. Sie sah alle diese Bilder aus den Lederalben, von denen sie ihr Gedächtnis mit den Jahren gesäubert hatte. Sie blitzten kurz auf, entschlüsselbar nur für sie selbst. Sie seufzte.

Das war alles so weit weg, und zwischen ihnen hatte sich nun so viel anderes aufgehäuft. Sie sah sich selbst und Harold vor zwanzig Jahren; die Gesichter hinter Sonnenbrillen verborgen, standen sie nebeneinander, unfähig, sich zu berühren.

Seine Stimme teilte den Vorhang ihrer Gedanken. »Was meinst du, Maureen? Kommst du vielleicht mit?«

Sie löste ihre Hand aus der seinen und schob den Stuhl zurück. »Dafür ist es zu spät«, murmelte sie. »Ich glaube nicht.«

Sie stand auf, doch Harold blieb sitzen. Da hatte sie das Gefühl, sie wäre schon zur Tür hinaus. »Da ist der Garten. Und Rex. Außerdem habe ich meine Sachen nicht dabei.«

»Die brauchst du doch gar …«

»Doch«, sagte sie.

Er kaute an seinem Bart und nickte, ohne hochzusehen, als wollte er sagen, ›Ich weiß‹.

»Ich gehe jetzt lieber. Rex lässt dich übrigens grüßen. Und ich habe dir ein paar Pflaster mitgebracht. Und eines dieser Fruchtgetränke, die du so gern trinkst.« Sie stellte die Sachen auf den Tisch, auf das neutrale Gelände in der Mitte zwischen Harold und sich. »Aber vielleicht benutzen Pilger gar keine Pflaster?«

Harold lehnte sich zurück, um ihre beiden Geschenke in seiner Hosentasche zu verstauen. Die Hose schlotterte ihm um die Hüften. »Danke, Maureen. Das ist alles sehr nützlich.«

»Dass ich dich gebeten habe, deinen Weg abzubrechen, war egoistisch von mir. Verzeih mir, Harold.«

298

Er ließ den Kopf so tief sinken, dass sie sich fragte, ob er am Tisch eingenickt sei. Durch seinen Hemdkragen sah sie bis zur weichen, weißen Haut seines Rückens hinunter, die die Sonne nicht erreicht hatte. Ein Schauer durchlief sie, als sähe sie ihn zum ersten Mal wieder nackt. Als er den Kopf hob und ihr in die Augen sah, wurde sie rot.

Er sagte ganz leise, die Worte nur ein Hauch: »Ich bin derjenige, der Vergebung braucht.«

Rex wartete auf dem Beifahrersitz, mit einem Kaffee im Styroporbecher und einem Doughnut in der Serviette. Maureen setzte sich neben ihn und sog in kleinen Rucken die Luft ein, um die Tränen zu stoppen. Rex bot ihr zu essen und zu trinken an, aber sie hatte keinen Appetit.

»Ich habe sogar gesagt: ›Ich glaube nicht‹«, schluchzte sie. »Unfassbar, dass ich das tatsächlich gesagt habe!«

»Wein dich nur richtig aus.«

»Danke, Rex. Aber ich habe genug geweint. Ich würde jetzt lieber aufhören.«

Sie tupfte sich die Augen trocken und sah auf die Straße hinaus, wo die Leute ihren Alltag lebten. Männer und Frauen, Alte und Junge, Leute, die gemeinsam gingen, oder Einzelgänger. Die Paare sahen so beschäftigt, so selbstsicher aus. Sie sagte: »Vor vielen Jahren, als Harold und ich uns kennengelernt haben, hat er mich Maureen genannt. Dann ist Maw daraus geworden und jahrelang so geblieben. Jetzt nennt er mich wieder Maureen.« Sie legte die Finger auf den Mund, Schweigen fordernd.

»Möchtest du noch bleiben?«, fragte Rex. »Noch einmal mit ihm reden?«

Maureen drehte den Schlüssel im Zündschloss. »Nein. Fahren wir nach Hause.«

Beim Anfahren erblickte sie Harold wieder, diesen Fremden, der so viele Jahre ihr Mann gewesen war; neben ihm trottete ein Hund, hinter ihm eine Gruppe von Anhängern, die sie nicht kannte. Aber sie winkte nicht, hupte nicht. Ohne Fanfare, ohne Tamtam, ja ohne richtigen Abschied fuhr sie davon und ließ Harold weiterziehen.

Als Maureen zwei Tage später aufwachte, war der Himmel voller Versprechungen, und eine leichte Brise spielte mit den Blättern. Der ideale Waschtag. Sie holte die Trittleiter und nahm die Gardinen ab. Licht, Farben und Formen stürzten in den Raum, als wären sie die ganze Zeit hinter dem Stoff gefangen gewesen. Noch am selben Tag waren die Gardinen wieder weiß und trocken.

Maureen legte sie zusammen, packte sie in Tüten und brachte sie zum Charity-Laden.

24
Harold und Rich

Etwas veränderte sich, als Harold Maureen hinter sich ließ. Es war, als schlösse sich zu einem Teil seiner selbst eine Tür, die er vielleicht lieber hätte offen haben wollen. Es machte ihm keinen Spaß mehr, sich auszumalen, wie ihn die Schwestern und Patienten im Hospiz empfangen würden. Er konnte sich kein Bild mehr vom Ende seiner Reise machen. Sie kamen nur zäh voran, von so vielen Streitereien gebremst, dass die Gruppe für die Strecke von Darlington nach Newcastle fast eine Woche brauchte. Harold lieh Wilf seinen Spazierstock und bekam ihn nie wieder.

Maureen hatte gesagt, dass sie ihn vermisste. Und wollte, dass er wieder nach Hause kam. Das ging ihm nicht aus dem Kopf. Er erfand eine Ausrede nach der anderen, um sich Handys auszuleihen und sie immer wieder anzurufen.

»Mir geht's gut«, sagte sie dann. »Prima.« Sie erzählte ihm von einem rührenden Brief, der in der Post gewesen war, oder von einem kleinen Geschenk; vielleicht beschrieb sie ihm auch die Fortschritte ihrer Stangenbohnen. »Aber du willst doch gar nicht so viel über mich hören«, fügte sie hinzu. Wollte er aber. Ganz dringend sogar.

»Na, schon wieder am Handy?«, fragte Richard grinsend, aber wenig einfühlsam.

Er beschuldigte Wilf, wieder gestohlen zu haben, und insgeheim befürchtete Harold, dass er recht hatte. Es schmerzte, den Jungen ständig verteidigen zu müssen, wenn Harold im Innersten wusste, dass er genauso unzuverlässig war wie David. Wilf versteckte seine leeren Flaschen nicht einmal mehr.

Ihn wachzurütteln konnte peinlich lange dauern, und sobald er auf den Füßen stand, jammerte er herum. Um ihn zu schützen, machte Harold den anderen weis, seine alte Verletzung im rechten Bein fange wieder an zu rumoren. Er schlug längere Pausen vor. Er schlug sogar vor, die anderen sollten vielleicht vorausgehen. Nein, nein, widersprachen sie im Chor. Harold sei der Weg. Sie könnten unmöglich auf ihn verzichten.

Zum ersten Mal war er erleichtert, wenn sie in eine Stadt kamen. Wilf schien dann wieder aufzuleben. Und wenn Harold andere Leute sah, in Schaufenster guckte und merkte, was er alles nicht brauchte, wurde er von seinen Zweifeln abgelenkt, was aus seiner Reise geworden war. Er wusste nicht, wie es hatte geschehen können, dass die von ihm ins Leben gerufene Unternehmung zum Selbstläufer wurde und ihm nun aus den Händen glitt.

Wilf kam auf ihn zugespurtet. »Ein Typ hat mir sauviel Kohle für meine Story angeboten!« Er zitterte wieder und roch nach Whiskey. »Aber ich habe nein gesagt, Mr Fry. Ich bleibe bei Ihnen.«

Die Pilger schlugen das Lager auf, aber Harold setzte sich nicht mehr dazu, während sie kochten, und plante auch die Route des nächsten Tages nicht mehr mit. Rich hatte begonnen, Kaninchen und Vögel zu jagen, die er häutete oder rupfte und über dem Feuer briet. Harold schüttelte sich beim Anblick der armen, aufgespießten Tierkadaver. Er sah in Richs Augen etwas Wildes, Hungriges, das ihn beunruhigend sowohl an Napier als auch an seinen Vater erinnerte. Richs Pilgerhemd war blutverschmiert. Er trug jetzt auch immer eine Kette kleiner Nagetierzähne um den Hals. Das verdarb Harold den Appetit.

Müde und innerlich immer leerer, schlenderte er durch die nahende Nacht, während die Grillen zirpten und Sterne den Himmel tüpfelten. Das war die einzige Zeit, wenn er sich frei und mit der Welt verbunden fühlte. Er dachte an Maureen und Queenie. Er erinnerte sich an die Vergangenheit. Stunden konnten vergehen, die ihm gleichzeitig wie Tage und wie ein flüchtiger Augenblick erschienen. Wenn er zu der Gruppe zurückkehrte, schlug eine kalte Welle von Panik über ihm zusammen. Manche schliefen schon, manche sangen am Lagerfeuer – was hatte er mit diesen Leuten zu schaffen?

Während seiner Abwesenheit berief Rich eine vertrauliche Versammlung ein. Er habe schwere Bedenken, sagte er. Es sei schwierig, das Thema anzusprechen, aber jemand müsse es tun; Queenie könne nicht ewig warten. In Anbetracht dessen schlug er vor, dass ein von ihm selbst geführter Spähtrupp eine direktere Route einschlagen solle, quer übers Land. »Ich weiß, das ist für uns alle eine schwere Entscheidung, weil wir Harold lieben. Er ist wie ein Vater zu mir. Aber er wird immer langsamer. Hat ein schlimmes Bein. Irrt die halbe Nacht durch die Gegend. Und fastet jetzt auch noch. Er ist nicht mehr der Mann, der er einmal war …«

»Er fastet nicht«, widersprach Kate. »Wie du das sagst, machst du eine religiöse Sache draus. Er hat einfach keinen Hunger.«

»Egal – er ist dem Marsch nicht gewachsen, wir müssen das Kind einfach mal beim rechten Namen nennen. Wir müssen nachdenken, wie wir da helfen können.«

Kate saugte sich etwas Fasriges, Grünes aus den Backenzähnen. »Du redest Quatsch«, sagte sie.

Wilf lachte so hysterisch, dass er nur noch japste, und das Thema wurde fallengelassen. Aber Rich saß den Rest des Abends abseits der Gruppe da, sehr still, und hieb mit seinem Taschenmesser auf einen Stecken ein, spaltete große Späne ab und spitzte ihn scharf zu.

Am nächsten Morgen wurde Harold von Geschrei geweckt. Richs Messer war weg. Nachdem die Wiese, die Böschung und die Hecke gründlich abgesucht waren, stand fest, dass Wilf damit getürmt war. Und auch, entdeckte Harold, mit dem glitzernden Briefbeschwerer für Queenie Hennessy.

Der Gorilla-Mann meldete das Neueste: Pilger Wilf habe eine Facebookseite eingerichtet. Sie habe schon über tausend Fans. Sie enthielt persönliche Anekdoten über seinen Fußmarsch und die Leute, die er gerettet hatte. Außerdem waren mehrere Gebete eingestellt. Wilf versprach seinen Fans weitere Storys in den Wochenendausgaben der Zeitungen.

»Ich hab's dir ja gesagt, dass er nichts taugt«, tönte Rich auf der anderen Seite des Lagerfeuers. Sein Blick nagelte Harold im Dunkeln fest.

Das Verschwinden des Jungen verstörte Harold zutiefst. Er sonderte sich von der Gruppe ab und suchte die Schatten nach Zeichen von Wilf ab. In den Städten schaute er in die Kneipen, forschte in Gruppen von jungen Männern nach Wilfs hagerem, kränklichem Gesicht oder spitzte die Ohren, ob er nicht irgendwo sein kläffendes Lachen hören konnte, das einen so zur Weißglut brachte. Er hatte das Gefühl, er habe den Jungen enttäuscht, genau, wie er immer alle enttäuschte. Wieder schlief er nachts schlecht, und manchmal schlief er überhaupt nicht.

»Du siehst müde aus«, sagte Kate. Sie waren ein Stück von der Gruppe weggeschlendert und saßen in einem aus Ziegeln gemauerten Tunnel an einem Fluss. Das Wasser war still und trüb, mehr wie grüner Samt als flüssig. Am Ufer wuchsen Bachminze und Kresse, aber Harold hatte die Lust verloren, sie zu pflücken.

»Ich fühle mich weit entfernt von meinem Startpunkt. Aber auch weit entfernt von meinem Ziel.« Er gähnte, ein Gähnen, das schließlich seinen ganzen Körper schüttelte. »Warum, glaubst du, ist Wilf gegangen?«

»Es hat ihm gereicht. Ich glaube nicht, dass er bösartig ist oder so. Er ist jung. Sprunghaft.«

Harold spürte, dass endlich jemand schnörkellos mit ihm redete, wie in den Anfangstagen, als noch keiner, am wenigsten er selbst, irgendwelche Erwartungen hatte. Er vertraute Kate an, dass Wilf ihn an seinen Sohn erinnert habe und dass es ihn jetzt manchmal mehr schmerze, David im Stich gelassen zu haben, als sein Verrat an Queenie. »Als mein Sohn klein war, haben wir gemerkt, dass er intelligent war. Er hat die ganze Zeit in seinem Zimmer verbracht und gelernt. Wenn er keine Einser heimbrachte, brach er in Tränen aus. Aber dann ist seine Intelligenz anscheinend nach hinten losgegangen. Er war zu gescheit. Zu einsam. Er ging nach Cambridge und fing an zu trinken. Aber ich war in der Schule so eine Null gewesen, dass ich vor seiner Intelligenz in Ehrfurcht versank. Versagen war das Einzige, worin ich richtig gut war.«

Kate lachte, ihr Nacken faltete sich wie ein Akkordeon. Trotz ihrer schroffen Art begann er, in ihrer unerschütterlichen Massigkeit Trost zu finden. Sie sagte: »Ich habe den anderen nichts erzählt, aber vor ein paar Nächten ist auch mein Ehering verschwunden.«

Harold seufzte. Er wusste, dass er Wilf vertraut hatte, obwohl alles gegen ihn sprach, aber er hatte darauf vertraut, dass in jedem Menschen ein guter Kern steckte und dass er ihn dieses Mal ausgraben könnte.

»Das mit dem Ring ist mir egal. Mein Ex und ich sind frisch geschieden. Ich weiß gar nicht, warum ich den Ring überhaupt noch getragen habe.« Sie krümmte ihre nackten Finger. »Vielleicht hat mir Wilf sogar einen Gefallen getan.«

»Hätte ich mehr tun sollen, Kate?«

Kate lächelte. »Du kannst nicht jeden retten.« Sie schwieg kurz, dann fragte sie: »Siehst du deinen Sohn noch?«

Die Frage schmerzte. »Nein.«

»Du vermisst ihn wohl?«

Seit Martina hatte niemand mehr nach David gefragt. Harold wurde der Mund trocken, sein Herz schlug schneller. Er hätte gern beschrieben, wie man sich fühlt, wenn man seinen Sohn in einer Lache von Erbrochenem findet, ihn ins Bett trägt, ihn sauberwischt und am nächsten Morgen so tut, als hätte man nichts mitgekriegt. Er hätte gern gesagt, wie es war, als Kind den eigenen Vater im selben Zustand zu finden. Er hätte gern gefragt: Was war da eigentlich los? Liegt es an mir? Bin ich hier das Bindeglied? Aber er fragte nicht. Er wollte Kate keine so schwere Last aufbürden. Er nickte nur und sagte, ja, er vermisse David.

Er umklammerte seine Knie und sah sich wieder als Teenager in seinem Zimmer liegen und der Stille lauschen, die keine Mutter mehr barg. Er erinnerte sich, wie er die Nachricht von Queenies Verschwinden erhalten hatte und auf seinen Bürostuhl gesunken war, weil sie sich nicht von ihm verabschiedet hatte. Er sah, wie Maureen, weiß vor Hass, die Gästezimmertür hinter sich zuschlug. Er erlebte noch einmal seinen letzten Besuch bei seinem Vater.

»Es tut mir furchtbar leid«, hatte die Altenpflegerin gesagt. Sie hatte Harold am Jackenärmel gefasst und zog fast daran, um ihn außer Wurfweite zu bringen. »Er wirkt heute sehr verstört. Vielleicht kommen Sie lieber ein andermal wieder.«

Davoneilend hatte er noch einen kurzen Blick über die Schulter geworfen; sein letzter Eindruck war ein kleiner Mann gewesen, der mit Teelöffeln um sich schleuderte und schrie, er habe keinen Sohn.

Wie könnte er das alles erzählen, die Summe eines ganzen Lebens? Er könnte um die richtigen Worte ringen, aber sie hätten für Kate nie dieselbe Bedeutung wie für ihn. Wenn er »mein Haus« sagte, sähe sie das Bild ihres eigenen Hauses vor sich. Es war schlichtweg unsagbar.

Kate und Harold saßen eine Weile schweigend da. Er hörte den Wind durch eine Weide streichen und sah den Blättern beim Züngeln zu. Die Blütenstände des Schmalblättrigen Weidenröschens und der Gemeinen Nachtkerze leuchteten im Dunkeln. Vom Lagerfeuer kamen Schreie und Gelächter; Rich organisierte ein nächtliches Fangenspiel. »Es wird spät«, sagte Kate schließlich. »Du brauchst Schlaf.«

Sie kehrten zu den anderen zurück, aber der Schlaf ließ auf sich warten. Seine Mutter wollte Harold nicht aus dem Kopf gehen; er grub in seinem Gedächtnis nach einer Erinnerung an sie, die etwas Tröstliches hätte. Er dachte an die Kälte seines Elternhauses, an den Whiskygeruch, der sogar in seiner Schulkleidung hing, und an den Wintermantel, das Geschenk zu seinem sechzehnten Geburtstag. Zum ersten Mal erlaubte er sich, den Schmerz des Kindes zu spüren, das sowohl von der Mutter als auch vom Vater ungewünscht gewesen war. Er streifte viele Stunden durch das Dunkel, unter einem Himmel, der von unendlich vielen winzigen Sternen erhellt war. Bilder wanderten durch seinen Kopf, wie Joan den Finger befeuchtete, um eine Reisezeitschrift umzublättern, oder wie sie mit den Augen rollte, wenn die Hände seines Vaters über einer Flasche zitterten, aber nirgendwo fand er ein Bild, wie sie ihn auf den Kopf küsste oder wenigstens sagte, es wird alles gut.

Ob sie sich jemals gefragt hatte, wo er war? Wie es ihm ging?

Er sah ihr Spiegelbild in einem Taschenspiegel, wenn sie sich die Lippen nachzog. Das tat sie mit einer solchen Sorgfalt, dass er das Gefühl hatte, sie wolle mit der Farbe etwas zudecken.

Heftige Gefühle wogten in ihm hoch, als er sich erinnerte, wie er einmal ihren Blick aufgefangen hatte. Sie hatte beim Schminken innegehalten, so dass ihr Mund halb Joan war, halb Mutter. Obwohl Harolds Herz so wild schlug, dass seine Stimme zitterte, hatte er den Mut zu einer Frage aufgebracht. »Bitte sag's mir – bin ich hässlich?«

Sie war in Lachen ausgebrochen. Eines der Grübchen in ihrer Wange war so tief, dass er dachte, er könnte einen Finger hineinschieben.

Seine Frage war nicht als Witz gedacht, sondern bitterernst. Aber wo jeder körperliche Ausdruck von Zuneigung fehlte, nahm er ihr Lachen als das Zweitbeste an. Er wünschte, er hätte ihren Brief nicht in Fetzen gerissen. *Lieber Sohn.* Dann hätte er jetzt wenigstens etwas. Und es wäre auch etwas gewesen, wenn er David in die Arme genommen und ihm versprochen hätte, dass es besser werden würde. Nun quälte er sich unendlich wegen Dingen, an denen nichts mehr zu ändern war.

Kurz vor Morgengrauen kehrte er zu seinem Schlafsack zurück und fand unter dem Reißverschluss ein kleines Päckchen mit einem Brotkanten, einem Apfel und einer Flasche

Wasser. Er wischte sich über die Augen und aß, konnte aber trotzdem nicht schlafen.

Als die Großstadtsilhouette von Newcastle den Horizont verstellte, brachen die alten Spannungen wieder auf. Kate wollte die Stadt ganz meiden. Jemand hatte entzündete Fußballen und brauchte einen Arzt oder zumindest medizinische Behandlung. Rich hatte so viele Gedanken zum Wesen des modernen Pilgertums, dass der Gorilla-Mann ein neues Notizheft brauchte. Harold verblüffte alle mit der Bitte, ob die Gruppe einen Umweg über Hexham machen könne. Er zog die Visitenkarte des Mannes aus der Hosentasche, den er bei seiner ersten Übernachtung in dem Hotel kennengelernt hatte. Sie war ganz zerknittert und an den Rändern ausgefranst. Aber obwohl diese ersten Tage ihn beinahe mürbe gemacht hätten, erinnerte er sich neidvoll daran. Damals war alles noch einfach gewesen, und diese Einfachheit drohte er zu verlieren, wenn sie nicht bereits verloren war.

»Natürlich kann ich euch nicht zwingen, mit mir mitzukommen«, sagte Harold; »aber ich möchte mein Versprechen halten.«

Rich berief eine weitere Geheimversammlung ein. »Ich kann kaum glauben, dass ich der Einzige bin, der Manns genug ist, um es auszusprechen. Ihr seht wohl den Wald vor lauter Bäumen nicht. Der Mann ist am Zusammenbrechen. Wir können nicht nach Hexham. Das sind über dreißig Kilometer in die falsche Richtung.«

»Er hat etwas versprochen und fühlt sich dadurch verpflichtet«, sagte Kate. »Genau, wie er sich uns gegenüber verpflichtet fühlt. Er ist zu höflich, um sein Versprechen zu brechen. Das ist ein sehr englischer Zug an ihm und ausgesprochen liebenswert.«

Rich brauste auf: »Falls du es vergessen hast: Queenie liegt im Sterben. Ich bin dafür, dass wir eine Splittergruppe bilden und direkt nach Berwick gehen. Das hat Harold selbst schon einmal vorschlagen. Wir könnten in einer Woche dort sein.«

Niemand äußerte sich dazu, doch Kate merkte am nächsten Morgen, dass sich die andern in der Nacht die Köpfe heißgeredet hatten. Das Getuschel in den Zelten und an der verglimmenden Glut des Lagerfeuers hatte Rich in seiner Meinung bestätigt; sie liebten Harold alle, aber jetzt war es Zeit, sich von ihm zu lösen. Sie suchten den alten Mann, doch er war nirgends zu finden. Da packten sie ihre Schlafsäcke und Zelte zusammen und waren fort. Von der Restglut eines Feuers abgesehen war das Feld so leer, dass Kate fast daran hätte zweifeln können, ob tatsächlich jemand hier gewesen war.

Kate fand Harold am Fluss sitzen und Steine für den Hund werfen. Seine Schultern waren gebeugt, als drücke ihn eine Last nach unten. Sie erschrak, wie alt er plötzlich aussah. Sie berichtete, dass Rich den Gorilla-Mann schließlich überredet hatte voranzulaufen, und sie hatten die anderen Sympathisanten und was noch von den Journalisten übrig war, mitgenommen. »Er hat eine Versammlung einberufen und etwas davon gefaselt, dass du eine Pause brauchst. Er hat sogar ein paar Tränen zerdrückt. Ich konnte nicht dagegen an. Aber die Leute werden sich nicht lange etwas vormachen lassen.«

»Das ist mir egal. Um die Wahrheit zu sagen: Es wurde mir zu viel.« Die Schwalben streiften dicht übers Wasser und drehten seitwärts wieder ab. Er beobachtete sie eine Weile.

»Was wirst du jetzt machen, Harold? Kehrst du nach Hause zurück?«

Er schüttelte langsam und schwer den Kopf. »Ich werde nach Hexham laufen und von dort aus nach Norden, Richtung Berwick. Das ist dann nicht mehr weit. Und du?«

»Ich gehe nach Hause. Mein Exmann hat mich angerufen. Er will es noch einmal versuchen.«

Harolds Augen schimmerten feucht im Morgenlicht. »Das ist schön«, sagte er, griff nach Kates Hand und drückte sie. Sie fragte sich kurz, ob er wohl an seine Frau dachte.

Da sich ihre Hände schon einmal gefunden hatten, nutzten die Arme die Gelegenheit, den anderen zu umfassen. Kate wusste nicht, ob sie sich an Harold festhielt oder umgekehrt. Unter seinem Pilger-T-Shirt war er nur noch Haut und Knochen. Sie blieben in einer verlegenen Halbumarmung stehen, ein wenig aus dem Gleichgewicht, bis Kate sich losmachte und über ihre Wangen wischte.

»Bitte pass auf dich auf, Harold«, sagte sie. »Ich weiß, du bist ein guter Mensch, und das hat anscheinend seine Wirkung auf die Leute. Aber du siehst müde aus. Du musst dich mehr um dich selbst kümmern.«

Er blieb stehen und wartete, während Kate ging. Sie drehte sich mehrmals um und winkte; er rührte sich nicht vom Fleck und ließ sie ziehen. Er war zu viel mit anderen Menschen gegangen, hatte sich ihre Geschichten angehört, war ihren Routen gefolgt. Es würde eine Erleichterung sein, wenn er wieder nur sich selbst zuzuhören brauchte. Doch als Kate immer kleiner wurde, schmerzte es ihn trotzdem, sie zu verlieren; es war wie ein kleiner Tod. Kate erreichte eine Lücke weit vorn in der Baumreihe, und Harold wollte fast schon weitergehen, doch da blieb sie stehen, als wüsste sie den Weg nicht mehr oder hätte etwas vergessen. Sie begann zu ihm zurückzulaufen, sehr schnell, sie rannte fast, und ihm wurde kribblig vor Aufregung, denn Kate war ihm mehr ans Herz gewachsen als alle anderen, sogar mehr als Wilf. Aber dann hielt sie wieder an, und es sah aus, als schüttele sie den Kopf. Er wusste, dass er ihr zuliebe stehen bleiben und ihr nachsehen müsste, ein Fixpunkt in der Ferne, bis sie ihn ganz hinter sich gelassen hätte.

Er winkte ausladend, peitschte die Luft mit beiden Armen. Da drehte sie ihm den Rücken zu und verschmolz mit den Bäumen.

Noch lange stand er so da, falls sie doch wiederauftauchte, aber die Luft blieb still und brachte sie nicht mehr zurück.

Harold zog das Pilger-T-Shirt aus und holte sein eigenes Hemd und die Krawatte aus dem Rucksack. Sie waren völlig zerknittert und sehr fadenscheinig, aber als er sie anzog, fühlte er sich wieder wie er selbst. Er fragte sich, ob er Queenie das T-Shirt als weiteres Souvenir mitbringen sollte, aber es kam ihm nicht richtig vor, etwas mit sich herumzutragen, was Anlass zu so viel Streit gegeben hatte. Als keiner hinsah, warf er es in einen Abfalleimer. Er merkte, dass er müder war, als er gedacht hatte. Bis Hexham brauchte er drei Tage.

Er klingelte bei der Wohnung des Geschäftsmanns und wartete den ganzen Nachmittag, aber von seinem Gastgeber war nichts zu sehen. Eine Frau kam aus einer anderen Wohnung herunter und erklärte, der Geschäftsmann sei in Urlaub, auf Ibiza. »Der ist immer in Urlaub«, sagte sie. Sie fragte, ob Harold gern einen Tee hätte oder Wasser für den Hund, doch er lehnte beides ab.

Eine Woche, nachdem sich die Gruppe von Harold getrennt hatte, erschienen Berichte über die Ankunft der Pilger in Berwick upon Tweed. Die Zeitungen druckten Fotos von Rich Lion, wie er Hand in Hand mit seinen beiden Söhnen am Kai entlanglief; andere Fotos zeigten einen Mann im Gorilla-Anzug, der an der Wange von Miss South Devon schnupperte. Zum Empfang der Pilger spielte eine Blaskapelle, dazu traten die Mädchen des örtlichen Cheerleader-Clubs auf; dann gab es ein Festessen mit Stadträten und Geschäftsleuten. Mehrere Sonntagszeitungen beanspruchten für sich, alleinigen Zugang zu Richs Tagebüchern zu haben. Es war von einem Film die Rede.

Auch das Fernsehen berichtete über die Ankunft der Pilger. Maureen und Rex verfolgten in der BBC-Nachrichtensendung *Spotlight*, wie Rich Lion und mehrere andere an der Pforte des Hospizes Blumen und einen Riesenkorb Muffins abgaben, obwohl Queenie sie nicht entgegennehmen konnte. Die Reporterin bedauerte, dass vom Hospiz niemand für einen Kommentar zur Verfügung stand. Sie hatte sich mit ihrem Mikrophon an den Rand der Einfahrt gestellt. Hinter ihr sah man gepflegte Gärten mit blauen Hortensien und einen Mann im Overall, der gemähtes Gras zusammenrechte.

»Diese Leute haben Queenie nicht einmal gekannt«, sagte Maureen. »Das ist doch zum Brechen. Warum konnten sie nicht auf Harold warten?«

Rex nippte an einer Tasse Ovomaltine. »Sie wollten wohl möglichst schnell ankommen.«

»Aber das war doch nie ein Wettrennen. Was zählte, war der Weg. Und dieser Mann ist sowieso nicht für Queenie gelaufen. Er ist gelaufen, um sich als Held zu beweisen und seine Kinder wiederzubekommen.«

»Vermutlich ebenfalls ein Weg«, sagte Rex. »Nur ein anderer.« Er stellte seine Tasse sorgfältig auf einem Untersetzer ab, damit der Tisch keine Flecken bekam.

Die Reporterin verwies kurz auf Harold Fry, und ein Foto wurde eingeblendet, auf dem er vor der Kamera zurückwich. Er sah aus wie ein Schatten, schmutzig, abgezehrt, verängstigt. In einem Exklusivinterview erklärte Rich Lion am Kai, dass der betagte Pilger aus Devon an Erschöpfung und psychischen Problemen litt und seinen Fußmarsch südlich von Newcastle habe abbrechen müssen. »Aber Queenie lebt. Das ist die Hauptsache. Ein Glück, dass ich da war, zum Einspringen. Und die anderen auch.«

Maureen schnaubte verächtlich. »Du lieber Himmel. Der kann nicht einmal anständige Sätze machen.«

Als Zeichen des Triumphs umfasste Rich seine Hände und streckte sie hoch über den Kopf. »Ich weiß, Harold wäre von unserer Unterstützung sehr gerührt.« Die wogende Menge der Fans jubelte ihm zu.

Zum Abschluss des Berichts zoomte die Kamera die Kaimauer aus rötlichem Stein heran, wo Mitarbeiter der Straßenreinigung Plakatständer mit großen Buchstaben entfernten, die zusammen gelesen einen Slogan ergaben. Ein Mann arbeitete sich von vorn nach hinten, der andere von hinten nach vorn; sie hoben die Buchstaben einzeln hoch und schoben sie in den Lieferwagen. Von dem Slogan war nur noch *weed heißt Harold will* geblieben. Maureen schaltete den Fernseher aus und lief im Zimmer auf und ab.

»Die kehren ihn einfach unter den Teppich«, sagte sie. »Die schämen sich, weil sie ihr Vertrauen auf ihn gesetzt haben, deshalb müssen sie ihn jetzt als Idioten vorführen. Dabei hat er gar nicht um ihre Beachtung gebeten.«

Rex spitzte nachdenklich die Lippen. »Wenigstens werden ihn die Leute jetzt in Ruhe lassen. Wenigstens hat er seinen Weg wieder für sich allein.«

Maureen starrte zum Himmel hinaus. Die Worte waren ihr versiegt.

25
Harold und der Hund

Es war für Harold eine Erleichterung, wieder allein zu laufen. Er und der Hund fanden ihren eigenen Rhythmus, es gab keine Diskussionen, keine Streitereien. Von Newcastle bis Hexham hatten sie haltgemacht, wenn sie müde waren, und waren weitergezogen, wenn sie sich erholt hatten. Sie liefen wieder in der Dämmerung und manchmal in der Nacht, und Harold schöpfte neue Hoffnung. Er fühlte sich am glücklichsten, wenn er zusah, wie hinter den Fenstern die Lampen angingen und die Leute ihr Leben lebten. Selbst unbeobachtet, hatte er einen liebevollen Blick für die Seltsamkeiten der anderen. Er war auch wieder offen für die Gedanken und Erinnerungen, die ihm durch den Kopf trieben. Maureen, Queenie und David waren seine Begleiter. Er fühlte sich wieder ganz.

Er dachte an Maureens Körper und wie sie sich in den Anfangsjahren ihrer Ehe an ihn geschmiegt hatte, an das wunderschöne Dunkel zwischen ihren Beinen. Er sah David wieder vor sich, der so hartnäckig aus dem Fenster seines Zimmers starrte, als hätte ihm die Welt da draußen etwas gestohlen. Er erinnerte sich, wie er neben Queenie am Steuer saß, während sie Pfefferminzbonbons lutschte und wieder einmal ein Lied rückwärts sang.

Harold und der Hund waren so nahe bei Berwick, dass sie

nichts anderes tun mussten, als vor sich hin zu laufen. Nach den Erfahrungen mit den Pilgern war Harold sehr daran gelegen, keine öffentliche Aufmerksamkeit auf sich zu ziehen. Er fürchtete, dass er durch die Gespräche mit Fremden und sein offenes Ohr für ihre Probleme das Bedürfnis in ihnen geweckt hatte, sich tragen zu lassen, und dafür hatte er keine Kraft mehr. Wenn er und der Hund zu einer Ansiedlung kamen, die sie nicht umgehen konnten, schliefen sie in den Feldern am Rand, bis es dunkel war, und durchquerten sie in den späten Nachtstunden. Sie aßen, was sie am Wegesrand und in Abfalleimern fanden. Sie ernteten nur aus Kleingärten und von Bäumen, die vernachlässigt aussahen. Wo immer eine Quelle hochsprudelte, blieben sie stehen und tranken, aber sie belästigten niemanden. Ein-, zweimal bat jemand, ob er Harold fotografieren dürfe, und Harold ließ sich ablichten, obwohl es ihm schwerfiel, in die Kamera zu blicken. Gelegentlich erkannte ihn jemand und bot ihm zu essen an. Ein Mann, möglicherweise ein Journalist, fragte ihn, ob er Harold Fry sei. Aber da er den Kopf stets gebeugt hielt und im Schatten oder in der freien Landschaft blieb, ließen ihn die Leute meist in Ruhe. Er mied sogar sein eigenes Spiegelbild.

»Ich hoffe, es geht Ihnen wieder besser«, sagte eine elegante Frau mit einem Windhund. »Es war ja so schade, dass Sie nicht mehr dabei sein konnten. Mein Mann und ich haben geweint.« Harold begriff zwar nicht, dankte ihr aber trotzdem und zog weiter. Das Land wurde immer hügeliger und warf sich zu dunklen Gipfeln auf.

Starke Winde wehten aus Nordwest und brachten Regen. Es war zu kalt, um zu schlafen. Harold lag steif in seinem Schlafsack, sah die Wolkenstreifen über den Mond flitzen und versuchte, warm zu bleiben. Der Hund lag im Schlafsack an seiner Seite. Zwischen seinen Rippen waren Furchen. Harold dachte an den Tag, als David in Bantham hinausgeschwommen war – wie zerbrechlich sein Sohn in den braungebrannten Armen des Rettungsschwimmers gewirkt hatte. Er erinnerte sich an die Schnitte auf Davids Schädel, wo er sich mit der Rasierklinge verletzt hatte, und daran, wie er ihn nach oben geschleppt hatte, bevor er sich wieder erbrach. So oft hatte David sich Risiken ausgesetzt, als habe er damit der banalen Normalität trotzen wollen, für die sein Vater stand.

Harold fing an zu schlottern. Es begann mit einem Zittern, das seine Zähne klappern ließ und immer mehr Dynamik entwickelte. Seine Finger, Zehen, Arme, Beine schlotterten, dass es schmerzte. Harold sah sich um in der Hoffnung auf Trost oder Ablenkung, spürte aber anders als früher keine Verbundenheit mit dem Land. Der Mond schien. Der Wind wehte. Harolds Bedürfnis nach Wärme machte keinen Eindruck auf sie. Seine Umgebung war nicht grausam. Schlimmer: Sie nahm ihn nicht wahr. Harold war allein, ohne Maureen, Queenie oder David, war an einem gleichgültigen Ort und schlotterte in seinem Schlafsack vor sich hin. Er versuchte, die Zähne zusammenzubeißen und die Fäuste zu ballen, aber davon wurde es noch schlimmer. In der Ferne hetzten Füchse ein Tier, ihre anarchischen Schreie zerstückelten die Nachtluft. Harolds nasse Kleider klebten auf seiner Haut und raubten ihr die Wärme. Er fror bis ins Mark. Er würde erst aufhören zu schlottern, wenn seine inneren Organe erfroren wären. Er hatte der Kälte nichts mehr entgegenzusetzen.

Harold dachte, wenn er erst wieder auf den Beinen wäre, würde sich bestimmt alles geben. Doch es war nicht so. Es gab kein Entrinnen vor der nächtlichen Erkenntnis, die ihm gekommen war, während er um Wärme kämpfte. Der Mond würde weiterscheinen, der Wind würde weiterwehen, mal mehr, mal weniger, mit Harold oder ohne Harold. Er würde nichts daran ändern, dass sich das Land ausdehnte bis zum Meer. Die Menschen würden weitersterben. Egal, ob Harold lief, schlotterte oder zu Hause blieb.

Was als leises, dumpfes Gefühl begonnen hatte, wuchs in den nächsten Stunden zu einer ungestümen Anklage. Je tiefer er sich in das Gefühl seiner eigenen Unwichtigkeit vergrub, desto mehr glaubte er daran. Wer war er, dass er zu Queenie ging? Was machte es schon aus, wenn Rich Lion ihm seinen Platz wegnahm? Jedes Mal, wenn er stehen blieb, um zu verschnaufen oder über seine Beine zu rubbeln und den Kreislauf in Schwung zu bringen, setzte sich der Hund zu seinen Füßen und sah besorgt zu ihm hoch. Er entfernte sich nicht mehr von Harold. Schleppte keine Steine mehr an.

Harold dachte an seinen bisherigen Weg, an die Menschen, denen er begegnet war, an die Orte, die er gesehen hatte, an den Himmel, unter dem er geschlafen hatte. Bisher hatte er das alles wie eine Souvenirsammlung aufbewahrt, die ihn bei der Stange hielt, wenn das Gehen mühsam und die Versuchung, aufzugeben, groß wurden. Aber wenn er jetzt an diese Menschen, diese Orte und diesen Himmel dachte, konnte er sich dort selbst nicht mehr sehen. Wo er entlanggegangen war, fuhren jetzt andere Autos. Die Menschen, denen er begegnet war, begegneten nun anderen Menschen. Seine Fußspuren würden vom Regen weggewaschen, egal, wie tief sie in den Boden gedrückt waren. Als wäre er in diesen Orten nie gewesen, wäre diesen Fremden nie begegnet. Er sah sich um, und schon jetzt gab es nirgends mehr eine Spur, ein Zeichen von ihm.

Die Bäume ließen ihre Zweige im Wind wiegen wie Seeanemonen ihre Tentakel im Wasser. Harold hatte als Ehemann, als Vater und als Freund versagt. Er hatte sogar als Sohn versagt. Hatte Queenie im Stich gelassen, war von beiden Eltern ungewollt gewesen, hatte mit seiner Frau und seinem Sohn alles falsch gemacht. Aber nicht nur das. Er war durchs Leben gegangen, ohne ihm einen Abdruck aufzuprägen. Er war ein Nichts. Harold überquerte die A696 in Richtung Cambo und merkte, dass der Hund fehlte.

Panik ergriff ihn. Er fragte sich, ob der Hund, von ihm unbemerkt, angefahren worden war. Er lief zurück, suchte die Straße ab, die Straßengräben – keine Spur von dem Tier. Er versuchte sich zu erinnern, wann er den Hund das letzte Mal bewusst wahrgenommen hatte. Es musste Stunden her sein, seit sie auf einer Bank ein Sandwich geteilt hatten. Oder war das gestern gewesen? Harold konnte es nicht fassen, dass er sogar bei dieser einfachen Aufgabe versagte. Er stoppte Autos und fragte die Fahrer, ob sie einen Hund gesehen hätten, ein kleines wuscheliges Ding, ungefähr so groß, aber sie gaben Gas, als wäre er gemeingefährlich. Als ihn ein kleines Mädchen erblickte, klammerte es sich heulend an seinen Kindersitz. Harold blieb nichts anderes übrig, als weiter in Richtung Hexham zurückzulaufen.

Er fand den Hund in einem Buswartehäuschen, zu Füßen eines jungen Mädchens. Es trug eine Schuluniform, hatte lange dunkle Haare fast in den gleichen Herbstfarben wie das Fell des Hundes und ein freundliches Gesicht. Sie bückte sich, um ihn am Kopf zu kraulen, dann hob sie etwas auf, was neben ihrem Schuh lag, und steckte es in die Tasche.

»Wirf bloß den Stein nicht«, wollte Harold ihr zurufen, doch dann verkniff er es sich. Der Bus kam, das Mädchen stieg ein, der Hund folgte ihr. Er sah aus, als wüsste er genau, wo er hinfuhr. Harold sah den Bus mit dem Mädchen und dem Hund davonfahren. Sie drehten sich nicht um.

Harold kam zu dem Schluss, dass das Tier seine eigene

Entscheidung getroffen hatte. Es hatte beschlossen, eine Weile mit ihm mitzulaufen, dann hatte es genug davon und beschloss, lieber mit dem jungen Mädchen weiterzugehen. So war das Leben. Aber als Harold seinen letzten Gefährten verlor, war ihm, als würde ihm eine weitere Hautschicht abgezogen. Er fürchtete sich davor, was wohl als Nächstes auf ihn zukäme. Er wusste, dass er nicht mehr viel einstecken konnte.

Die Stunden wurden zu Tagen, und er konnte sich nicht erinnern, worin sie sich unterschieden. Er begann, Fehler zu machen. Er brach mit dem ersten Morgenlicht auf und ging ihm zwanghaft entgegen, ob es nun in Richtung Berwick lag oder nicht. Er stritt mit seinem Kompass, wenn er nach Süden zeigte, überzeugt, dass er kaputt war oder, schlimmer noch, ihn absichtlich in die Irre führte. Manchmal legte er sechzehn Kilometer zurück, nur um festzustellen, dass er einen großen Kreis gelaufen und fast zum Ausgangspunkt zurückgekehrt war. Er machte Umwege, um einem Zuruf oder einer Gestalt entgegenzugehen, die sich dann stets in Nichts aufgelöst hatten, wenn er sie erreichte. In der Nähe eines Hügelkamms schrie eine Frau um Hilfe, aber nachdem er eine Stunde lang aufgestiegen war, fand er nur einen toten Baumstumpf. Er verlor oft den Halt unter den Füßen und stolperte. Als seine Brille ein zweites Mal zu Bruch ging, ließ er sie einfach liegen.

Harold konnte sich nicht mehr richtig erholen, und mit der Hoffnung begannen ihm auch andere Dinge zu entgleiten. Er konnte sich nicht mehr an Davids Gesicht erinnern. Nur der dunkle, starrende Blick war ihm gegenwärtig, aber vor die Haare, die David in die Augen fielen, schoben sich Queenies Löckchen. Es war, als wollte er ein Puzzle zusammensetzen, ohne die richtigen Teile zu haben. Wie konnte sein Kopf so grausam sein? Harold verlor jedes Zeitgefühl und wusste nicht mehr, ob er gegessen hatte oder nicht. Er vergaß es nicht etwa. Es war ihm egal. Er hatte kein Interesse mehr an den Dingen, die er sah, an ihren Unterschieden, ihren Namen. Ein Baum war nur noch ein Gegenstand unter vielen, an denen er vorbeikam. Und manchmal waren keine anderen Worte mehr in ihm als die Frage, warum er immer noch weiterging, obwohl er damit doch nichts bewegte. Eine einsame Krähe flog über ihn hinweg; sie peitschte die Luft mit ihren schwarzen Schwingen und flößte ihm eine so unmenschliche Angst ein, dass er hastig irgendwo unterkroch.

Das Land war so weit und er selbst so klein, dass er das Gefühl hatte, er wäre kein bisschen vom Fleck gekommen, wenn er sich umblickte und die zurückgelegte Strecke abzuschätzen versuchte. Als träte er genau an derselben Stelle wieder auf, wo er die Füße angehoben hatte. Er betrachtete die Gipfel am Horizont, die wogenden Wiesen und die Felsbrocken, zwischen denen die hingeduckten grauen Häuser winzig klein und behelfsmäßig wirkten; ein Wunder, dass sie nicht einstürzten. Es gibt so wenig, was uns hält, dachte er, und bei dieser Erkenntnis traf ihn die Verzweiflung mit voller Wucht.

Harold ging unter der sengenden Sonne, unter dem prasselnden Regen, unter der blauen Kälte des Monds, aber er wusste nicht mehr, wie weit er gekommen war. Er saß unter einem glasharten, sternenflimmernden Nachthimmel und sah zu, wie sich seine Hände bläulich färbten. Er wusste, dass er die Hände an den Mund heben und hineinblasen sollte, aber die Vorstellung, verschiedene Muskelgruppen anzuspannen, ging über seine Kräfte. Er konnte sich nicht erinnern, welche Muskeln welche Glieder bewegten. Er konnte sich nicht erinnern, wozu das überhaupt gut war. Es war einfacher, nur dazusitzen, sich aufsaugen zu lassen von der Nacht und dem Nichts ringsum. Es war einfacher aufzugeben, als weiterzulaufen.

Eines Abends trat Harold in eine Telefonzelle und rief Maureen an. Wie üblich meldete er ein R-Gespräch an, und als er ihre Stimme hörte, sagte er: »Ich schaff's nicht. Ich komme nicht an.«

Maureen sagte nichts. Er fragte sich, ob sie sich eines Besseren besonnen hatte, als ihn zu vermissen. Vielleicht hatte sie auch schon geschlafen.

»Ich schaff's nicht, Maureen«, wiederholte er.

Sie schluckte so schwer, dass er es hörte. »Harold, wo bist du?«

Er sah hinaus. Verkehr rauschte vorbei. Straßenlampen leuchteten, Leute eilten nach Hause. Eine Plakatwand warb für eine Fernsehserie, die diesen Herbst anlaufen würde, zeigte eine lächelnde, ins Riesenhafte aufgeblähte Polizistin. Dahinter lag die ganze Finsternis, die ihn von seinem Ziel trennte. »Ich weiß nicht, wo ich bin.«

»Weißt du, woher du kommst?«

»Nein.«

»Irgendein Ortsname?«

»Keine Ahnung. Ich glaube, ich nehme schon ziemlich lange nichts mehr wahr.«

»Aha«, sagte sie in einem Ton, als verstünde sie noch eine Menge anderes.

Er schluckte schwer. »Wo ich jetzt bin, könnte *Das Tor zu den Cheviot Hills* sein. Oder so. Das habe ich vielleicht auf einem Schild gelesen. Es könnte aber auch schon ein paar Tage her sein. Hügel gibt es schon länger. Und Ginster. Jede Menge Farnkraut.« Er hörte Maureen scharf einatmen, dann ein zweites Mal. Er sah ihr Gesicht vor sich, wie sich ihr Mund öffnete und schloss, wenn sie nachdachte. Er sagte noch einmal: »Ich will zurück nach Hause, Maureen. Du hattest recht. Ich schaffe es nicht. Ich will nicht mehr.«

Da hörte er endlich ihre Stimme wieder. Sie redete langsam und bedacht, als bremse sie sich bewusst. »Harold, ich werde versuchen herauszukriegen, wo du bist und was zu tun ist. Kannst du mir eine halbe Stunde Zeit geben? Geht das?« Er drückte die Stirn an die Glasscheibe und genoss den Klang ihrer Stimme. »Kannst du mich gleich noch mal anrufen?«, fragte sie.

Er nickte. Vergaß, dass sie ihn nicht sehen konnte.

»Harold?«, rief sie, als müsse sie ihn daran erinnern, wer er war. »Harold, bist du noch dran?«

»Ich höre.«

»Gib mir eine halbe Stunde. Länger brauche ich nicht.«

Er lief durch die Straßen des Städtchens, um die Zeit totzuschlagen. Vor einer Fischbude standen die Leute Schlange, ein Mann übergab sich in den Rinnstein. Je weiter sich Harold von der Telefonzelle entfernte, desto beklommener wurde er, als wäre seine innere Sicherheit beim Münzfernsprecher zurückgeblieben und wartete auf Maureen. Die Hügel, beängstigend kohlschwarze Riesen, stießen gegen den Nachthimmel. Eine Handvoll junger Männer lief auf die Straße; die Jungs brüllten die Autos an und warfen mit Bierdosen. Aus Furcht, gesehen zu werden, duckte sich Harold in die Schatten. Er würde nach Hause zurückkehren, er wusste nicht, wie er den Leuten erklären sollte, dass er es nicht geschafft hatte, aber das war jetzt egal. Das Ganze war eine wahnwitzige Idee, damit musste jetzt Schluss sein. Wenn er Queenie noch einen Brief schrieb, würde sie verstehen.

Er rief Maureen an: »Da bin ich wieder.«

Sie antwortete nicht. Er hörte sie nur laut schlucken. Er musste sagen: »Ich bin's, Harold.«

»Ja.« Sie schluckte wieder.

»Soll ich später noch mal anrufen?«

»Nein.« Nach einer Pause sagte sie langsam: »Rex ist hier. Wir haben uns die Karte angesehen. Haben ein paar Anrufe gemacht. Rex war am Computer. Wir haben sogar deinen Großbritannien-Autoatlas rausgeholt.« Sie klang immer noch nicht wie sonst, sondern atemlos, als wäre sie eine weite Strecke gerannt und ringe mühsam nach Luft. Er musste den Hörer ans Ohr drücken, um sie richtig zu verstehen.

»Sagst du Rex einen schönen Gruß von mir?«

Da lachte sie auf, kurz und nervös. »Er grüßt zurück.« Wieder folgten seltsame Schluckgeräusche, fast wie Schluckauf, nur viel leiser. Dann: »Rex meint, du musst in Wooler sein.«

»Wooler?«

»Klingt das plausibel?«

»Keine Ahnung. Mir klingt allmählich alles gleich.«

»Wir glauben, du bist mal falsch abgebogen.« Harold wollte schon sagen, dass er öfter falsch abgebogen war, aber es war ihm zu anstrengend. »Es gibt dort ein Hotel, den *Black Swan*. Ich finde, das klingt gemütlich, und Rex findet das auch. Ich habe dir ein Zimmer gebucht, Harold. Sie erwarten dich.«

»Du vergisst, dass ich kein Geld habe. Und ich sehe zum Fürchten aus.«

»Ich habe am Telefon mit Kreditkarte bezahlt. Und wie du aussiehst, ist egal.«

»Wann kommst du? Kommt Rex mit?« Nach jeder Frage machte er eine Pause, aber Maureen antwortete nicht. Er dachte sogar schon, sie hätte aufgelegt. »Du kommst doch, oder?«, fragte er schließlich; ihm wurde heiß vor Angst.

Sie hatte nicht aufgelegt. Er hörte sie rasch und tief einatmen, als hätte sie sich die Hand verbrannt. Plötzlich hagelte ihre Stimme so laut auf ihn ein, dass ihm die Ohren schmerzten. Er musste den Hörer ein Stück von sich weg halten. »Queenie ist noch am Leben, Harold. Du hast sie gebeten, auf dich zu warten, und das tut sie. Rex und ich haben uns die Wettervorhersage angesehen, und die ganze Englandkarte klebt voller Smiley-Sonnen. Morgen früh wird's dir bessergehen.«

»Maureen?« Sie war seine letzte Chance. »Ich schaff's nicht. Das Ganze war ein Fehler.«

Sie hörte ihn nicht, oder wenn sie ihn hörte, ließ sie nicht zu, was er da sagte. Ihre Worte prasselten auf ihn ein, ihre Stimme wurde immer höher: »Lauf weiter. Bis Berwick sind es nur noch fünfundzwanzig Kilometer. Du schaffst es, Harold. Du musst nur immer auf der B6525 bleiben.«

Was er jetzt empfand, konnte er nicht in Worte fassen, deshalb legte er auf.

Harold hielt sich an Maureens Anweisung und ging in das Hotel. Er konnte weder der Frau an der Rezeption in die Augen sehen noch dem jungen Portier, der darauf bestand, ihn zu seinem Zimmer zu führen und ihm die Tür aufzuschließen. Er zog die Vorhänge zu und zeigte Harold, wie er die Klimaanlage regulieren konnte, wo das Bad war, die Minibar und die Bügelpresse für Hosen. Harold nickte blind. Die Luft fühlte sich kalt und schneidend an.

»Kann ich Ihnen einen Drink bringen, Sir?«, fragte der Portier.

Harold konnte nicht erklären, was es mit ihm und dem Alkohol auf sich hatte. Er wandte sich einfach ab. Als der Portier gegangen war, legte sich Harold voll bekleidet aufs Bett. Er hatte keinen anderen Gedanken, als dass er nicht weiterlaufen wollte. Er schlief kurz und schrak dann wieder hoch. Der Kompass von Martinas Freund! Harold tastete in seiner Hosentasche danach, zog die Hand wieder heraus, tastete die andere Tasche ab. Der Kompass war nicht da, lag nicht im Bett und auch nicht auf dem Fußboden. Im Lift war er auch nicht. Harold musste ihn in der Telefonzelle vergessen haben.

Der Portier schloss den Haupteingang wieder auf und versprach zu warten. Harold rannte so schnell, dass ihm der Atem in die Lungen schnitt. Er riss die Tür der Telefonzelle auf, aber der Kompass war weg.

Vielleicht versetzte es ihm einen Schock, wieder in einem geschlossenen Raum zu sein und auf einem frisch bezogenen Bett mit weichen Kissen zu liegen: In dieser Nacht musste Harold weinen. Wie konnte er nur so dumm sein und Martinas Kompass verlieren? Es sei doch nur ein Ding, versuchte er sich zu beruhigen. Martina würde Verständnis haben. Aber er empfand das Fehlen des Gewichts in seiner Tasche als einen furchtbaren Verlust, so groß, dass er ihn glaubte greifen zu können. Er befürchtete, mit dem Kompass auch einen wesentlichen, stabilisierenden Teil seiner selbst verloren zu haben. Auch wenn er kurz in eine Art Bewusstlosigkeit hinüberglitt, wimmelte es in ihm von Bildern. Er sah den Mann im Kleid aus Bath, mit dem blauen Auge. Er sah den Onkologen auf Queenies Brief starren, und die Frau, die Jane Austen liebte, vor sich hin sprechen. Er sah die radelnde Mutter mit ihren vernarbten Armen, und Harold fragte sich wieder, warum Menschen so etwas taten. Er grub sich ins Kissen und träumte von dem silberhaarigen Gentleman, der in den Zug stieg, um sich mit dem Jungen mit den Sportschuhen zu treffen. Er sah Martina auf den Mann warten, der nie zurückkehren würde. Was war aus der Pensionsbesitzerin geworden, die South Brent nie verlassen würde? Aus Wilf? Und aus Kate? Alle diese Menschen auf der Suche nach Glück.

Harold wachte weinend auf und weinte den ganzen Tag, als er weiterlief.

Maureen erhielt eine Postkarte ohne Briefmarke, ein Foto der Cheviot Hills. Auf der Rückseite stand: *Wetter gut. Kuss, Harold.* Am nächsten Tag kam eine weitere Karte mit dem Hadrianswall, aber ohne Text.

Die Karten kamen täglich, manchmal mehrere am Tag. Die Nachrichten übertrafen sich an Kürze: *Regen. Nicht gut. Ich laufe. Ich vermisse dich.* Einmal zeichnete er den Umriss eines Hügels. Ein anderes Mal ein verschnörkeltes W, vielleicht ein Vogel. Oft schrieb er gar nichts. Sie bat den Postboten, auf diese Karten besonders zu achten, sie zahle alle Nachgebühren. Diese Botschaften seien für sie kostbarer als Liebesbriefe, sagte sie.

Harold rief nicht wieder an. Sie wartete jeden Abend umsonst. Es quälte sie, dass sie ihn zum Weiterlaufen gedrängt hatte, als er ihre Hilfe brauchte. Sie hatte das Hotel gebucht und Harold unter Tränen dorthin geschickt. Aber sie und Rex hatten es immer wieder durchgesprochen: Wenn Harold so kurz vor dem Ziel aufgäbe, würde er es sein Leben lang bereuen.

Der Julianfang brachte Wind und schwere Regenfälle. Maureens Bambusstangen beugten sich schräg zum Boden wie betrunken, und die Triebe ihrer Bohnenpflanzen tasteten blind ins Leere. Harold schickte weitere Postkarten, driftete aber von einer stetigen Route nach Norden ab. Eine Karte kam aus Kelso, was nach Maureens Berechnungen siebenunddreißig Kilometer zu weit westlich lag. Eine weitere kam aus Eccles, eine andere aus Coldstream; immer noch hielt sich Harold viel zu weit nach Westen. Fast stündlich beschloss sie, die Polizei anzurufen, doch mit dem Hörer in der Hand wurde ihr

327

wieder klar, dass es ihr nicht zustand, Harold zu stoppen, wo er doch jeden Tag sein Ziel erreichen konnte.

Maureen schlief selten eine ganze Nacht durch. Sie hatte Angst, wenn sie der Bewusstlosigkeit nachgäbe, ließe sie damit auch die letzte Verbindung zu ihrem Mann fahren und könnte ihn ganz verlieren. Sie saß auf einem Gartenstuhl unter den Sternen und hielt Wache für den Mann, der irgendwo weit weg unter demselben Himmel übernachtete. Ab und zu brachte Rex ihr frühmorgens Tee und die Reisedecke aus seinem Auto. Sie sahen wortlos und reglos zu, wie die Schwärze der Nacht dem Perlmuttlicht des Morgens wich.

Mehr als alles andere wünschte sich Maureen, dass Harold nach Hause käme.

26
Harold und das Café

Das letzte Stück war am schlimmsten. Harold sah nur noch Straße; er dachte an nichts mehr. Die alte Verletzung in seinem rechten Bein meldete sich tatsächlich wieder, und er musste hinken. Er konnte sich über nichts mehr freuen, war an einem freudlosen Ort. Eine Wolke von Fliegen schwärmte um seinen Kopf. Manchmal zuckte Schmerz auf. Vielleicht ein Stich. Die Felder waren ungeheuer groß und leer, die Autos kamen ihm vor wie auf den Straßen entlanggezogene Spielzeuge. Wieder eine neue Kuppe. Wieder ein neuer Himmel. Wieder eine neue Meile. Immer dasselbe. Es war so öde, so erdrückend, dass Harold immer nahe am Aufgeben war. Oft vergaß er, wo er eigentlich hinwollte.

Ohne Liebe ist alles – ja, was denn? Wie hieß das Wort gleich wieder? Er konnte sich nicht erinnern. Es kam ihm vor, als finge es mit einem W an, doch ihm fiel nur »wortlos« ein, und das konnte es schlecht sein. Aber ihm war alles ziemlich egal. Schwärze kroch vom Himmel. Regen peitschte seine Haut. Der Wind war so stark, dass Harold Mühe hatte, das Gleichgewicht zu halten. Er schlief durchnässt ein und wachte durchnässt auf. Nie wieder würde er wissen, wie sich wohlige Wärme anfühlt.

Die Albtraumbilder, die Harold überwunden glaubte, kehrten zurück und ließen ihm kein Schlupfloch. Wach oder im Schlaf durchlebte er die Vergangenheit von neuem und empfand das Entsetzen wieder ganz frisch. Er sah sich mit der Axt auf die Bretter des Gartenschuppens eindreschen, die Hände von Holzschiefern aufgerissen, der Kopf von Whiskey umnebelt. Er sah aus seinen Fäusten Blut auf tausend bunte Glassplitter tropfen. Er hörte sich beten, mit zusammengekniffenen Augen, ineinandergeklammerten Händen, Worten ohne Sinn. Dann wieder sah er, wie Maureen ihm den Rücken zukehrte und in einer gleißenden Lichtkugel verschwand. Die letzten zwanzig Jahre waren weggeraspelt. Es gab keine Normalität oder auch nur den Abklatsch davon, hinter der er sich verstecken konnte. Solche Dinge existierten nicht mehr, genauso wenig wie landschaftliche Details.

Niemand konnte sich diese Einsamkeit vorstellen. Einmal stieß er einen Schrei aus, aber kein Laut kehrte zu ihm zurück. Er spürte die Kälte tief im Inneren, als gefrören selbst seine Knochen zu Eis. Wenn er die Augen schloss, um zu schlafen, war er überzeugt, dass er die Nacht nicht überleben würde: Ihm fehlte jeder Wille, dagegen anzukämpfen. Wenn er aufwachte und spürte, wie die steifen Kleider auf der Haut kratzten und die Sonne oder vielleicht auch die Kälte ihm ins Gesicht brannte, stand er auf und trottete weiter.

An einem seiner Schuhe ging im ausgebeulten Leder die Naht auf, die Sohlen waren dünn wie Stoff. Seine Zehen würden jeden Moment durch das Leder stoßen. Er umwickelte seine Schuhe mit dem blauen Isolierband, wickelte und wickelte, unter der Fußsohle durch und um den Knöchel herum, dass die Schuhe zu einem Teil seines Körpers wurden. Oder war es andersherum? Er glaubte langsam, dass seine Schuhe einen eigenen Willen besaßen.

Weiter, weiter, weiter. Andere Worte hatte er nicht mehr. Er

330

wusste nicht, ob er selbst diese Worte ausgestoßen hatte, ob sie nur in seinem Kopf widerhallten oder ob ein anderer sie rief. Vielleicht war er der letzte Mensch auf Erden? Es existierte nichts weiter als diese Straße, und er selbst war nichts weiter als ein Körper, der einen Weg in sich trug, ein Körper, der nur aus blauen, mit Isolierband verklebten Füßen bestand und aus Berwick upon Tweed.

An einem Dienstagnachmittag um halb vier roch Harold Salz im Wind. Eine Stunde später erreichte er eine Hügelkuppe und sah eine Stadt vor sich liegen, gesäumt von der endlosen Fläche des Meers. Er näherte sich den rosagrauen Stadtmauern, aber niemand blieb stehen, stutzte oder bot ihm etwas zu essen an.

Siebenundachtzig Tage, nachdem er aufgebrochen war, um einen Brief einzuwerfen, erreichte Harold Fry das Tor des Bernardino-Hospizes. Er hatte es, Irrwege und Umwege mit eingerechnet, auf eintausendundneun Kilometer gebracht. Das Gebäude vor ihm war modern und unauffällig, umrahmt von Bäumen, deren Laub im Wind zitterte. Am Haupteingang stand eine altmodische Straßenlaterne, ein Schild wies zu einem Parkplatz. Auf dem Rasen ruhten in Liegestühlen mehrere Gestalten, zum Trocknen ausgelegten Kleidern gleich. Eine über ihren Köpfen kreisende Möwe stieß ihre heiser bellenden Schreie aus.

Harold ging den sanften Bogen der Auffahrt entlang und hob den Finger an die Klingel. Er wünschte, er könnte diesen Moment anhalten wie ein aus der Zeit herausgeschnittenes Bild: sein dunkler Finger vor dem weißen Knopf, die Sonne auf seinen Schultern, die lachende Möwe. Sein Weg war zu Ende.

Harold jagte im Geiste die Meilen zurück, die ihn hierhergebracht hatten. Er sah Straßen, Hügel, Häuser, Zäune, Einkaufszentren, Straßenlampen und Briefkästen, und an ihnen war nichts Besonderes. Es waren ganz gewöhnliche Dinge, an denen er vorbeigekommen war. An denen jeder hätte vorbeikommen können. Dieser Gedanke löste plötzlich Beklemmungen in ihm aus, ihn überkam Angst in einem Moment, von dem er nie anderes als Triumphgefühle erwartet hatte. Wie hatte er sich einbilden können, dass diese banalen Dinge zusammengenommen etwas Größeres ergäben als die Summe ihrer Teile? Sein Finger blieb in der Schwebe; er drückte nicht auf den Klingelknopf. Wozu eigentlich das Ganze?

Er dachte an die Menschen, die ihm geholfen hatten. Er dachte an die Unerwünschten, die Ungeliebten, zu denen er auch sich selbst zählte. Und dann überlegte er, wie es jetzt weitergehen würde. Er würde Queenie seine Geschenke geben und ihr danken, aber was dann? Er würde in sein altes Leben zurückkehren, das er fast vergessen hatte, ein Leben, in dem die Menschen Barrikaden aus Schnickschnack zwischen sich und der Außenwelt errichteten. Wo er schlaflos in dem einen Zimmer lag und Maureen in dem anderen.

Harold hob den Rucksack wieder auf die Schultern und drehte sich um. Als er zum Tor hinausging, sah keine der Gestalten in den Liegestühlen auf. Niemand erwartete ihn, deshalb schien niemand seine Ankunft oder seinen Abgang zu bemerken. Der außergewöhnlichste Moment in Harolds Leben kam und ging, ohne eine Spur zu hinterlassen.

In einem kleinen Café bat Harold die Bedienung, ob er ein Glas Wasser haben und die Toilette benutzen könne. Er entschuldigte sich, dass er kein Geld hatte. Er wartete geduldig, während die junge Frau den Blick über sein wirres Haar, seine zerrissene Jacke und Krawatte und seine schlammverdreckte Hose wandern ließ, bis er bei den Füßen ankam, mehr blaues

Isolierband als Segelschuhe. Sie presste die Lippen zusammen und sah zu einer älteren Frau in grauer Jacke hinüber, die sich mit Gästen unterhielt und hier eindeutig das Sagen hatte. Die Bedienung murmelte: »Dann aber schnell.« Sie führte ihn zu einer Tür und passte gut auf, dass sie nicht mit ihm in Berührung kam.

Im Spiegel begegnete Harold einem Gesicht, das ihm nur vage bekannt vorkam. Die Haut hing in dunklen Falten, als wäre sie für die Knochen zu weit. Anscheinend hatte er sich an der Stirn und an den Wangenknochen mehrere Schnitte zugezogen. Haar und Bart waren wilder, als er gedacht hatte, aus seinen Augenbrauen und Nasenlöchern wuchsen einzelne lange, drahtige Haare hervor. Die Karikatur eines alten Knackers. Ein Spinner. Er hatte keine Ähnlichkeit mehr mit dem Mann, der mit dem Brief aufgebrochen war. Oder mit dem Mann, der im Pilger-T-Shirt für die Fotografen posiert hatte.

Die Bedienung reichte ihm Wasser in einem Einwegbecher, bot ihm aber keinen Stuhl an. Er fragte, ob ihm jemand ein Rasiermesser oder einen Kamm leihen könne, doch die Geschäftsführerin in der grauen Jacke trat rasch dazu und deutete auf das Schild im Fenster. *Betteln verboten.* Sie forderte ihn zum Verlassen des Cafés auf, andernfalls müsse sie die Polizei rufen. Niemand sah hoch, als er zur Tür schlurfte. Er fragte sich, ob er schlecht roch. Er hatte so lange draußen gelebt, dass er vergessen hatte, welche Gerüche angenehm waren und welche nicht. Er spürte, dass die Leute seinetwegen peinlich berührt waren, und wollte ihnen das ersparen.

An einem Tisch am Fenster saßen ein junger Mann und seine Frau, die mit ihrem Baby herumschäkerten. Da stieg in Harold ein solcher Schmerz hoch, dass er sich kaum aufrecht halten konnte.

Er drehte sich zu der Geschäftsführerin und den Cafégästen um, sah ihnen der Reihe nach ins Gesicht und sagte: »Ich will meinen Sohn wiederhaben.«

Kaum ausgesprochen, entfesselten diese Worte ein Zittern in ihm – kein zaghaftes Beben, sondern ein krampfartiges Schütteln, das tief aus seinem Innersten kam. Er verzerrte das Gesicht vor Schmerz, als die Trauer durch seine Brustmuskeln brach, seinen Hals hochstieg und dabei immer mehr anschwoll.

»Wo ist er denn?«, erkundigte sich die Geschäftsführerin.

Harold presste die Hände zusammen, damit er nicht zu Boden stürzte.

Die Geschäftsführerin fragte: »Treffen Sie Ihren Sohn hier? Ist er in Berwick?«

Einer der Gäste legte Harold die Hand auf den Arm. Er fragte mit sanfterer Stimme: »Entschuldigen Sie – sind Sie nicht der Mann, der durch England gelaufen ist?«

Harold rang nach Luft. Die Freundlichkeit des Mannes machte ihn hilflos.

»Meine Frau und ich haben von Ihnen gelesen. Wir hatten einen Freund, zu dem wir die Verbindung verloren hatten. Letztes Wochenende sind wir ihn besuchen gefahren. Wir haben von Ihnen gesprochen.«

Harold ließ den Mann reden und seinen Arm halten, aber er konnte nicht antworten oder sein Gesicht entspannen.

»Wer ist denn Ihr Sohn? Wie heißt er denn?«, fragte der Mann. »Vielleicht kann ich helfen?«

»Er heißt …«

Plötzlich sackte Harold das Herz nach unten, als wäre er von einer Mauer ins Leere getreten. »Er ist mein Sohn. Er heißt …«

Die Geschäftsführerin sah ihn kühl an und wartete, wartete mit den anderen Gästen im Rücken, und der freundliche

Mann ließ seine Hand auf Harolds Ärmel liegen. Sie hatten ja keine Ahnung. Keine Ahnung von dem Grauen, von der Verwirrung, von den Schuldgefühlen, die in ihm wüteten. Er konnte sich an den Namen seines Sohnes nicht erinnern.

Auf der Straße wollte ihm eine junge Frau einen Flyer in die Hand drücken.

»Salsa-Unterricht für Leute über sechzig«, sagte sie. »Da sollten Sie hin. Es ist nie zu spät.«

Aber es war zu spät. Viel zu spät. Harold schüttelte heftig den Kopf und ging noch ein paar schwankende Schritte. Er fühlte sich wie entbeint.

»Bitte nehmen Sie den Flyer«, drängte das Mädchen. »Nehmen Sie den ganzen Packen. Wenn Sie wollen, schmeißen Sie sie in den nächsten Mülleimer. Ich will bloß noch nach Hause.«

Harold stolperte mit einem Stoß Flyer durch Berwicks Straßen. Er wusste nicht, wohin er lief. Die Leute machten einen Bogen um ihn, aber er blieb nicht stehen. Er konnte seinen Eltern verzeihen, dass sie ihn nicht gewollt hatten. Dass sie ihm weder gezeigt hatten, wie man liebt, noch ihm wenigstens die nötigen Worte beigebracht hatten. Er konnte seinen Eltern verzeihen, und ihren Eltern davor.

Harold wollte nur eines: sein Kind wiederhaben.

27
Harold und noch ein Brief

Liebes Mädchen von der Tankstelle,
ich bin Ihnen die ganze Geschichte schuldig. Vor zwanzig Jah-
ren habe ich meinen Sohn begraben. So etwas sollte jedem Va-
ter erspart bleiben. Ich hätte gern den Mann gekannt, der er ge-
worden wäre. Das möchte ich immer noch.
Bis heute begreife ich nicht, warum er es getan hat. Er war de-
pressiv, dazu alkohol- und tablettenabhängig. Er konnte keine
Arbeit finden. Ich wünsche mir so sehr, dass er mit mir geredet
hätte. Er hat sich im Gartenschuppen erhängt. Er hat das Seil
an einen der Haken geknotet, an denen ich die Gartenwerk-
zeuge aufgehängt hatte. Er hatte so viel Alkohol und Pillen im
Blut, dass er lange gebraucht haben muss, um die Schlinge zu
knüpfen, sagte der Gerichtsmediziner. Festgestellte Todesursa-
che: Selbstmord.
Ich habe ihn gefunden. Ich bringe es kaum fertig, das zu schrei-
ben. Damals habe ich gebetet, obwohl ich kein religiöser Mensch
bin, wie ich Ihnen in der Tankstelle schon gesagt habe. Ich habe
gebetet, bitte, lieber Gott, lass ihn noch am Leben sein. Ich tue
alles. Ich habe ihn heruntergehoben, aber er hat nicht mehr ge-
lebt. Ich bin zu spät gekommen.
Ich wünschte, man hätte mir nicht gesagt, dass das Knüpfen der
Schlinge so lange gedauert hat.

Für meine Frau war es die Hölle. Sie wollte nicht mehr aus dem Haus. Sie hängte Gardinen vor die Fenster, wollte nicht, dass die Nachbarn zu Besuch kämen. Nach und nach sind die Leute weggezogen und niemand wusste mehr Bescheid über uns und was passiert ist. Aber jedes Mal, wenn Maureen mich anschaute, wusste ich, dass sie David tot vor sich sah.

Sie hat mit ihm zu reden begonnen. Er sei bei ihr, sagte sie. Sie hat immer auf ihn gewartet. Maureen hat sein Zimmer genau so gelassen wie an dem Tag, als er starb. Da kommt bei mir manchmal die ganze Trauer wieder hoch, aber meine Frau möchte es so. Sie kann ihn nicht tot sein lassen, und das verstehe ich gut. Das kann eine Mutter nicht ertragen.

Queenie wusste alles über David, aber sie hat nichts gesagt. Sie hat auf mich achtgegeben. Sie hat mir Tee mit Zucker geholt und übers Wetter geredet. Einmal hat sie gesagt, vielleicht reicht es jetzt, Mr Fry. Denn das war das andere: Ich habe getrunken. Es hat damit angefangen, dass ich vor dem Bericht des Gerichtsmediziners ein Glas zur Beruhigung gekippt habe. Aber dann hatte ich die Flaschen in einer Papiertüte unter meinem Schreibtisch stehen. Weiß Gott, wie ich abends heimgefahren bin. Ich wollte einfach nichts mehr spüren.

An einem Abend, als ich stockvoll war, habe ich den Gartenschuppen zertrümmert. Aber nicht einmal das hat mir gereicht. Ich bin in die Brauerei eingebrochen und habe etwas Schreckliches getan. Queenie wusste, dass ich es gewesen sein musste, und hat es auf ihre Kappe genommen.

Sie wurde auf der Stelle gefeuert, dann ist sie verschwunden. Ich habe von einer Warnung gehört: Wenn sie wüsste, was gut für sie ist, sollte sie sich im Südwesten bloß nie wieder blicken lassen. Und von einer Sekretärin, die Queenies Vermieterin kannte, habe ich mitbekommen, dass Queenie keine Nachsendeadresse angegeben hatte. Sie ging, und ich habe nichts da-

gegen unternommen. Ich habe keinen Mucks gemacht, als sie die Schuld auf sich nahm. Aber ich habe aufgehört zu trinken. Maureen und ich haben lange gestritten und dann mit der Zeit nicht mehr miteinander geredet. Sie ist aus unserem Schlafzimmer ausgezogen. Sie hat aufgehört, mich zu lieben. Oft habe ich gedacht, sie würde gehen, aber sie ist dann doch geblieben. Ich habe jede Nacht schlecht geschlafen.

Die Leute glauben, ich laufe durch England, weil es zwischen mir und Queenie damals eine Romanze gegeben hat, aber das stimmt nicht. Ich bin gelaufen, weil sie mich gerettet hat und ich mich nie dafür bedankt habe. Deshalb schreibe ich Ihnen. Sie sollen wissen, wie sehr Sie mir vor Wochen geholfen haben, als Sie mir von Ihrem Glauben und Ihrer Tante erzählt haben. Allerdings fürchte ich, dass ich nie so mutig war wie Sie.

Mit den besten Wünschen und bescheidenem Dank,

Harold (Fry)

PS: Entschuldigen Sie bitte, dass ich Ihren Namen nicht kenne.

28
Maureen und die Besucherin

Seit Tagen bereitete Maureen das Haus für Harolds Rückkehr vor. Sie hatte die beiden Fotografien aus seiner Nachttischschublade abgemessen, um Rahmen dafür zu kaufen.
Sie hatte das Wohnzimmer in einem zarten Gelbton gestrichen und an die Fenster hellblaue Samtvorhänge gehängt, die
sie im Charity-Laden gefunden und kürzer gemacht hatte –
sie waren so gut wie neu. Sie backte Kuchen und fror sie ein,
dazu etliche Quiches, Moussaka, Lasagne und Bœuf Bour-
guignon, alles, was sie gern gekocht hatte, als David noch da
war. Im Schrank standen Gläser mit Chutney aus ihren grünen Bohnen, mit eingelegten Zwiebeln und mit Roten Beeten. In der Küche und im Bad hatte sie Listen hängen. Es gab
so viel zu tun. Doch manchmal, wenn sie aus dem Fenster sah
oder wach im Bett lag und den Möwen zuhörte, die wie kleine
Kinder schrien, beschlich sie das Gefühl, ihre ganze Umtrie-
bigkeit liefe ins Leere, am Wesentlichen vorbei.

Angenommen, Harold kam nach Hause zurück, sagte ihr
aber, dass er zu einem neuen Pilgerweg aufbrechen müsse?
Angenommen, er war nach alledem über sie hinausgewach-
sen?

Eines frühen Morgens klingelte es an der Tür, und Maureen eilte die Treppe herunter. Auf der Schwelle stand ein

blasses Mädchen mit strähnigem Haar, im schwarzen Dufflecoat, obwohl es schon warm war.

»Dürfte ich bitte hereinkommen, Mrs Fry?«

Bei Tee und Aprikosenkeksen stellte sich das Mädchen als diejenige vor, die Harold vor Wochen den Burger serviert hatte. Sie erzählte, dass er ihr viele schöne Postkarten geschickt hatte, doch als er plötzlich berühmt wurde, hingen massenweise lästige Fans und Journalisten an der Tankstelle herum. Schließlich sah sich ihr Chef gezwungen, sie aus Gründen der Arbeitssicherheit zu entlassen.

»Sie haben Ihre Stelle verloren? Das ist ja furchtbar«, sagte Maureen. »Es wird Harold sehr leidtun, wenn er das erfährt.«

»Halb so schlimm, Mrs Fry. Ich mochte den Job sowieso nicht. Die Kunden haben dauernd rumgeschrien und waren immer in Hetze. Aber was ich zu Ihrem Mann über die Macht des Glaubens gesagt habe, beschäftigt mich schon die ganze Zeit.« Sie wirkte nervös und bedrückt, strich sich ständig dieselbe Haarsträhne hinters Ohr, obwohl sie gar nicht nach vorn rutschte. »Ich glaube, ich habe bei ihm einen falschen Eindruck erweckt.«

»Aber Sie haben Harold inspiriert. Ihr Glaube hat ihn überhaupt erst auf den Weg gebracht.«

Die junge Frau saß in ihren Dufflecoat eingemummelt da und nagte so heftig an den Lippen, dass Maureen befürchtete, sie würden gleich bluten. Dann nahm sie einen Umschlag aus der Tasche und zog mehrere Blätter Papier heraus. Mit zitternder Hand hielt sie sie Maureen hin. »Da«, sagte sie.

Maureen kräuselte verwundert die Lippen: »Salsa über sechzig?«

Die junge Frau nahm ihr den Blätterstapel wieder ab und drehte ihn um. »Die Schrift ist auf der anderen Seite. Ein Brief Ihres Mannes. Er wurde zur Tankstelle geschickt, und meine

Freundin hat mir Bescheid gesagt, ich soll ihn abholen, bevor der Chef was davon mitkriegt.«

Maureen las stumm. Sie weinte bei jedem Satz. Der Verlust, der sie vor zwanzig Jahren auseinandergetrieben hatte, war so unfassbar, der Schmerz brannte so heftig, als geschähe alles noch einmal. Als Maureen fertiggelesen hatte, dankte sie dem Mädchen, faltete die Blätter zusammen und strich die Knicke mit dem Nagel glatt.

Dann schob sie den Brief in den Umschlag zurück. Sie saß da und rührte sich nicht.

»Mrs Fry?«

»Ich muss Ihnen etwas erklären.«

Maureen befeuchtete die Lippen, und die Worte strömten heraus wie von selbst. Welche Erleichterung. Harolds Bekenntnis hatte sie sehr bewegt, und sie fand es richtig, endlich mit jemandem über Davids Selbstmord zu sprechen, über den Kummer, der einen Keil zwischen Harold und sie getrieben hatte. »Wir haben uns eine Weile angeschrien. Ich habe Harold furchtbare Vorwürfe gemacht. Ihm schreckliche Dinge an den Kopf geworfen. Dass er ein besserer Vater hätte sein sollen. Dass die Trinkerei bei ihm in der Familie lag. Und dann schienen uns die Worte auszugehen. Da habe ich angefangen, mit David zu reden.«

»Sie meinen, er ist als Geist zurückgekommen?«, fragte das Mädchen. Sie hatte eindeutig zu viele Filme gesehen.

Maureen schüttelte den Kopf. »Nicht als Geist, nein. Eher als eine Art Gegenwart. Ich konnte ihn irgendwie spüren. Das war mein einziger Trost. Ich habe anfangs nur wenig gesagt. ›Wo bist du?‹ ›Ich vermisse dich.‹ So etwas. Aber im Lauf der Zeit ist es mehr geworden. Ich habe ihm alles gesagt, was ich Harold nicht mehr sagen konnte. Manchmal wünschte ich fast, ich hätte nicht damit angefangen; aber dann machte ich mir Sorgen, ob ich David irgendwie im Stich lassen würde, wenn ich zu reden aufhörte. Wenn er nun wirklich da war? Wenn er mich brauchte? Ich habe mir gesagt, wenn ich lange genug warte, sehe ich ihn vielleicht. Man liest ja so was in den Zeitschriften beim Arzt, im Wartezimmer. Und ich habe mich so sehr danach gesehnt, ihn zu sehen.« Sie wischte sich über die Augen. »Aber es ist nie geschehen. Ich habe mir die Augen nach ihm ausgeguckt, aber er ist nie gekommen.«

Das Mädchen tauchte mit dem Gesicht in ein Taschentuch ab und schluchzte. »O Gott, ist das traurig.« Als sie wieder zum Vorschein kam, waren ihre Augen winzig klein und ihre Wangen so rot wie nach einem Peeling. Schleimfäden hingen ihr von Mund und Nase. »Ich bin ja so eine Schwindlerin, Mrs Fry.«

Maureen griff nach der Hand des Mädchens. Sie war klein wie eine Kinderhand, aber überraschend warm. Maureen drückte sie.

»Sie sind doch keine Schwindlerin. Sie waren der Stein, der alles ins Rollen gebracht hat. Sie haben Harold inspiriert, als Sie ihm von Ihrer Tante erzählt haben. Das ist doch kein Grund zum Weinen.«

Das Mädchen ließ einen weiteren Schluchzer los und steckte die Nase wieder ins Taschentuch. Als sie den Kopf hob, blinzelte sie mit ihren geröteten Augen und atmete tief und bebend ein. »Das ist es ja«, sagte sie schließlich. »Meine Tante ist tot. Sie ist schon vor Jahren gestorben.«

Maureen hatte das Gefühl, dass etwas wegbrach. Das Zimmer schien einen gewaltigen Ruck zu machen, als hätte sie auf der Treppe eine Stufe übersehen. »Sie ist was, bitte?« Die Worte blieben ihr im Hals stecken. Sie machte den Mund auf und schluckte und schluckte. Dann sprudelte sie hervor: »Aber was ist mit Ihrem Glauben? Ich dachte, der hätte Ihre Tante gerettet? Ich dachte, das wäre der ganze Zweck der Übung gewesen?«

Das Mädchen grub die Zähne in den Mundwinkel, dass sich ihr ganzer Unterkiefer zur Seite verschob. »Wenn der Krebs einen mal im Griff hat, dann kann ihn nichts mehr aufhalten.«

Es war, als sähe Maureen die Wahrheit zum ersten Mal und würde gleichzeitig erkennen, dass sie es die ganze Zeit gewusst hatte. Natürlich ließ sich Krebs im Endstadium nicht aufhalten. Maureen dachte an die vielen Menschen, die auf Harolds Pilgerweg vertrauten. Sie dachte an Harold, der dahintrottete, auch in diesem Moment, während sie redeten. Sie schüttelte sich. »Ich hab Ihnen ja gesagt, dass ich eine Schwindlerin bin«, murmelte das Mädchen.

Maureen trommelte mit den Fingerspitzen leicht gegen die Stirn. Sie spürte, wie tief aus ihrem Inneren noch mehr Geständnisse aufsteigen wollten, die ihr aber, anders als die Wahrheit über David, qualvoll peinlich waren. Langsam sagte sie: »Wenn hier jemand eine Schwindlerin ist, dann ich. Fürchte ich.«

Das Mädchen schüttelte verständnislos den Kopf.

Maureen begann langsam und ruhig, ihre Geschichte zu erzählen, ohne das Mädchen anzusehen, weil sie sich darauf konzentrieren musste, Wort für Wort aus dem geheimen Versteck hervorzuziehen, in dem sie sie die ganze Zeit verborgen gehalten hatte. Sie erzählte, wie vor zwanzig Jahren Queenie Hennessy nach Davids Selbstmord in die Fossebridge Road gekommen war und nach Harold gefragt hatte, sehr blass, einen Blumenstrauß in der Hand. Sie hatte etwas sehr Gewöhnliches und doch sehr Würdevolles an sich.

»Sie bat, ob ich Harold etwas ausrichten könne. Es hatte mit der Brauerei zu tun, sie wollte, dass er Bescheid wusste. Und nachdem sie mir gesagt hatte, worum es sich handelte, hat sie mir die Blumen gegeben und ist gegangen. Ich war wohl die Letzte, mit der sie in Kingsbridge gesprochen hat. Ich habe die Blumen in die Mülltonne gestopft und Harold ihre Nachricht nie ausgerichtet.« Sie stockte; es war zu schmerzhaft und beschämend, weiterzusprechen.

»Was hat sie Ihnen denn erzählt, Mrs Fry?«, fragte das Mädchen. Ihre Stimme war so sanft wie eine Hand im Dunkeln.

Maureen zauderte. Es sei eine schwierige Zeit gewesen damals, sagte sie. Das entschuldige nicht, was sie getan oder vielmehr nicht getan hatte, und sie wünschte, sie hätte sich anders verhalten.

»Aber ich war so voller Zorn. David war tot. Ich war auch eifersüchtig. Queenie war nett zu Harold, als ich es nicht sein konnte. Ich befürchtete, ihre Nachricht würde ihn trösten. Und das war mir unerträglich. Ich wollte nicht, dass er getröstet würde, wenn es für mich keinen Trost gab.«

Maureen wischte sich übers Gesicht und fuhr fort.

»Queenie hat mir erzählt, dass Harold nachts in Napiers Büro eingebrochen war. Sie hatte ihn früher am Abend im Auto vor der Brauerei sitzen sehen. Sie war nicht zu ihm hingegangen. Sie dachte, dass er vielleicht weinte, und wollte sich nicht aufdrängen. Erst als am nächsten Tag die Nachricht wie ein Lauffeuer durch die Brauerei ging, zählte sie zwei und zwei zusammen. Sein Schmerz habe ihn dazu gebracht, sagte sie; der Schmerz könne Menschen zu den merkwürdigsten Dingen treiben. Ihrer Meinung nach war Harold auf Selbstzerstörung aus. Als er diese Muranoglas-Clowns in tausend Splitter zerschlug, forderte er bewusst das Schlimmste heraus, wozu Napier fähig war. Sein Chef sah nur noch rot.« Maureen machte eine Pause und tupfte sich die Nase ab. »Also hat Queenie behauptet, sie sei es gewesen. Sie meinte, als unattraktive Frau habe sie es einfacher mit Napier gehabt; sie habe ihn aus dem Konzept gebracht mit ihrer Behauptung, sie habe die Clowns versehentlich heruntergestoßen, als sie seinen Schreibtisch abstaubte.«

Das Mädchen lachte unter Tränen. »Heißt das, alles ist passiert, weil Ihr Mann ein paar Glasclowns zertrümmert hat? Waren sie denn so wertvoll?«

»Überhaupt nicht. Sie hatten Napiers Mutter gehört. Napier war ein bösartiger, brutaler Mensch. Er war dreimal verheiratet und hat alle seine Frauen grün und blau geprügelt. Eine musste mit Rippenbrüchen ins Krankenhaus. Aber seine Mutter hat er geliebt.« Einen Augenblick lang hing ein schwaches Lächeln in ihrem Gesicht, bis sie es achselzuckend verscheuchte. »Also hat Queenie sich hingestellt und die Verantwortung für Harolds Tat übernommen, und dann ließ sie sich von Napier an die Luft setzen. Das hat sie mir alles erzählt und mich gebeten, ich solle Harold sagen, er brauche sich keine Sorgen zu machen. Er sei freundlich zu ihr gewesen. Das sei das Wenigste, was sie für ihn tun könne.«

»Aber Sie haben es ihm nicht erzählt.«

»Nein. Ich habe ihn leiden lassen. Und nach einer Weile gehörte es zu den vielen Dingen, über die wir nicht sprechen konnten, und hat uns noch weiter voneinander entfernt.« Jetzt öffnete sie die Augen weit und ließ die Tränen fließen. »Sie sehen, er hatte schon recht, als er von mir weggegangen ist.«

Das Tankstellenmädchen schwieg dazu. Sie nahm noch einen der selbstgebackenen Aprikosenkekse und schien sich ein paar Minuten ganz der Leckerei hinzugeben. Dann sagte sie unvermittelt: »Ich glaube nicht, dass er von Ihnen

347

weggegangen ist. Genauso wenig glaube ich, dass Sie eine Schwindlerin sind, Mrs Fry. Wir machen alle Fehler. Aber eines weiß ich.«

»Was denn? Was wissen Sie?«, stöhnte Maureen und wiegte den Kopf in den Händen. Wie könnte sie die Fehler von damals je wiedergutmachen? Ihre Ehe war kaputt.

»An Ihrer Stelle würde ich nicht hier herumhocken, Kekse backen und mit mir reden. Ich würde etwas tun.«

»Aber ich bin doch schon nach Darlington gefahren. Das hat nichts gebracht.«

»Damals lief ja auch noch alles gut. Aber seither ist viel passiert.« Sie sprach so langsam und selbstsicher, dass Maureen den Kopf hob. Das Gesicht des Mädchens war immer noch blass, doch plötzlich leuchtete darin eine entwaffnende Klarheit. Maureen schrak vielleicht zusammen, vielleicht entfuhr ihr sogar ein Schrei, denn das Tankstellenmädchen lachte. »Machen Sie, dass Sie nach Berwick upon Tweed kommen.«

29
Harold und Queenie

Nachdem Harold seinen Brief geschrieben hatte, konnte er einen jungen Mann dazu bewegen, ihm einen Umschlag und eine Briefmarke zu kaufen. Es war zu spät, um Queenie zu besuchen, deshalb verbrachte er die Nacht in seinem Schlafsack auf einer Bank im Stadtpark. Am frühen Morgen suchte er die öffentliche Toilette auf, wo er sich wusch und mit den Fingern die Haare kämmte. Jemand hatte am Waschbecken einen Einmalrasierer liegen lassen, den zog er durch seinen Bart. Es war keine richtige Rasur, entfernte aber die Masse der Haare, so dass statt der Locken nur Stoppel blieben und ein Büschel hier und da. Seine Mundpartie sah bleich aus, als hätte sie nichts mit der ledrigen Haut zu tun, in der seine Nase und seine Augen eingebettet waren. Er hob den Rucksack auf die Schultern und machte sich auf den Weg zum Hospiz. Er fühlte sich wie ausgehöhlt und fragte sich, ob er vielleicht etwas zu essen brauchte. Aber er hatte keinen Appetit, ihm war sogar leicht schlecht.

Am Himmel hing eine dichte weiße Wolkendecke, doch die Salzluft roch schon nach Wärme. Familien trafen in ihren Autos ein und schlugen mit ihren Picknickkörben und Klappstühlen am Strand eine Bleibe für den Tag auf. Weit draußen am Horizont funkelte die See metallen in der Morgensonne.

Harold wusste, dass das Ende bevorstand, hatte aber keine Ahnung, wie es sein würde oder was er anschließend tun sollte.

Er bog in die Auffahrt zum Bernardino-Hospiz ein und ging bis zum Ende des Asphaltwegs, der sicher erst vor kurzem angelegt worden war, denn er gab weich unter seinen Füßen nach. Ohne zu zögern, drückte Harold auf die Klingel; beim Warten schloss er die Augen und stützte sich mit der Hand an die Mauer. Ob die Schwester, die ihn begrüßen würde, wohl dieselbe Frau war, mit der er telefoniert hatte? Er hoffte, er würde nicht allzu viel erklären müssen. Ihm fehlte die Energie für viele Worte. Die Tür ging auf.

Vor ihm stand eine Frau, deren Haar von Stoff verdeckt war; sie trug ein langes, hochgeschlossenes, cremefarbenes Gewand, darüber eine schwarze Tunika mit Gürtel. Harold spürte am ganzen Körper ein Kribbeln.

»Ich bin Harold Fry«, sagte er. »Ich bin sehr lange gelaufen, um Queenie Hennessy zu retten.« Plötzlich bekam er schrecklichen Durst. Seine Beine zitterten; er hätte sich gern auf einen Stuhl gesetzt.

Die Nonne lächelte. Ihre Haut war weich und glatt, ihr Haaransatz grau. Sie streckte die Hände aus, warme, raue, kräftige Hände, und nahm Harolds Hände in die ihren. Harold hatte Angst, dass ihm die Tränen kommen würden. »Willkommen, Harold«, sagte die Nonne. Sie stellte sich als Schwester Philomena vor und forderte ihn auf, einzutreten.

Er streifte seine Füße auf der Matte ab. Dann streifte er sie noch einmal ab.

»Seien Sie unbesorgt«, sagte sie, aber er konnte nicht aufhören. Er stampfte mit den Schuhen auf dem Fußabstreifer herum. Dann hob er sie hoch, um sich zu vergewissern, dass kein Schmutz mehr daran hing. Sie waren sauber, trotzdem streifte er die Sohlen immer wieder über die kratzige Matte, wie er es früher bei seinen Tanten tun musste, bevor sie ihn ins Haus ließen.

Er bückte sich, um das Isolierband abzuwickeln, was ziemlich lange dauerte; es blieb dauernd an seinen Fingern kleben. Je länger er brauchte, desto mehr wünschte er sich, er hätte gar nicht erst damit angefangen.

»Ich glaube, ich sollte meine Segelschuhe an der Tür lassen.« Die Luft drinnen war kühl und still. Es roch nach Desinfektionsmittel, was ihn an Maureen erinnerte, außerdem nach heißem Essen, vielleicht nach Kartoffeln. Mit der Fußspitze trat er auf die Ferse des einen Schuhs, um den Fuß herauszuziehen, dann wiederholte er dasselbe mit dem anderen Schuh. Als er in Socken dastand, fühlte er sich klein und nackt.

Die Nonne lächelte. »Bestimmt möchten Sie Queenie nun sehr gern sehen.« Sie fragte, ob er bereit sei, ihr zu folgen, und er nickte.

Schweigend liefen sie auf dem blauen Läufer den Gang entlang. Es gab keinen Applaus. Keine lachenden Schwestern, keine jubelnden Patienten. Da war nur Harold, der der wehenden Silhouette einer Nonne folgte, einen sauberen, leeren Korridor entlang. Hörte er nicht Gesang in der Luft? Aber als er noch einmal lauschte, dachte er, es sei wohl nur Einbildung gewesen. Vielleicht war es der Wind, der vorn an den Panoramafenstern vorbeipfiff, vielleicht hatte auch jemand gerufen. Er merkte, dass er vergessen hatte, Blumen mitzubringen.

»Alles in Ordnung?«, fragte die Nonne.

Wieder nickte er.

Sie erreichten die großen Fenster, und Harold sah, dass sie auf einen Garten hinausgingen. Er blickte sehnsüchtig zu dem kurzgeschorenen Rasen und stellte sich vor, wie seine nackten Füße im weichen Gras versanken. Bänke waren aufgestellt, ein Rasensprenger wirbelte Wasserbögen durch die Luft, die hin und wieder einen Lichtstrahl auffingen. Vor Harold dehnte sich eine Reihe geschlossener Türen. Hinter einer davon war sicher Queenie. Er blickte unverwandt in den Garten hinaus und empfand auf einmal große Angst.

»Wie lange, sagten Sie, sind Sie gelaufen?«

»Oh«, sagte er. Schon während er der Nonne folgte, schrumpfte die Bedeutung seines Fußmarschs in nichts zusammen. »Ziemlich lange.«

Sie sagte: »Ich fürchte, wir haben diese anderen Pilger nicht zu uns ins Hospiz eingeladen. Wir haben sie uns im Fernsehen angesehen. Und fanden sie ziemlich laut.« Sie drehte sich um; fast glaubte er, sie hätte ihm zugezwinkert, aber das musste wohl ein Irrtum sein.

Sie kamen an einer halboffenen Tür vorbei. Er wollte gar nicht hinsehen.

»Schwester Philomena!«, rief eine Stimme, schwach wie ein Flüstern.

Die Nonne blieb stehen und schaute hinein, hielt sich mit ausgebreiteten Armen am Türrahmen fest. »Bin gleich da«, sagte sie zu dem unsichtbaren Bewohner. Sie hob einen Fuß und streckte die Fußspitze ein wenig nach hinten, als wäre sie eine Tänzerin, allerdings eine in Sportschuhen. Dann drehte sie sich wieder zu Harold um und sagte mit einem herzlichen Lächeln, sie wären schon ganz nah. Er fror, war müde oder litt an was weiß der Himmel – irgendetwas saugte das Leben aus ihm heraus.

Nach ein paar weiteren Schritten klopfte die Nonne leise an eine Tür. Sie stützte die Fingerknöchel auf das Holz, presste das Ohr daran und lauschte kurz, dann öffnete sie die Tür einen Spalt und spähte hinein.

»Wir haben einen Besucher«, berichtete sie dem Raum, den er noch nicht sehen konnte.

Dann schob sie die Tür auf bis zur Wand, drückte sich flach dagegen und ließ Harold vorbeigehen. »Wie aufregend«, sagte sie. Er nahm einen tiefen Atemzug, der von seinen Füßen heraufzukommen schien, hob den Blick und richtete ihn fest in das Zimmer.

Ein grauer Himmel, weit entfernt, hinter dem einzigen Fenster mit halbzugezogenen Vorhängen. Unter einem Holzkreuz ein einfaches Bett, darunter eine Bettpfanne, am Fußende ein leerer Stuhl.

»Aber sie ist ja gar nicht da.« Ihm schwindelte vor unerwarteter Erleichterung.

Schwester Philomena lachte. »Natürlich ist sie da.« Sie nickte zum Bett, und als Harold noch einmal genauer hinsah, entdeckte er unter den eisweißen Leintüchern ein zartes Profil. An der Seite lag etwas wie eine lang ausgestreckte weiße Klaue, und beim zweiten Blick begriff Harold, dass es Queenies Arm war. Ihm schoss das Blut in den Kopf.

»Harold«, hörte er die Stimme der Nonne. Ihr Gesicht war nahe bei seinem, ihre Haut ein Netz von feinen Fältchen. »Queenie ist verwirrt und hat Schmerzen. Aber sie hat gewartet. Wie Sie sie gebeten haben.« Sie trat wieder zur Seite, um ihn vorbeizulassen.

Er näherte sich ein paar Schritte, dann noch ein paar, sein Herz hämmerte. Und als Harold Fry endlich bei der Frau anlangte, für die er so viele Meilen gelaufen war, knickten ihm fast die Beine weg. Sie lag reglos da, nur eine Armeslänge von ihm entfernt, das Gesicht leicht zum Fenster gedreht. Er fragte sich, ob sie schlief oder vielleicht von Medikamenten betäubt war, oder ob sie auf etwas anderes wartete als auf ihn. Da sie sich nicht rührte und seine Ankunft nicht bemerkte, hatte der Moment etwas ungemein Intimes. Ihr Körper zeichnete sich kaum unter den Leintüchern ab. Sie war klein wie ein Kind.

Harold nahm den Rucksack von den Schultern und hielt ihn vor den Bauch, als wolle er sich das Bild, das er da sah, vom Leib halten. Dann wagte er sich einen Schritt näher. Einen zweiten.

Was von Queenies Haar noch übrig war, war dünn und weiß wie Löwenzahnsamen; es bauschte sich nach oben und zur Seite wie von einem kräftigen Wind durchgepustet. Darunter schien die papierdünne Kopfhaut durch. Um den Hals hatte Queenie einen Verband.

Queenie Hennessy sah aus wie jemand anderer. Wie jemand, dem Harold nie begegnet war. Ein Geist. Eine Hülse. Harold sah sich unauffällig nach Schwester Philomena um, aber der Türrahmen war leer. Die Nonne war gegangen.

Er könnte die Geschenke deponieren und gehen. Vielleicht eine Karte dazulegen. Das schien ihm bei weitem das Beste: Er könnte etwas Tröstliches schreiben. Er spürte neue Energie. Doch in dem Moment, als er sich zurückziehen wollte, begann Queenies Kopf sich langsam und gleichmäßig vom Fenster in den Raum zu drehen; Harold stand da wie festgenagelt und sah zu. Erst kam das linke Auge, dann die Nase, dann die rechte Wange, bis Queenie ihm das Gesicht zuwandte und sie sich zum ersten Mal nach zwanzig Jahren wiedersahen. Harold stockte der Atem.

Das war kein richtiger Kopf mehr. Es waren zwei Köpfe in einem, der zweite wuchs aus dem ersten heraus. Er setzte über ihrem Wangenknochen an und wölbte sich bis über den Unterkiefer. Diese Wucherung, dieses zweite Gesicht ohne Augen, Mund und Nase war so groß, dass man meinen konnte, es würde jeden Moment aus der Haut herausplatzen. Es drückte

Queenies rechtes Auge zu und zerrte es in Richtung Ohr. Ihr Mund war aufgehebelt und zog sich zum Kinn herunter. Ein unmenschlicher Anblick. Queenie hob ihre Klauenfinger, wie um sich zu verbergen, aber es war unmöglich, nicht hinzusehen. Harold stöhnte auf.

Das Stöhnen war ihm entschlüpft, bevor es ihm bewusst wurde. Queenies Hand tastete nach etwas, was sie nicht sah.

Harold wünschte, er könnte so tun, als wäre der Anblick gar nicht so entsetzlich. Aber das konnte er nicht. Sein Mund öffnete sich, und er nuschelte zwei Worte. »Hallo, Queenie.« Über tausend Kilometer, und das war alles, was er herausbrachte.

Sie sagte nichts.

»Ich bin's, Harold«, sagte er. »Harold Fry.« Er merkte, dass er nickte, die Worte übertrieben deutlich formulierte und sie nicht an ihr entstelltes Gesicht, sondern an ihre Klauenhand richtete. »Wir haben vor langer Zeit zusammengearbeitet, erinnern Sie sich?«

Wieder warf er einen verstohlenen Blick auf den monströsen Tumor. Eine glänzende, knollige Masse voller feiner Äderchen und Verfärbungen, als könne die Haut sie nur unter Schmerzen zusammenhalten. Queenies offenes Auge blinzelte ihn an. Vom anderen floss zäh etwas Feuchtes auf das Kissen hinunter.

»Haben Sie meinen Brief bekommen?«

Der Blick war nackt, wie der Blick eines gefangenen Tieres.

»Meine Postkarten?«

Sterbe ich?, fragte ihr Marmorauge. Wird es weh tun?

Er konnte nicht mehr hinsehen. Er öffnete den Rucksack und stöberte mit zitternden Fingern im finsteren Inneren herum. Er war sich des beobachtenden Blicks seiner alten Kollegin so bewusst, dass er immer wieder vergaß, was er eigentlich suchte. »Ich habe ein paar kleine Souvenirs mitgebracht. Die habe ich unterwegs gesammelt. Da ist ein Rosenquarzkristall zum Aufhängen, der sich hübsch an Ihrem Fenster machen wird. Ich muss ihn nur finden. Und irgendwo ist auch ein kleines Glas Honig.« Ihm dämmerte, dass sie mit einem Tumor dieser Größe wahrscheinlich nichts mehr essen konnte. »Vielleicht mögen Sie gar keinen Honig. Aber das Glas ist hübsch. Da kann man Stifte reinstellen. Es ist von der Buckfast Abbey.«

Er zog die Papiertüte mit dem Hängekristall heraus und bot ihn ihr an. Sie regte sich nicht. Er legte die Tüte vor ihre Klauenhand. Klopfte zweimal darauf. Als er hochsah, erstarrte er wie zu Eis. Queenie Hennessy rutschte vom Kissen, als würde sie vom Gewicht ihres schrecklichen Gesichts zu Boden gezogen. Er wusste nicht, was er tun sollte. Er wusste, dass er helfen musste, aber wie, wusste er nicht. Er fürchtete, unter ihrem verbundenen Hals gäbe es noch mehr vom selben. Noch mehr Gewucher. Noch mehr brutale Zeugnisse ihres Verfalls. Das konnte er nicht ertragen. Harold rief um Hilfe. Erst versuchte er es leise, um sie nicht zu beunruhigen. Doch dann rief er noch einmal lauter, immer lauter.

»Hallo, Queenie«, rief die eintretende Nonne, allerdings schien es eine andere als vorher. Ihre Stimme war jünger, ihr Körper fülliger, ihre Art zupackender. »Lassen wir doch mal Licht rein. Hier sieht's ja aus wie in einer Leichenhalle.« Sie ging zu den Vorhängen und riss sie mit einem Ruck zurück, dass die Ringe über die Metallstange quietschten. »Wie nett, dass Sie Besuch haben.« Harold fand alles an ihr zu lebendig für dieses Zimmer, für Queenies gebrechlichen Zustand. Er ärgerte sich, dass sie sich hier um einen so zarten Menschen wie Queenie kümmern durfte, war aber auch erleichtert, dass sie das Ruder übernahm.

»Sie rutscht …« Er konnte den Satz nicht beenden. Deutete nur.

»Nicht schon wieder«, tadelte die Nonne so munter, als wäre Queenie ein Kind und hätte Essen auf die Bluse gekleckert. Von der anderen Seite des Betts schob sie Queenies Kissen zurecht; sie hakte ihre Arme unter Queenies Achseln und zerrte sie in eine aufrechtere Lage. Queenie fügte sich wie eine Stoffpuppe, und so würde Harold sie wohl immer im Gedächtnis behalten: duldend, alles erleidend, während jemand sie unter lustigen Bemerkungen, die er nur widerwärtig fand, auf ein Kissen wuchtete.

»Henry ist anscheinend zu Fuß gekommen. Den ganzen Weg von – Wo kommen Sie her, Henry?«

Harold machte den Mund auf, um zu erklären, dass er nicht Henry heiße und aus Kingsbridge sei, aber ihm schwand der Wille, beides klarzustellen. Ihre Irrtümer aufzuklären, schien nicht der Mühe wert. Er selbst kam sich vor wie nicht der Mühe wert.

»Aus Dorset, sagten Sie?«, fragte die Schwester.

»Ja. Richtig«, antwortete Harold im selben Ton, dass es klang, als riefen sie sich etwas über den Seewind zu. »Aus dem Süden.«

»Sollen wir ihm Tee anbieten?«, fragte sie Queenie, ohne sie anzusehen. »Suchen Sie sich doch ein Plätzchen, Henry, und plaudern ein bisschen, ich mach uns inzwischen allen ein Tässchen. Bei uns war ja dauernd was los, nicht wahr? Wir haben so viele Briefe und Postkarten bekommen. Letzte Woche hat sogar eine Dame aus Perth geschrieben.« Als sie hinausging, sagte sie zu Harold: »Sie kann Sie hören.« Er dachte, wenn Queenie wirklich hören konnte, dann war es nicht sehr taktvoll, darüber zu reden. Aber das sagte er nicht. Er beschränkte die Kommunikation auf das Grundlegendste.

Harold setzte sich auf den Stuhl neben Queenies Bett. Die Stuhlbeine scharrten, als er ihn ein Stück zurückschob, um nicht im Weg zu sein. Er steckte die Hände zwischen die Knie.

»Hallo«, sagte er wieder, als begegneten sie sich zum ersten Mal. »Ich muss schon sagen, Sie schlagen sich wacker. Meine Frau – erinnern Sie sich an Maureen? –, meine Frau lässt Sie grüßen.« Er fühlte sich jetzt sicherer, seit er Maureen mit ins Spiel gebracht hatte. Er wünschte, Queenie würde etwas sagen, um das Eis zu brechen, aber sie schwieg beharrlich.

»Ja, Sie halten sich gut.« Dann: »Wirklich, wirklich gut.« Er warf einen Blick nach hinten, ob die Nonne mit dem Tee kam, aber sie waren immer noch allein. Er gähnte ausgiebig, obwohl er hellwach war. »Ich bin sehr lange gelaufen«, sagte er schwach. »Soll ich den Kristall aufhängen? Im Laden hatten sie ihn im Fenster hängen. Ich glaube, er wird Ihnen gefallen. Angeblich besitzt er Heilkräfte.« Ihr offenes Auge suchte das seine. »Aber beschwören will ich das nicht.«

Er fragte sich, wie lange er es hier noch aushalten müsste. Er stand mit dem Kristall auf, der am Faden von seinen Fingern baumelte, und tat, als suche er einen geeigneten Platz zum Aufhängen. Der Himmel hinter dem Fenster leuchtete so weiß, dass er nicht sagen konnte, ob das Leuchten von Wolken oder von einer grellen Sonne kam. Unten im Garten schob eine Nonne mit Strohhut einen Patienten im Rollstuhl über den Rasen und sprach leise auf ihn ein. Ob sie wohl betete? Er beneidete sie um ihre Sicherheit.

In ihm regten sich alte Gefühle und Bilder aus der Vergangenheit, die er vor langer Zeit begraben hatte, denn damit zu leben war mehr, als ein Mensch ertragen konnte. Er klammerte sich ans Fensterbrett und atmete tief, aber die Luft war zu heiß und verschaffte ihm keine Erleichterung.

Er durchlebte von neuem den Nachmittag, als er Maureen

zum Bestattungsinstitut gefahren hatte, um David ein letztes Mal im Sarg zu sehen. Sie hatte ein paar Sachen mitgenommen, eine rote Rose, einen Teddybär und ein Kissen, das sie ihm unter den Kopf schieben wollte. Im Auto hatte sie Harold gefragt, was er David mitgeben werde, obwohl sie wusste, dass er nichts hatte. Die Sonne stand sehr tief und blendete ihn beim Fahren. Sie hatten beide eine Sonnenbrille auf. Maureen nahm die ihre nicht einmal zu Hause ab.

Im Bestattungsinstitut überraschte sie ihn mit der Ankündigung, dass sie allein von David Abschied nehmen wolle. Er saß unterdessen draußen, den Kopf in die Hände gestützt, und wartete, bis er an der Reihe wäre; da bot ihm ein Mann, der gerade vorbeikam, eine Zigarette an. Harold nahm sie an, obwohl er seit seinen Tagen als Busschaffner nicht mehr geraucht hatte. Er versuchte sich vorzustellen, was man als Vater zu seinem toten Sohn sagt. Seine Hand mit der Zigarette zitterte so sehr, dass der Mann drei Streichhölzer brauchte, um ihm Feuer zu geben.

Der Nikotinqualm blieb ihm erst im Hals stecken, dann kroch er zu seinen Innereien hinunter, und prompt stülpte sich alles nach oben. Als Harold aufstand und sich über einen Mülleimer beugte, schlug ihm der scharfe Geruch des Verfalls entgegen. Dann hörte er von hinten raue, schluchzende Schreie, Schreie von einer so animalischen Intensität, dass er, die Arme gegen den Mülleimer gestemmt, reglos verharrte.

»Nein!«, schrie Maureen im Aufbahrungsraum. »Nein! Nein! Nein!« Die Schallwellen schienen durch Harold hindurch zu vibrieren und an den metallenen Himmel zu stoßen.

Harold würgte einen Schwall weißen Schaums in den Abfalleimer.

Als Maureen herauskam, sah sie ihn nur einmal an, dann tastete sie hastig nach der hochgeschobenen Sonnenbrille. Sie hatte so sehr geweint, dass sich ihre ganze Person verflüssigt zu haben schien. Erschrocken bemerkte er, wie dünn sie geworden war; ihre Schultern steckten in dem schwarzen Kleid wie ein Kleiderbügel. Er wäre so gern auf sie zugegangen, hätte sie so gern in die Arme genommen und sich von ihr in die Arme nehmen lassen, aber er roch nach Zigarette und Erbrochenem. Deshalb blieb er unschlüssig neben dem Abfalleimer stehen und tat, als hätte er sie nicht gesehen, und sie lief an ihm vorbei zum Auto. Der Raum zwischen ihnen verfestigte sich in der Sonne wie zu leuchtendem Glas. Er wischte sich das Gesicht und die Hände ab und ging ihr nach einer Weile nach.

Als sie schweigend nach Hause fuhren, war sich Harold bewusst, dass von nun an etwas zwischen ihnen stand, was sich nie mehr beseitigen ließe. Maureen hatte sich von ihrem Sohn verabschiedet, er nicht. Das würde sie immer voneinander trennen. Bei der folgenden kleinen Feier im Krematorium wollte Maureen keine Trauergäste dabeihaben. Zu Hause hängte sie Gardinen auf, damit die Leute nicht hereinspähten; allerdings kam es Harold manchmal vor, als sei der Stoff eher dazu da, dass Maureen nicht mehr hinausschauen konnte. Eine Weile tobte sie herum und machte Harold Vorwürfe, dann hörte auch das auf. Sie gingen auf der Treppe aneinander vorbei wie Fremde.

Harold dachte an den Tag, als Maureen aus dem Bestattungsinstitut kam und ihn ansah, bevor sie die Sonnenbrille wieder herunterklappte, und er hatte das Gefühl, dass sie mit diesem einen Blick einen Pakt geschlossen hatten, ihr restliches Leben lang nur noch zu sagen, was sie gar nicht meinten, und auseinanderzureißen, was sie am meisten liebten.

An all das erinnerte sich Harold, zitternd vor Schmerz, in dem Hospiz, wo Queenie im Sterben lag.

Er hatte geglaubt, wenn er Queenie sähe, könne er sich bedanken und sogar verabschieden. Er hatte geglaubt, es fände eine Begegnung statt, die die schrecklichen Verfehlungen der Vergangenheit auslöschen würde. Aber es konnte keine Begegnung stattfinden, nicht einmal ein Abschied, weil die Frau, die er einmal gekannt hatte, längst fortgegangen war. Harold dachte, er sollte so lange hier ans Fensterbrett gelehnt bleiben, bis er das akzeptieren konnte. Er überlegte, ob er sich wieder hinsetzen sollte, ob es vielleicht helfen würde, wenn er auf dem Stuhl saß. Doch im Grunde wusste er schon, dass es nichts nützen würde. Ob er nun saß oder stand, es würde sehr lange dauern, bis er die Erkenntnis von Queenies Verfall in den Stoff seines Lebens einweben konnte. Auch David war tot und ließ sich nicht zurückholen. Harold knotete den Kristall rasch an einen Vorhangring. Er hing im Licht und drehte sich kaum merklich.

Harold erinnerte sich daran, wie er an dem Tag, als David fast ertrunken wäre, an seinen Schnürsenkeln herumgenestelt hatte. Er erinnerte sich, wie er mit Maureen von dem Beerdigungsinstitut nach Hause gefahren war, im Bewusstsein, dass alles aus war. Noch etwas kam hoch. Er sah sich als Jungen auf dem Bett liegen, nachdem seine Mutter fortgegangen war, und sich fragen, ob er größere Chancen zu sterben hätte, wenn er sich so wenig wie möglich bewegte. Aber jetzt lag hier, Jahre später, eine Frau, mit der ihn eine kurze, aber innige Freundschaft verbunden hatte, eine Frau, die um das bisschen Leben kämpfte, das noch in ihr steckte. Nein, es reichte nicht. Es reichte nicht, wenn er sich hier nur im Hintergrund herumdrückte.

Stumm ging er zu Queenies Bett hinüber. Und als sie den Kopf drehte und seinen Blick suchte, setzte er sich neben sie. Er griff nach ihrer Hand. Ihre Finger waren zerbrechlich, hatten kaum noch Fleisch an den Knochen. Sie krümmten sich kaum wahrnehmbar und umfassten die seinen. Er lächelte.

»Es kommt mir vor, als wäre es sehr lange her, seit ich Sie in der Büromaterialkammer gefunden habe«, sagte er. Zumindest wollte er das sagen, vielleicht war es auch nur ein Gedanke. Die Luft blieb lange still und leer, bis ihre Hand aus der seinen glitt und ihr Atem langsamer wurde.

Porzellangeklapper schreckte ihn hoch. »Alles klar, Henry?« Die junge Schwester lärmte fröhlich mit ihrem Tablett herein.

Harold sah wieder zu Queenie. Sie war eingenickt.

»Macht es Ihnen etwas aus, wenn ich den Tee stehen lasse?«, fragte er. »Ich muss jetzt gehen.«

Und das tat er.

30
Maureen und Harold

Auf der Bank saß, im Wind zusammengekauert, eine einsame, gebrochene Gestalt, als säße sie schon ihr Leben lang dort, und sah auf den Wassersaum hinaus. Der Himmel war so grau und schwer, und auch das Meer war so grau und schwer, dass man nicht sagen konnte, wo das eine begann und das andere aufhörte.

Maureen blieb stehen. Ihr Herz schlug gegen die Rippen. Sie ging auf Harold zu und stellte sich direkt neben ihn, doch er blickte weder auf, noch sagte er ein Wort. Am Kragen seiner regendichten Jacke ringelten sich weiche Locken, nach denen Maureen so gern die Hand ausgestreckt hätte.

»Hallo, Fremder«, sagte sie. »Darf ich mich zu Ihnen setzen?«

Er antwortete nicht, zog aber seine Jacke enger um die Hüften und rutschte ein Stück, um ihr auf der Bank Platz zu machen. Wellen rollten heran und überschlugen sich in schaumig weißen Brechern, die kleine Steine und Bruchstücke von Muscheln mitrissen und dann liegen ließen. Die Flut war im Kommen.

Maureen setzte sich neben ihn, hielt aber etwas Abstand. »Wie weit, glaubst du, sind diese Wellen da gereist?«, fragte sie.

Er zuckte mit den Achseln und schüttelte den Kopf, als wolle er sagen, sehr gute Frage, aber ich weiß es wirklich nicht. Sein Profil war so hohl, dass es aussah wie angenagt, die Ringe unter seinen Augen so dunkel wie blaue Flecken. Wieder war er ein ganz anderer Mann geworden. Er schien um Jahre gealtert; von seinem Bart standen nur noch kümmerliche Reste.

»Wie war es denn?«, fragte sie. »Hast du Queenie besucht?«

Harolds Hände klemmten zwischen seinen Knien, er zog sie nicht heraus. Er nickte wortlos.

Sie fragte: »Wusste sie, dass du heute kommst? Hat sie sich gefreut?«

Sein Seufzer klang, als bekäme etwas einen Riss.

»Du hast sie doch – gesehen?«

Er nickte, dann verselbständigte sich das Nicken zu einem fortdauernden Auf und Ab, als hätte Harold seinem Gehirn zu befehlen vergessen, die Bewegung wieder einzustellen.

»Habt ihr euch unterhalten? Was hast du denn zu Queenie gesagt? Hat sie gelacht?«

»Gelacht?«, wiederholte er.

»Ja. Hat sie sich gefreut?«

»Nein«, antwortete Harold mit schwacher Stimme. »Sie hat nichts gesagt.«

»Nichts? Wirklich?«

Wieder eine Nickserie. Harolds Zugeknöpftheit war wie eine Krankheit, die auch Maureen anstecken wollte. Sie schlug den Kragen hoch und zog ihn um das Kinn zusammen. Sie hatte durchaus erwartet, dass er traurig und erschöpft wäre; das war am Ende einer solchen Reise ganz natürlich. Aber diese Apathie saugte einen leer.

Sie fragte: »Und was war mit den Geschenken? Haben sie ihr gefallen?«

»Ich habe den Rucksack bei den Nonnen abgegeben. Das hielt ich für das Beste.« Er redete leise und vorsichtig, als balanciere er auf den Worten und sei sich der Gefahr bewusst, jeden Moment in den Abgrund der Gefühle darunter abzustürzen. »Ich hätte das Ganze bleiben lassen sollen. Hätte einen Brief schicken sollen. Ein Brief hätte genügt. Wenn ich es mit einem Brief hätte gut sein lassen, dann hätte ich …« Sie wartete, aber er starrte zum Horizont und schien vergessen zu haben, was er hatte sagen wollen.

»Trotzdem bin ich überrascht. Dass Queenie nach allem, was du getan hast, gar nichts gesagt hat.«

Endlich wandte er Maureen das Gesicht und den Blick zu. Genau wie in seiner Stimme war kein Leben mehr darin. »Sie kann nicht. Sie hat keine Zunge mehr.«

Maureen schnappte heftig nach Luft. »Wie bitte?«

»Sie haben sie ihr rausgeschnitten. Mit der Hälfte des Halses und einem Teil des Rückgrats. Ein letzter Versuch, sie zu retten, aber es hat nicht geklappt. Der Krebs ist inoperabel, weil es an ihr nichts mehr zu operieren gibt. Jetzt wächst ihr der Tumor aus dem Gesicht.«

Er wandte den Blick wieder zum Horizont, mit schmalen Augen, als wolle er die Außenwelt ausblenden, um die Wahrheit, die in ihm Gestalt annahm, klarer zu erkennen. »Deswegen konnte sie am Telefon nie mit mir reden. Sie kann nicht mehr sprechen.«

Auch Maureen drehte sich zum Meer und versuchte, das Gehörte zu verarbeiten. Weit draußen waren die Wellen flach und metallfarben. Ob sie wohl wussten, dass das Ende ihrer Reise kurz vor ihnen lag?

Harold setzte wieder zum Sprechen an. »Ich bin nicht lange geblieben, mir fehlten die Worte. Die haben mir auch gefehlt, als ich ihren Brief zum ersten Mal gelesen habe. Maureen, was bin ich für ein Trottel. Was hätte ich ändern können? Wie konnte ich mir einbilden, ich könnte einen Menschen vor dem Tod retten?«

Eine ungeheure Traurigkeit erfasste ihn. Er kniff die Augen zusammen, machte den Mund auf und ließ aus seinem steif aufgerichteten Oberkörper eine Reihe lautloser Schluchzer heraus. »Sie war so ein guter Mensch. Sie wollte helfen. Jedes Mal, wenn ich sie chauffiert habe, hat sie etwas Süßes für die Heimfahrt mitgebracht. Sie hat sich nach David erkundigt, nach Cambridge …« Er konnte nicht weiterreden. Es schüttelte ihn richtig, sein Gesicht verzerrte sich, als ihm die Tränen über die Wangen liefen. »Du solltest dir das selber ansehen. Du solltest sie sehen, Maw. Es ist einfach nicht fair.«

»Ich weiß.« Sie streckte ihre Linke nach seiner Rechten aus und hielt sie fest.

Sie betrachtete die dunklen Finger auf seinem Schoß, die blauen, hervortretenden Adern. Auch wenn sie die letzten Wochen einander sehr fern gewesen waren, kannte sie diese Hand in- und auswendig. Sie wusste genau, wie sie aussah, selbst wenn sie nicht hinschaute. Sie hielt Harold fest, während er weinte. Dann wurde er ruhiger, die Tränen flossen stumm.

Er sagte: »Beim Laufen habe ich mich an so vieles erinnert. An Dinge, von denen ich gar nicht wusste, dass ich sie vergessen hatte. Erinnerungen an David, und an uns beide. Ich habe mich sogar an meine Mutter erinnert. Manche Erinnerungen waren hart. Aber die meisten waren schön. Und ich habe solche Angst. Ich habe Angst, dass ich sie eines Tages, vielleicht bald, wieder verliere – und dann für immer.« Seine Stimme schwankte. Dann atmete er tief ein, tief und tapfer, und begann ihr alles zu erzählen, woran er sich erinnert hatte. Erzählte von den Momenten aus Davids Leben, die sich ihm

366

geöffnet hatten, als schlüge er ein kostbares Sammelalbum auf. »Ich will nicht vergessen, wie sich sein Kopf anfühlte, als er ein Baby war. Oder wie er schlief, wenn du ihm vorgesungen hast. Das will ich alles behalten.«

»Natürlich wirst du es behalten.« Sie versuchte zu lachen, wollte dieses Gespräch nicht fortsetzen, aber sie merkte an seinem eindringlichen Blick, dass er noch nicht fertig war.

»Mir ist Davids Name nicht mehr eingefallen. Wie konnte ich den vergessen? Ich kann den Gedanken nicht ertragen, dass ich dir vielleicht eines Tages ins Gesicht sehe und dich nicht mehr erkenne.«

Schmerz prickelte hinter ihren Lidern, und sie schüttelte den Kopf. »Du verlierst dein Gedächtnis nicht, Harold. Du bist nur sehr, sehr müde.«

Sie begegnete seinem Blick, der völlig nackt war. Er hielt dem ihren stand und sie dem seinen, und die Jahre fielen von ihnen ab. Maureen sah wieder den wilden jungen Mann, der wie ein Teufel getanzt und alle ihre Adern mit dem Chaos der Liebe erfüllt hatte. Sie blinzelte heftig und wischte sich über die Augen. Die Wellen warfen sich immer höher ans Ufer. So viel Energie, so viel Kraft, die Ozeane überquert und Schiffe getragen hatte und kurz vor ihren Füßen in einem letzten Gischtnebel endete.

Maureen sah auch, was vor ihnen lag. Regelmäßige Besuche beim Hausarzt. Erkältungen, die womöglich zur Lungenentzündung ausarteten. Blutuntersuchungen, Hörtests, Sehtests. Vielleicht – Gott bewahre – Operationen und lange Genesungsphasen. Und natürlich würde ein Tag folgen, an dem einer von ihnen endgültig allein bliebe. Ein Schauer durchlief sie; Harold hatte recht, es war mehr, als man ertragen konnte. So weit zu kommen und endlich zu entdecken, was wirklich zählt, nur um zu wissen, dass man es wieder verlieren muss. Sie fragte sich, ob sie auf dem Heimweg über die Cotswolds fahren und ein paar Tage dort bleiben sollten, ob sie vielleicht einen Umweg über Norfolk machen sollten. Sie wäre sehr gern wieder einmal in Holt gewesen. Aber vielleicht lieber doch nicht. Solche Pläne waren im Moment einfach zu viel; sie wurde unsicher. Die Wellen überschlugen sich, brachen sich in unablässiger Wiederholung.

»Eins nach dem anderen«, murmelte sie. Sie rutschte dicht an Harolds heran und hob die Arme.

»Ach, Maw«, weinte er leise.

Maureen hielt ihn fest an sich gedrückt, bis der Kummer abebbte. Harold, dieser große, steif dasitzende Mann, gehörte ihr. »Mein Lieber.« Sie suchte sein Gesicht mit den Lippen und küsste ihn auf die nassen, salzigen Wangen. »Du bist aufgestanden und hast etwas getan. Du hast versucht, einen Weg zu finden, obwohl du gar nicht wusstest, ob du überhaupt ankommst. Wenn das kein kleines Wunder ist, dann weiß ich auch nicht.«

Ihr Mund bebte. Sie umfasste sein Gesicht mit beiden Händen und schob das ihre so nah heran, dass seine Gesichtszüge verschwammen und sie nur noch die Gefühle sah, die sie für ihn hatte.

»Ich liebe dich, Harold Fry«, flüsterte sie. »Das hast du jedenfalls geschafft.«

31
Queenie und das Geschenk

Queenie starrte in die verschwommene Welt hinaus und entdeckte etwas Unbekanntes. Sie kniff die Augen zusammen und strengte sich gewaltig an, es scharf zu sehen: Ein rosa Licht hing in der Luft, drehte sich und warf immer wieder eine Myriade von Farben an die Wand. Eine Weile war es schön anzusehen, dann wurde Queenie zu müde, um ihm weiter nachzujagen, und sie ließ es wieder los.

Sie war fast schon ein Nichts. Ein Blinzeln, und sie wäre auf und davon.

Jemand war gekommen und wieder gegangen. Jemand, den sie mochte. Keine von den Nonnen, obwohl sie alle nett waren. Auch nicht ihr Vater, aber ein guter Mensch wie er. Er hatte etwas von Laufen gesagt, richtig, sie erinnerte sich; er war gelaufen. Aber sie konnte sich nicht erinnern, woher. Vielleicht vom Parkplatz. Sie hatte Kopfschmerzen und wollte um Wasser bitten, würde es auch gleich tun, aber einen Moment lang wollte sie noch so liegen bleiben, endlich ganz still und entspannt. Sie würde schlafen.

Harold Fry. Jetzt erinnerte sie sich. Er war gekommen, um Abschied zu nehmen.

Einmal war sie eine Frau namens Queenie Hennessy gewesen. Sie hatte Zahlen addiert und in einer gestochenen Handschrift aufgeschrieben. Sie hatte einige Male geliebt, hatte verloren, alles, wie es sein sollte. Sie hatte das Leben berührt, ein wenig damit gespielt, aber es witscht so leicht wieder davon, und irgendwann müssen wir die Tür schließen und es hinter uns lassen. Ein Gedanke, der ihr viele Jahre Angst gemacht hatte. Aber jetzt? Jetzt hatte sie keine Angst mehr. Sie empfand gar nichts, war nur furchtbar müde. Sie ließ das Gesicht tiefer ins Kissen sinken und spürte, wie sich in ihrem Kopf, der immer schwerer wurde, etwas öffnete wie eine Blume.

Es war eine längst vergessene Erinnerung, so nah, dass Queenie sie fast schmecken konnte. Sie lief als Kind in ihrem Elternhaus die Treppe herunter, in ihren roten Lederschuhen, und ihr Vater rief nach ihr, oder war es der nette Mann, Harold Fry? Sie rannte zu ihm und lachte, weil es so lustig war. »Queenie?«, rief er. »Bist du da?« Sie sah ihn deutlich vor sich, groß im Gegenlicht, aber er rief immer weiter und hatte seine Augen überall, nur nicht dort, wo sie stand. Ihr Atem verknotete sich in der Brust. »Queenie!« Sie sehnte sich danach, dass er sie endlich fand. »Wo steckst du denn? Wo ist denn mein kleines Mädchen? Bist du bereit?«

»Ja«, sagte sie. Das Licht wurde sehr hell. Sogar hinter ihren Lidern schimmerte es silbern. »Ja«, rief sie etwas lauter, damit er sie endlich hörte. »Hier bin ich.« Etwas drehte sich am Fenster und überschüttete den Raum mit Sternen.

Queenie öffnete die Lippen für den nächsten Atemzug. Und als er nicht kam, sondern etwas anderes, war es genauso einfach wie atmen.

32
Harold und Maureen und Queenie

Maureen nahm die Nachricht ganz ruhig auf. Sie hatte ein Doppelzimmer gebucht, direkt am Meer. Sie hatten eine Kleinigkeit gegessen, danach hatte sie Harold ein Bad einlaufen lassen und ihm die Haare gewaschen. Sie hatte ihn sorgfältig rasiert und mit Feuchtigkeitscreme eingecremt. Während sie ihm die Nägel schnitt und die Füße massierte, erzählte sie ihm, was sie ihm in der Vergangenheit alles angetan hatte und zutiefst bedauerte. Er sagte, ihm ginge es genauso. Er sah aus, als würde er eine Erkältung bekommen.

Nach dem Anruf aus dem Hospiz nahm sie Harolds Hand. Sie wiederholte genau, was Schwester Philomena gesagt hatte: dass Queenie am Ende friedvoll ausgesehen hatte. Fast wie ein Kind. Eine der jüngeren Nonnen glaubte, sie hätte Queenie im Moment, bevor sie starb, etwas rufen hören, als wolle sie einen Menschen erreichen, den sie kannte. »Aber Schwester Lucy ist jung«, hatte Schwester Philomena gesagt.

Maureen fragte, ob Harold allein sein wolle, aber er schüttelte den Kopf.

»Dann machen wir das zusammen«, sagte sie.

Die Tote war schon in einen Raum neben der Kirche gebracht worden. Sie gingen wortlos hinter der jungen Nonne her, denn alle Worte wären jetzt zu hart und spröde gewesen.

Maureen nahm die Geräusche im Hospiz auf, die gedämpften Stimmen, ein kurzes Lachen, das Rauschen von Wasserrohren. Von draußen drang kurz Vogelgezwitscher herein – oder war es Gesang? Sie hatte das Gefühl, sie wäre von einer inneren Welt verschluckt. Vor einer geschlossenen Tür blieben sie stehen, und Maureen fragte Harold noch einmal, ob er allein hineingehen wolle. Wieder schüttelte er den Kopf.

»Ich habe Angst«, sagte er, und seine blauen Augen suchten die ihren.

Sie sah die Panik darin, den Kummer und den Widerstand. Und dann begriff sie plötzlich. Der einzige Tote, den er je gesehen hatte, war David gewesen, im Gartenschuppen. »Ich weiß. Aber es ist in Ordnung. Ich bin bei dir. Diesmal wird es in Ordnung sein, Harold.«

»Es war ein sanftes Ende«, sagte die Schwester, eine mollige junge Frau mit rosigen Wangen. Maureen fand es tröstlich, dass eine so junge, lebenssprühende Frau Sterbende pflegte und dennoch weiter so viel Lebendigkeit ausstrahlen konnte. »Kurz, bevor sie starb, hat sie gelächelt. Als hätte sie etwas gefunden.«

Maureen sah Harold an; sein Gesicht war so weiß, dass er aussah wie blutleer. »Ich bin froh«, sagte sie. »Wir sind froh, dass sie friedlich sterben konnte.«

Die Nonne trat zurück, drehte sich aber wieder um, als wäre ihr noch etwas eingefallen. »Schwester Philomena lässt fragen, ob Sie vielleicht zum Abendgebet kommen möchten?«

Maureen lächelte höflich. Es war zu spät, um jetzt noch gläubig zu werden. »Vielen Dank, aber Harold ist sehr müde. Ich glaube, am dringendsten braucht er jetzt Ruhe.«

Die junge Frau nickte gelassen. »Selbstverständlich. Sie sollen nur wissen, dass Sie willkommen sind.« Sie fasste nach der Klinke und öffnete die Tür.

Gleich beim ersten Schritt in den Raum erkannte Maureen den Geruch wieder, die eisige Stille, von Weihrauch getränkt. Unter einem kleinen Holzkreuz lag, die weißen Haare über das Kissen gebürstet, was einst Queenie Hennessy gewesen war. Ihre Arme ruhten ausgestreckt an den Seiten, die geöffneten Handflächen nach oben gerichtet, als hätte sie bereitwillig etwas losgelassen. Ihr Gesicht war diskret zur Seite gedreht, um den Tumor zu verbergen. Maureen und Harold standen stumm neben ihr und fanden sich einmal mehr damit ab, wie vollständig das Leben sich verflüchtigt.

Maureen dachte an David in seinem Sarg, und wie sie seinen leblosen Kopf gehoben und immer wieder geküsst hatte im glühenden Wunsch, ihn wieder lebendig zu machen. Sie hatte es nicht glauben können, dass das nicht genügte, um ihn zurückholen. Harold stand mit geballten Fäusten neben ihr.

»Sie war ein guter Mensch«, sagte Maureen schließlich. »Eine wahre Freundin.«

Sie spürte etwas Warmes an ihren Fingerspitzen und dann den Druck seiner Hand.

»Es gibt nichts, was du noch hättest tun können«, sagte sie. Und dabei dachte sie nicht nur an Queenie, sondern auch an David. Ihr Sohn hatte letztlich selbst entschieden, auch wenn er damit einen Abgrund zwischen seinen Eltern aufgerissen hatte, dass jeder in seiner eigenen Dunkelheit versank. »Es war unrecht von mir. Es war sehr unrecht von mir, dir Vorwürfe zu machen.« Sie erwiderte den Druck seiner Finger.

Dann sah sie Licht im Spalt unter und über der Tür und hörte die Geräusche des Hospizes wieder, die die Leere füllten wie Wasser. In dem Raum, in dem sie standen, war es so dunkel geworden, dass die Einzelheiten verschwammen, sogar Queenies Gestalt schien sich aufzulösen. Maureen dachte wieder an die Wellen und dass ein Leben nicht vollendet war, wenn es seinen Abschluss noch nicht gefunden hatte. Sie würde an Harolds Seite bleiben, solange er wollte. Schließlich wandte er sich ab, und sie folgte ihm.

Als sie die Tür hinter Queenie schlossen, hatte die Messe schon begonnen. Sie blieben stehen, unentschlossen, ob sie den Schwestern noch danken oder einfach hinausgehen sollten. Harold bat, ob sie noch einen Moment warten könnten. Die Stimmen der Nonnen erhoben sich, zum Gesang verwoben, und einen wunderbaren, flüchtigen Augenblick lang floss Maureen schier über von etwas, das sich anfühlte wie Freude. Wenn wir nicht offen sein können, dachte sie, wenn wir das Unbekannte nicht annehmen können, dann können wir wirklich alle Hoffnung fahren lassen.

»Jetzt können wir gehen«, sagte Harold.

Sie liefen im Dunkeln am Ufer entlang. Die Familien hatten ihr Picknick und ihre Klappstühle längst zusammengepackt; nur einige Jogger in Leuchtjacken waren noch hier und ein paar Leute, die mit ihrem Hund gingen. Harold und Maureen unterhielten sich über Kleinigkeiten: die letzten Pfingstrosen, Davids ersten Schultag, den Wetterbericht. Belangloses. Der Mond leuchtete hoch am Himmel und warf sein zitterndes Spiegelbild auf das tiefe Wasser. Weit draußen zog ein Schiff mit funkelnden Lichtern über den Horizont, so langsam, dass man sein Vorankommen kaum verfolgen konnte. Es pulsierte vor Leben, einem Leben, das mit Harold und Maureen nichts gemein hatte.

»So viele Geschichten. So viele Menschen, die wir nicht kennen«, sagte sie.

Auch Harold beobachtete das Schiff, aber ihn beschäftigten ganz andere Gedanken. Er hatte keine Ahnung, woher die

Gewissheit kam, ob sie ihn froh oder traurig machte, aber er war sicher, dass Queenie bei ihm bleiben würde, und David auch. Außerdem wären da Napier und Joan und Harolds Vater mit seinen Tanten, aber Harold bräuchte nicht mehr gegen sie anzukämpfen und auch nicht mehr unter Vergangenem zu leiden. Sie gehörten zur Luft, die ihn umgab, und alle anderen Reisenden, denen er auf seinem Weg begegnet war, ebenso. Er sah, dass Menschen die Entscheidungen treffen, die sie treffen möchten, und manche davon schmerzen sowohl sie selbst als auch andere, die sie lieben; manche bleiben unbemerkt, andere sind Anlass zum Jubeln. Er wusste nicht, welche Folgen Berwick upon Tweed für ihn haben würde, aber er war für alles bereit.

In ihm stieg die Erinnerung an jenen Abend auf, als er getanzt hatte, als er Maureen entdeckt hatte, wie sie ihm quer durch die Menge zusah. Er erinnerte sich, wie es sich anfühlte, Arme und Beine von sich zu schleudern, als wolle er alles Vergangene von sich abschütteln, und gleichzeitig von einer so schönen jungen Frau beobachtet zu werden. Das hatte ihn kühn gemacht, und er hatte noch wilder, noch verrückter getanzt, mit den Füßen ausgeschlagen, die Hände wie schlüpfrige Aale durch die Luft geschlängelt. Dann war er stehen geblieben und hatte sich vergewissert: Ja, sie sah ihm immer noch zu. Diesmal hatte sie seinen Blick aufgefangen und gelacht. Das Lachen ergriff sie mit Haut und Haaren, schüttelte ihre Schultern, ließ ihr ganze Strähnen übers Gesicht fallen, und zum ersten Mal im Leben trieb es ihn dazu, sich durch eine Menschenmenge zu drängen und eine Fremde zu berühren. Unter ihrem samtigen Haar spürte er das blasse, weiche Polster ihrer Haut. Sie war nicht zurückgezuckt.

»Hallo, du«, hatte er gesagt. Seine Kindheit war augenblicklich von ihm abgefallen, es gab nur noch ihn und sie. Egal, was als Nächstes geschehen würde, er wusste, dass ihre Wege von nun an miteinander verbunden wären. Er würde alles für sie tun. Die Erinnerung erfüllte Harold mit einer Leichtigkeit, als wäre ihm wieder warm geworden, von ganz tief innen heraus.

Maureen schlug in der kalten Nachtluft den Kragen bis zu den Ohren hoch. Die Lichter der Stadt funkelten im Hintergrund. »Sollen wir umkehren?«, fragte sie. »Ist es genug?«

Statt zu antworten, nieste Harold. Maureen drehte sich um und wollte ihm ein Taschentuch anbieten, da rang er kurz, fast geräuschlos nach Luft. Er schlug sich die Hand vor den Mund. Das Geräusch wiederholte sich. Nein. Das war kein Niesen oder nach Atem Ringen. Sondern ein Glucksen. Ein Prusten.

»Geht's dir nicht gut?«, fragte Maureen. Es sah aus, als strenge er sich furchtbar an, damit ihm auf keinen Fall etwas aus dem Mund entwich. Sie zupfte ihn am Ärmel. »Harold?«

Er schüttelte den Kopf. Seine Hand klebte immer noch auf seinem Mund. Trotzdem fuhr ein zweites Prusten heraus.

»Harold?«, wiederholte sie.

Er presste sich jetzt beide Hände auf die Mundwinkel, als versuche er, die Lippen glattzuziehen. Dann sagte er: »Ich sollte nicht lachen. Ich will nicht lachen. Aber …« Dann ging es vollends mit ihm durch, und er wieherte los.

Sie begriff nicht, warum, aber auch auf ihren Mundwinkeln zuckte ein Lächeln. »Vielleicht tut es uns jetzt einfach gut, zu lachen«, sagte sie. »Was ist denn so lustig?«

Harold holte tief Luft, um sich zu beruhigen. Er richtete seine wunderschönen Augen auf sie, und es kam ihr vor, als strahlten Scheinwerfer durch das Dunkel. »Ich habe keine

Ahnung, warum mir das gerade jetzt einfällt. Aber weißt du noch, dieser Abend bei dem Tanz?«

»Als wir uns zum ersten Mal gesehen haben?« Auch ihrem Lächeln mischten sich nun ein paar Gluckser bei.

»Und gelacht haben wie die Kinder?«

»Ach, was war denn das gleich wieder, was du gesagt hast, Harold?«

Er brach in ein so brüllendes Gelächter aus, dass er sich den Bauch halten musste. Sie sah ihm zu, und ihr Lächeln perlte schon so, dass es jeden Moment überschäumen musste – aber ganz so weit wie er war sie noch nicht. Er krümmte sich vor Lachen, es sah sogar so aus, als hätte er Schmerzen.

Zwischen heftigen Prustern keuchte er: »Wir haben gar nicht wegen mir gelacht. Sondern wegen dir.«

»Wegen mir?«

»Ja. Ich habe *Hallo, du* gesagt, und dann hast du zu mir hochgesehen. Und hast gesagt …«

Da fiel es ihr wieder ein. Sie erinnerte sich. Gelächter brodelte in ihrem Bauch und füllte ihn an wie mit Helium. Auch sie schlug sich die Hand vor den Mund. »Na klar.«

»Du hast gesagt …«

»Genau. Ich …«

Sie konnten es nicht aussprechen. Sie brachten es einfach nicht heraus. Sie versuchten es, aber jedes Mal, wenn sie den Mund aufmachten, fanden sie es so irrsinnig komisch, dass eine neue Woge hilflosen Gelächters hervorbrach. Sie mussten sich an den Händen fassen, um nicht hinzufallen.

»O Gott«, stotterte sie, »o mein Gott. Es war nicht einmal besonders witzig.« Sie lachte und versuchte gleichzeitig, ihr Lachen zu unterdrücken, so dass es sich in Schluchzern und Kieksern Luft machen musste. Dann brandete ein neuer Lachanfall auf wie eine riesige Welle, überrollte sie und endete in einem heftigen Schluckauf. Der verschlimmerte die Sache nur noch. Sie hingen einander in den Armen, bogen sich und schüttelten sich, so komisch fanden sie das Ganze. Die Tränen liefen ihnen herunter, ihre Gesichtsmuskeln schmerzten. »Die Leute glauben sicher, wir haben einen gemeinsamen Herzinfarkt«, röhrte sie.

»Du hast recht. Eigentlich war es gar nicht so komisch«, sagte Harold und trocknete sich mit einem Taschentuch die Augen. Einen Augenblick lang sah er wieder ganz vernünftig aus. »Das ist es ja, Schatz. Es war nichts Besonderes. Wir fanden es nur so komisch, weil wir so glücklich waren.«

Sie fassten einander wieder an den Händen und gingen zum Wassersaum hinunter, zwei kleine Gestalten vor den schwarzen Wellen. Auf halbem Weg erinnerte sich einer von ihnen wieder, und ein neuer Heiterkeitsausbruch setzte sie wie unter Starkstrom. Ohne einander loszulassen, standen sie am Wasser und schütteten sich aus vor Lachen.

Dank

Einige Menschen sind zu Meilensteinen auf Harolds Weg geworden: Anton Rogers, Anna Massey, Niamh Cusack, Tracey Neale, Jeremy Mortimer und Jeremy Howe haben in einem Nachmittags-Hörspiel der BBC die Reise mit Harold begonnen. Niamh hat darüber hinaus viele Seiten des Buchs gelesen und mir Mut gemacht, ebenso Paul Venables, Myra Joyce, Anna Parker, Christabelle Dilks, Heather Mulkey und Sarah Lingard. Clare Conville, Jake Smith-Bosanquet und alle anderen bei Conville & Walsh, Susanna Wadeson und das Team bei Transworld, Kendra Harpster, Abi Pritchard, Fances Arnold, Richard Skinner, die Faber-Gruppe von 2010 sowie Matthew, der Wildpflanzensammler aus Stroud, haben alle eine wichtige Rolle gespielt.

Wie auch Hope, Kezia, Jo und Nell, die es sich angewöhnt haben, am Straßenrand nach Harold Ausschau zu halten.

Cecelia Ahern
Ein Moment fürs Leben
Roman
Aus dem Englischen von Christine Strüh
Gebunden

Was machst du, wenn dein Leben sich mit dir treffen will?
Gehst du hin? Mit ihrer verzaubernden Phantasie und ihrem
unnachahmlichen Humor erzählt Weltbestsellerautorin
Cecelia Ahern von der wichtigsten Begegnung, die es für uns
geben kann: mit dem eigenen Leben.

»›Ein Moment fürs Leben‹ ist DER Roman für
jeden, der sein Leben richtig leben will. Eine ideenreiche
Geschichte über das Leben und die Liebe. Skurril,
witzig, traurig – genauso, wie das Leben eben ist.
Alex Dengler, denglers-buchkritik.de

Krüger Verlag